LES CHIFFRES DES MOTS

DU MÊME AUTEUR

MÉNARD, M., *Le spectacle de chanson au Québec, Portrait économique*, étude réalisée pour le Groupe de travail sur la chanson (avec la collaboration de SAINT-JEAN, U. et THIBAULT, C.), Montréal, SODEC, 1998.

MÉNARD, M., *L'industrie du disque au Québec, Portrait économique*, étude réalisée pour le Groupe de travail sur la chanson (avec la collaboration de SAINT-JEAN, U. et THIBAULT, C.), Montréal, SODEC, 1998.

MÉNARD, M. et F. LE BOUAR, *Les télévisions spécialisées au Québec : évolution du marché dans la perspective d'une libre concurrence*, étude réalisée pour le ministère de la Culture et des Communications du Québec, Cahiers-médias n° 8, Sainte-Foy, Centre d'études sur les médias, 1999.

Marc Ménard

LES CHIFFRES DES MOTS

Portrait économique du livre au Québec

Collection Culture et économie, SODEC
215, rue Saint-Jacques, bureau 800
Montréal (Québec)
H2Y 1M6

Révision linguistique : Monique Désy-Proulx

Conception graphique : Folio infographie

Production : Carte blanche

ISBN 2-550-37187-9

Dépôt légal - 2e trimestre 2001
Bibliothèque nationale du Québec

Il se peut que la détermination et l'effort acharné des faiseurs d'argent nous transportent tous avec eux dans le giron de l'abondance économique. Mais ce seront les peuples capables de préserver l'art de vivre et de le cultiver de manière plus intense, capables aussi de ne pas se vendre pour assurer leur subsistance, qui seront en mesure de jouir de l'abondance le jour où elle sera là.

JOHN MAYNARD KEYNES,
Perspectives économiques pour nos petits-enfants

À Benoît, Félix et leur mère

Table des matières

Avant-propos

La présente étude s'inscrit dans le cadre d'une démarche à long terme de la Société de développement des entreprises culturelles (SODEC) visant à développer la connaissance économique des industries culturelles du Québec. La Société fait de la convergence de la culture et de l'économie l'un de ses principes directeurs. La majeure partie du travail de collecte et d'analyse de données soutenant cette étude fut effectuée durant les travaux du Comité sur les pratiques commerciales dans le domaine du livre (Comité Larose), de l'automne 1999 à l'automne 2000. À cette occasion, des rapports préliminaires à circulation restreinte furent produits pour l'usage des membres du Comité. Depuis, plusieurs des données et estimations initiales ont été mises à jour ou réévaluées, si bien que les résultats et analyses présentés ici diffèrent parfois de ce qu'on trouve dans ces rapports préliminaires.

Nous tenons à remercier tous les membres du Comité Larose, dont les commentaires et critiques sur nos analyses furent parfois sévères, mais toujours précieux et éclairants. Les nombreux débats et discussions auxquels nous avons pu assister durant les réunions de ce Comité furent essentiels à notre compréhension de l'univers du livre au Québec. Évidemment, nul travail de cette ampleur ne saurait être le fruit d'une seule personne. Nous tenons à remercier, de la SODEC, Amélie Laframboise, stagiaire, Isabelle Dupuis, chargée de projets, et Louis Émond, assistant de recherche, qui ont collaboré au lourd travail de collecte, de saisie et de validation des données. Merci également à Bernard Boucher, directeur général, politiques, communications et affaires internationales, qui a permis que ce travail soit entrepris et complété, et qui a lu et commenté ce texte, de même qu'à Nancy Bélanger, chargée de communications, qui a fait en sorte que ce livre soit largement diffusé. Enfin, nos plus sincères remerciements à Anne-Marie Gill et à Louis Dubé, tous deux chargés de projets, qui ont lu, commenté et critiqué ce texte, nous ont apporté leur précieuse expérience et qui, surtout, nous ont amicalement appuyé tout au long de ce travail.

Introduction

Le livre est un bien culturel, il est œuvre et création intellectuelle unique. Cette unicité se décline en une multitude d'espèces : roman, poésie ou livre jeunesse, guide pratique, manuel scolaire et livre scientifique. Reflet de la vitalité et de la diversité de notre culture, le livre est également l'un des vecteurs privilégiés de notre accès aux cultures du monde. Au Québec seulement, près de 4 000 nouveaux titres sont publiés chaque année. Avec la production étrangère, c'est plus de 25 000 nouveautés qui, tous les ans, envahissent les rayons des librairies et autres commerces.

Le livre est aussi un bien économique, qui s'échange sur le marché et qui est soumis aux lois de l'offre et de la demande. Un marché complexe, aux ramifications multiples, qui génère d'importants flux financiers : au Québec, ce marché représente près de 26 millions d'exemplaires vendus et près de 600 millions de dollars de recettes. C'est donc toute une industrie qui, au-delà des auteurs, des écrivains, des illustrateurs et des traducteurs, regroupe éditeurs, diffuseurs et distributeurs, libraires et commerçants de toutes sortes, de même qu'une multitude d'employés, de pigistes et de contractuels qui, chacun à leur façon, participent à la diffusion et à la vie commerciale du livre.

Malgré son ampleur, l'industrie du livre serait en crise, selon de nombreux observateurs. Du Forum sur l'industrie du livre au Comité sur les pratiques commerciales dans le domaine du livre, en passant par le Sommet sur la lecture et le livre et le Groupe de travail sur la consolidation et la rentabilité des librairies, ce constat revient de façon récurrente, et trouve même des échos dans de nombreux pays. Les ventes seraient en déclin et on mettrait trop de livres sur le marché. Certains affirment qu'il y a trop d'éditeurs, d'autres qu'il manquera bientôt de distributeurs, de libraires, et même de lecteurs. Quant au support papier par lequel le livre circule depuis des siècles, il sera remplacé, dans quelques années à peine, par de petits boîtiers plastifiés contenant toutes les bibliothèques du monde.

Malheureusement, il est fort difficile de se retrouver dans cet ensemble d'affirmations et de perceptions, tant le livre souffre — à l'instar de la plupart des industries culturelles — d'un déficit chronique de données publiques fiables et complètes. Or pour porter un jugement éclairé sur la situation, il faut une analyse fondée sur une compréhension fine des mécanismes économiques en jeu et reposant sur des données précises et détaillées.

La présente étude se veut une réponse à l'ensemble de ces questions. Il s'agit donc, d'abord et avant tout, d'une étude économique. Elle a plus précisément deux ambitions.

Une ambition théorique, d'abord. Celle de présenter la dualité du livre, à la fois marchandise et produit culturel, bien industriel multiple et création intellectuelle unique. Ainsi, nous exposons les spécificités du livre en tant que bien d'information, pour ensuite dégager les facteurs qui conditionnent la configuration de son marché, tant au plan de l'offre que de la demande.

Une ambition empirique, ensuite. Celle de présenter une analyse économique et financière détaillée de la chaîne du livre au Québec. Après la description de l'ampleur et de l'évolution de son marché, nous décrivons l'organisation et la structuration de cette filière, pour conclure sur une analyse rigoureuse de ses principaux maillons.

Cette étude est composée de huit chapitres, que nous avons regroupés en deux parties.

Le livre en quête de son marché

Au chapitre 1, nous traçons une brève histoire économique de l'industrie du livre au Québec. L'édition de livres est la plus ancienne des industries culturelles. Au Québec, son développement fut lent et parfois laborieux. Nous indiquons ici les grandes lignes de ce développement et nous repérons les principaux facteurs qui en ont scandé l'évolution, une telle mise en perspective étant nécessaire pour comprendre l'état actuel de l'industrie, ses particularités, ses forces et ses faiblesses.

Au chapitre 2, nous tentons de démontrer la complexité du rapport que le livre entretient avec le marché, en présentant d'abord les caractéristiques qui en font un bien économique si particulier. Puis, nous montrons que cet ensemble de caractéristiques explique que le mode d'insertion du livre sur le marché est complexe et singulier, et que son industrialisation demeure incomplète. Nous exposons enfin, d'un point de vue théorique, l'ensemble des facteurs qui concourent à fixer les prix, à structurer l'offre et à former la demande.

Au chapitre 3, nous examinons des évaluations statistiques sur le marché du livre au Québec. Nous présentons d'abord l'ampleur et l'évolution récente des ventes finales de livres. Puis nous évaluons la répartition de ces ventes selon les principaux canaux de diffusion du livre. Enfin, nous discutons de l'évolution de la concurrence des autres produits culturels et de divertissement, des prix du livre et des revenus des consommateurs, de même que de l'impact de ces facteurs sur la demande de livres au Québec.

La filière du livre et ses composantes

Au chapitre 4, nous décrivons brièvement l'ensemble des secteurs de la filière du livre, puis nous identifions les éléments fondamentaux qui la structurent, c'est-à-dire les règles du jeu commercial. Nous complétons cette description en commentant l'entrée des nouvelles technologies dans le domaine du livre, et en nous demandant comment elles risquent d'affecter l'ensemble de la filière.

Les trois derniers chapitres proposent une analyse économique et financière des trois principaux secteurs de la filière du livre, c'est-à-dire l'édition, la diffusion-distribution et la librairie agréée. Pour chacun de ces secteurs, et dans la mesure des données disponibles et des estimations qu'il était possible de faire, nous présentons l'évolution historique récente des revenus et des dépenses, une analyse de l'activité principale des entreprises et une analyse financière des bilans. Dans chaque cas, nous tentons de mettre en lumière les tendances lourdes et les éléments critiques pour l'avenir de ces secteurs.

Enfin, nous concluons cette étude par une brève revue des principaux défis qui attendent l'industrie du livre : un défi de fonctionnement interne, un défi d'organisation de la structure industrielle et un défi de positionnement dans l'univers de la culture, du divertissement et des loisirs.

1

LE LIVRE EN QUÊTE DE SON MARCHÉ

CHAPITRE 1

Brève mise en perspective historique

L'édition de livres est la plus ancienne industrie culturelle, au Québec comme ailleurs dans le monde. Son développement fut toutefois lent, et même parfois laborieux, caractérisé par des poussées de croissance, des crises et des reculs. Ce chapitre vise à tracer schématiquement les grandes lignes de ce développement, considérant qu'une telle mise en perspective est nécessaire pour comprendre l'état actuel de l'industrie, ses particularités, ses forces et ses faiblesses. Pour ce faire, nous proposons un découpage en quatre grandes périodes. Ce procédé est forcément réducteur, mais il a l'avantage de mettre en lumière quelques éléments-clés qui, sur une période de temps donné, comportent une certaine homogénéité[1].

1.1 De la Conquête à la Première Guerre mondiale : soubresauts d'une industrie en gestation

Au Canada, les premières presses arrivent en Nouvelle-Écosse en 1751, puis à Québec en 1764 et à Montréal en 1776. Le premier document imprimé à Québec est *The Quebec Gazette/La Gazette de Québec*, par William Brown, qui non seulement possède une imprimerie et un journal, mais en plus vend des livres et de la papeterie. Ce même modèle, qui intègre imprimerie, journal et

1. Pour la rédaction de ce chapitre, nous avons abondamment utilisé les références suivantes : Roy (2000), Michon dir. (1999), Lamonde (1999), Michon (1999), ANEL (1998) et Étude Économique Conseil (1993).

point de vente de livres et de papier, est repris à Montréal par Fleury Mesplet, qui lance en 1778 *La Gazette du commerce et littéraire, pour la ville et district de Montréal*. À la suite de Brown et de Mesplet, d'autres imprimeurs s'installent dans la colonie à la fin du XVIIIe siècle. Le commerce demeure toutefois difficile. Malgré les commandes fermes en provenance des institutions gouvernementales et religieuses, la production locale est faible, principalement composée d'almanachs, de catéchismes, d'abécédaires et de brochures diverses. La très grande majorité des livres vendus sont importés, alors même que le commerce, surtout avec la France, est entravé par de sévères contraintes économiques et réglementaires jusqu'au milieu du XIXe siècle.

Ce n'est donc pas avant le XIXe siècle que l'on peut parler d'un véritable essor du livre. Dans le contexte d'une industrialisation naissante, cet essor est en bonne partie favorisé par l'implantation de nouvelles technologies industrielles (presses en métal actionnées à la vapeur, premiers moulins à papier, arrivée du stéréotype, de la reliure et de l'illustration). Ainsi, à la fin du siècle, la baisse continuelle des coûts d'impression et des prix du papier favorisent l'apparition d'une véritable production industrielle.

La figure dominante de la nouvelle industrie demeure longtemps l'imprimeur qui, dans la plupart des cas, est aussi éditeur et commerçant. Il sélectionne les titres, fabrique les livres et, par le biais de comptoirs attenants à ses ateliers, vend les imprimés qu'il produit et ceux qu'il importe.

La diffusion commerciale se développe rapidement, soutenue en bonne partie par la croissance de la population et les besoins qui découlent des progrès de l'alphabétisation et de la scolarisation. Cette diffusion prend diverses formes : colportage en milieu rural, encan de livres et, surtout, librairie.

Parmi leurs nombreuses marchandises, les marchands généraux vendent des livres. Dans les premières décennies du XIXe siècle, certains se spécialisent même dans ce commerce et prennent le titre de libraire : Sarrault, Germain, Bossange (cette dernière reprise par la suite par Fabre) et Crémazie, en particulier. Rapidement, les imprimeurs font appel aux libraires pour écouler leur production. À partir des années 1840-1850, une deuxième vague de libraires apparaissent et prennent de l'essor (Jean-Baptiste Rolland, Beauchemin & fils, Librairie Saint-Joseph de Cadieux et Derome, Librairie Granger Frères, Librairie J.-P. Garneau). Il est toutefois impossible, à l'époque, de faire survivre une librairie en ne vendant que des livres. Les libraires, en plus de tenir comptoir de livres et de papeterie, vendent aussi des produits de consommation divers, la plupart du temps importés, qu'il s'agisse d'ornements religieux, de gravures et de lithographies, de papiers peints, d'objets de luxe ou de produits fins d'alimentation, incluant le champagne et l'absinthe.

Par la suite, certaines de ces librairies se transforment en grossistes et visent une clientèle nationale qui va jusqu'à l'Ouest canadien et au Nord-Est américain. Ils tentent également de s'imposer, avec un succès limité toutefois, comme fournisseurs des institutions, lesquelles font la plus grande part de leurs acquisitions directement outremer. Les libraires se font aussi éditeurs, produisant des almanachs, des manuels scolaires et des livres religieux, ainsi que quelques ouvrages littéraires. En parallèle, on assiste à l'apparition de plusieurs petites librairies régionales et, surtout à Montréal, de librairies spécialisées pour le clergé, les juristes, les étudiants en médecine, les amateurs de livres canadiens. Dans l'ensemble, la disponibilité du livre s'élargit sensiblement tout au long du XIXe siècle, reposant sur la polyvalence des lieux de vente et la spécialisation progressive du commerce.

Le développement des grandes librairies est tel que celles-ci dominent nettement le marché du livre au début du XXe siècle. Ces librairies sont de grandes entreprises qui profitent de la croissance économique pour consolider leurs positions. Leurs techniques de vente deviennent de plus en plus raffinées, avec l'utilisation de catalogues, d'almanachs et de publicité dans les journaux pour rejoindre les détaillants et les acheteurs institutionnels de tout le Québec. Le nombre de librairies augmente peu ; c'est surtout leur taille qui s'accroît, en même temps que se dessine une tendance à la concentration et que les plus grandes se transforment en sociétés par actions, dans les premières décennies du siècle (Beauchemin, Wilson & Lafleur, Granger Frères, Garneau). Ces grands libraires sont de véritables hommes d'affaires qui vendent différents produits, parmi lesquels le livre ; et ils sont présents tout à la fois dans le commerce de détail, le commerce de gros, l'imprimerie et l'édition. La Librairie Beauchemin constitue la quintessence de ce modèle de grande librairie et, pendant le premier quart du XXe siècle, cette entreprise domine le marché. Tout au long de cette période, pourtant, et même jusqu'à la Seconde Guerre mondiale, les libraires ne peuvent développer leur commerce sans tenir compte de l'Église. Car non seulement les communautés religieuses exercent une tutelle sévère sur les livres produits et diffusés, mais elles éditent et vendent également leurs propres livres, tout en continuant d'importer de nombreux ouvrages directement d'Europe. Ainsi, elles sont à la fois le tuteur des librairies, leur principal client et leur principal concurrent.

Les livres français dominent largement le marché francophone. Importés directement par les institutions, les collèges, les séminaires et les couvents, ou transitant par le biais des libraires-grossistes, ces importations représentent environ 95 % du marché au cours du XIXe siècle. La production locale progresse pourtant. À la production destinée aux institutions scolaires et religieuses et qui répond à des commandes et à des règles précises, s'ajoute progressivement une production de littérature générale qui relève en grande partie d'une demande anticipée, et non pas de commandes. La fonction éditoriale se développe donc, et on voit apparaître en même temps de nouveaux formats et de nouvelles manières de produire : on réédite, sous forme de livres, des œuvres précédemment parues dans des revues ou des journaux ; on inaugure des collections littéraires destinées au grand public, aux écoles et aux bibliothèques ; on introduit le livre à 10 cents, des feuilletons en fascicules. Cette fonction éditoriale demeure toutefois largement assumée par les librairies, les communautés religieuses (qui publient surtout des manuels scolaires et des imprimés religieux adaptés à leur mission de recrutement et de formation, et très peu de littérature), le gouvernement et certains journaux (*L'Action catholique* et *Le Devoir*, en particulier), qui voient dans le livre une possibilité de prolonger leur action idéologique.

L'auteur, jusque-là largement anonyme, émerge progressivement. Toutefois, pour naître véritablement, il lui faut le livre scolaire laïque et, surtout, la fiction. Des regroupements d'auteurs apparaissent au tournant du siècle (École littéraire de Montréal, Association des journalistes canadiens-français, Société du bon parler français). Ces associations contribuent à sortir les auteurs de leur isolement et soutiennent les efforts de publication, ainsi que l'édition de revues et l'organisation d'événements. Toutefois, avant 1920, les principaux modes de publication des nouveautés littéraires au Québec sont l'autoédition, le compte d'auteur et l'édition par souscription publique. De ce fait, ces nouveautés sont pour la plupart peu ou mal commercialisées. Les éditeurs-libraires, en effet, courent peu de risques. Ils ne publient que les auteurs qui ont déjà trouvé un soutien financier, le plus souvent en provenance du gouvernement ou de l'Église, ou ne s'en tiennent qu'aux marchés qu'ils connaissent le mieux : les manuels scolaires et les livres religieux. Dans ce contexte où le public se développe, se diversifie et devient de plus en plus anonyme, les auteurs se voient peu à peu dans l'obligation d'avoir recours à de véritables éditeurs.

1.2 L'entre-deux-guerres : émergence de l'éditeur autonome

La fin de la Grande Guerre amorce une période troublée. Les difficultés économiques de l'immédiat après-guerre, la croissance des années folles puis la Grande Crise ont de profondes répercussions sur l'industrie du livre. Les grandes librairies, jusque-là dominantes, voient leur position stagner, puis reculer. Elles sont limitées par la faiblesse du marché des ventes aux particuliers, elles sont concurrencées par les institutions qui importent directement leurs livres d'Europe, elles sont touchées par la dépression et par la baisse généralisée des activités qui en résulte, et elles se contentent dans bien des cas de vivre sur leurs acquis. Le modèle tout-puissant de la grande librairie régresse. De même, la presse nationaliste et catholique, dont l'essor a été fulgurant au début du XXe siècle, voit ralentir ses activités à partir de la fin des années 1920. En tant qu'éditeur de livres, son rôle se réduit. Quant aux communautés religieuses, qui prédominent toujours dans le domaine scolaire et qui continuent d'exercer une tutelle sévère sur le monde du livre, dès les années 1930 leur production éditoriale tend à se concentrer dans les périodiques.

C'est dans ce contexte qu'émergent alors des maisons d'édition autonomes : Éditions Édouard Garand (spécialisées dans le roman populaire), Éditions Albert Lévesque, Éditions du Mercure/Mercury Press, Éditions du Totem, Éditions du Zodiaque. L'éditeur autonome, cette nouvelle figure, est principalement tourné vers la littérature. Il s'agit d'un entrepreneur pour qui l'édition est un métier à part entière : il crée des collections, réunit autour de lui des auteurs, instaure des comités de lecture et rassemble les ressources nécessaires pour publier des livres et les faire connaître. Sa production s'adresse essentiellement au grand public et accessoirement aux bibliothèques et aux institutions d'enseignement. La littérature jeunesse profite de cette conjoncture. Les éditeurs se rapprochent des jeunes et leur offrent des collections et des récits adaptés à leur âge et à la moralité de l'époque. Cette production se retrouve naturellement dans les institutions, les commissions scolaires et les maisons d'enseignement.

L'émergence de l'éditeur coïncide avec le fait que la production intellectuelle et artistique devient plus autonome. L'éditeur s'appuie sur cette production en même temps qu'il la soutient. Avec la nouvelle loi canadienne reconnaissant le droit d'auteur (1921), laquelle concrétise une longue lutte contre la contrefaçon, la création de nouvelles associations (Association canadienne des auteurs, Société des écrivains canadiens, Société des poètes canadiens-français), la création de prix nationaux (prix d'Action intellectuelle, prix David) et l'aide accordée aux écrivains par le Secrétaire de la Province, on peut en effet parler de l'amorce d'une véritable reconnaissance du travail intellectuel au Québec.

Or, malgré leur dynamisme, la découverte de nouveaux auteurs et la qualité générale de leurs ouvrages, les nouveaux éditeurs ne parviennent pas à traverser la crise ni à dépasser les limites étroites du marché de la littérature grand-public au Québec. Presque tous ferment leurs portes dans les années 1930.

1.3 De la guerre à la Révolution tranquille, croissance et crise de l'industrie

Durant la Seconde Guerre mondiale, le livre connaît au Québec une croissance sans précédent. Bien sûr, la guerre a coupé les librairies et les collectivités de leurs principales sources d'approvisionnement. Pourtant, l'édition québécoise connaît un formidable essor grâce à la proclamation de la Loi des mesures de guerre et des Règlements sur le commerce avec l'ennemi, grâce aussi à la guerre elle-même, à la chute de la France qui devient « territoire ennemi » et à l'ouverture des marchés étrangers.

En 1940, le premier ministre Mackenzie King accorde aux éditeurs canadiens-français l'autorisation de reproduire des œuvres françaises non disponibles sur le marché. Les éditeurs n'ont qu'à solliciter une licence (au coût de 10 $ par réimpression) et verser 10 % des revenus obtenus par l'exploitation de ces licences au Bureau du séquestre des biens ennemis, ces sommes devant être remises aux auteurs et aux éditeurs français à la fin du conflit. Les éditeurs québécois profitent largement de cette situation et Montréal devient un grand centre d'édition. En effet, la réédition des ouvrages français répond non seulement aux besoins locaux, mais aussi à la demande internationale. La Librairie Beauchemin devient ainsi le principal fournisseur des dictionnaires Larousse pour les pays alliés, Granger Frères, jusqu'alors uniquement libraire de gros et de détail, publie plus de 300 livres et les Éditions Bernard Valiquette (fondées en 1938) publient 140 titres durant la guerre. Plusieurs maisons d'édition sont créées durant cette période et obtiennent beaucoup de succès : Fides — fondée en 1937, mais elle édite ses premiers livres en 1941 —, Les Éditions de L'Arbre, Variétés, les Éditions Pony, les Éditions Lucien Parizeau, la Société des éditions Pascal, les Éditions Serge. Les éditeurs québécois diffusent leurs livres dans une cinquantaine de pays, publiant des auteurs français (parfois avec leur accord, certains ayant émigré aux États-Unis) et rééditant les classiques qui relèvent du domaine public. Ils publient aussi des auteurs québécois. Selon la Société des éditeurs, entre 1940 et 1945, les éditeurs québécois auraient publié 1 000 titres français pour un tirage total de 15 millions d'exemplaires, et 700 titres canadiens pour un tirage de 4 millions d'exemplaires. Ce qui correspond à une croissance, respectivement, de 500 % et de 1 000 % par rapport à la production d'avant-guerre. La grande prospérité de l'industrie profite donc aussi largement aux auteurs locaux.

Pour les écrivains québécois, en effet, la guerre offre de nouveaux débouchés et une audience internationale. Plusieurs œuvres québécoises sont diffusées à l'étranger, certaines sont traduites aux États-Unis tandis que plusieurs auteurs américains sont traduits au Québec. Une nouvelle littérature et de nouveaux auteurs s'imposent, notamment Germaine Guèvremont, Roger Lemelin et Gabrielle Roy.

La fin de la guerre plonge toutefois l'industrie du livre dans une crise. Les licences exceptionnelles cessent en janvier 1945. Les affaires peuvent continuer un moment, les éditeurs français, qui manquent de matériel, d'équipement et de capitaux, ne pouvant se réorganiser rapidement. Néanmoins, le déclin s'amorce à partir de 1947 et, en 1949, la production locale retrouve son niveau d'avant-guerre, les éditeurs français ayant repris leur place sur la scène internationale. Les plus anciennes maisons d'édition québécoises résistent à la débâcle, en particulier les éditeurs scolaires (Beauchemin, Granger, Librairie Dussault, Fides, Centre de psychologie et de pédagogie). En 1942, le gouvernement Godbout a rendu obligatoire la fréquentation scolaire jusqu'à 14 ans. Avec l'augmentation rapide de la population à la suite du *baby-boom*, le marché du livre scolaire est donc en forte croissance. Il devient même le moteur de l'industrie dans les années 1950. En revanche, la plupart des éditeurs littéraires qui sont nés avec la guerre font faillite, tandis que les libraires qui s'étaient faits éditeurs retournent à leur vocation première. Les écrivains, ne bénéficiant plus de la situation exceptionnelle créée par la guerre, éprouvent dès lors de grandes difficultés à être reconnus et diffusés. Certains vont faire carrière en France, comme Anne Hébert, d'autres s'orientent vers de nouveaux débouchés, notamment celui de la télévision, comme Yves Thériault, Roger Lemelin et Germaine Guèvremont.

Dans le difficile contexte culturel des années 1940 et 1950, on assiste pourtant à la naissance de nouveaux éditeurs. France-Livre, Pilon, le Cercle du livre de France, l'Institut littéraire de Québec, Erta, l'Hexagone et les Éditions de l'Homme, entre autres, voient le jour au cours de ces deux décennies. Face à un réseau de librairies en situation de faiblesse chronique et à un anémique marché de la vente aux particuliers, ces éditeurs ne réussissent à survivre que grâce à de nouvelles stratégies de vente, notamment la souscription, le club de livres (Club du succès mensuel, Cercle du livre de France) et la diffusion vers de multiples points de vente non spécialisés, comme ce fut le cas pour les Éditions de l'Homme avec *Coffin était innocent*, en 1958, et *Les Insolences du frère Untel*, en 1960. C'est en effet une autre caractéristique de cette période d'après-guerre que de multiplier les points de vente : kiosques à journaux, débits de tabac, pharmacies et grands magasins qui vendent des livres et qui sont approvisionnés par des libraires-grossistes, comme Beauchemin et Granger. Ceux-ci leur consentent d'ailleurs les mêmes remises qu'aux libraires-détaillants. C'est la naissance de ce qu'on appelle, de nos jours, la grande diffusion.

1.4 (Re)naissance de l'industrie : le bouillonnement des années 1960 et 1970

Au tournant des années 1960, la situation du livre au Québec est pathétique. L'industrie est dominée par l'importation et la distribution du livre étranger. Les éditeurs locaux sont peu nombreux et de petite taille. La distribution est concentrée entre les mains de grossistes-libraires qui vendent des livres dans leurs propres librairies, qui les vendent aussi à d'autres librairies et directement aux institutions. Dans l'ensemble, les ventes aux particuliers sont faibles et le réseau des librairies est peu développé, surtout en région. Peu d'auteurs bénéficient d'une véritable audience.

La Révolution tranquille, longtemps perçue comme une rupture majeure avec la « grande noiceur » duplessiste, est désormais considérée par les historiens avec davantage de nuance. Il n'en demeure pas moins qu'au Québec le début des années 1960 est riche de réformes en matière de culture et d'éducation, notamment avec la création du ministère des Affaires culturelles et du ministère de l'Éducation[2]. Les années 1960 et 1970 se caractérisent, au Québec comme ailleurs en Occident, par une effervescence et un bouillonnement culturels sans précédent, ce qui favorise le développement de toute la chaîne du livre.

---

2. Signalons également qu'au niveau fédéral, à la suite des recommandations du rapport de la Commission Massey, le Conseil des arts du Canada fut créé en 1957.

Événement majeur de la période, le ministère des Affaires culturelles confie à l'économiste Maurice Bouchard une enquête sur le livre. La Commission d'enquête sur le livre dans la province de Québec effectue ses travaux en 1962-1963 et publie son rapport en 1964, dressant un portrait sévère de la situation du livre au Québec. On y souligne notamment la faiblesse de l'infrastructure en librairies, particulièrement en région : on ne retrouve que 106 librairies au Québec, incluant 13 grossistes, pour une population d'un peu plus de cinq millions d'habitants. Plus de la moitié des librairies de détail, soit 47 sur 93, sont situées à Montréal et à Québec, alors que 11 des 13 grossistes sont à Montréal. Sur des ventes totales de près de 19 millions de dollars, les ouvrages scolaires représentent 66 % des ventes des grossistes et 50 % des ventes des détaillants. Les ventes aux particuliers sont faibles, ne représentant que 30 % des ventes des détaillants (contre 60 % environ pour les pays francophones d'Europe) en plus d'être fortement concentrées, 84 % de ces ventes aux particuliers étant faites à Montréal et à Québec. De plus, les importations prédominent largement dans les ventes aux particuliers (85 à 90 % des ventes des librairies).

On note que le système de distribution, marqué par la prépondérance du marché institutionnel, est inadapté, inefficace et lent pour desservir les besoins du grand public. Les petits libraires, surtout en région, dépendent en effet des grossistes pour leur approvisionnement, tant pour le livre québécois que pour le livre étranger. Or ces grossistes sont également détaillants, c'est-à-dire concurrents des autres libraires-détaillants. Ils court-circuitent les libraires en s'adressant directement aux institutions pour leur offrir des remises appréciables. Ainsi, les grossistes importent des livres principalement en fonction des besoins des maisons d'enseignement, qui sont leurs principales clientes. Ils ne mettent pas au point, non plus, de véritable service de diffusion, comme le système des envois d'office que l'on retrouve en France, par exemple.

Quant aux remises consenties par les éditeurs locaux aux librairies (50 %), elles sont sensiblement inférieures à celles des éditeurs français (60 %). Enfin, pour les éditeurs, l'étroitesse du marché québécois entraîne de petits tirages et des coûts de fabrication élevés (33 % plus élevés qu'en France). À cela s'ajoute le « scandale du livre scolaire » : le *Rapport Bouchard* soulève l'existence d'énormes et nombreux conflits d'intérêts, plusieurs personnes étant à la fois membres des divers organismes du département de l'Instruction publique, auteurs de manuels scolaires ou rattachés à des maisons d'édition dans le domaine.

En dépit du sévère constat de la situation fait par le *Rapport Bouchard*, le gouvernement est lent à réagir. Les lobbies poussent néanmoins à la roue, en particulier le Conseil supérieur du livre, un organisme privé qui regroupe des éditeurs généraux, des libraires-détaillants, des libraires-grossistes, des éditeurs de manuels scolaires et, pendant une brève période, des auteurs. Ce n'est finalement qu'en 1965 qu'est promulguée la Loi sur l'accréditation des librairies qui retient, du *Rapport Bouchard*, l'idée d'accréditer les librairies et de créer un Comité consultatif du livre. Cependant, il faut encore attendre pour instaurer deux autres mesures suggérées par le *Rapport Bouchard* : la création d'un marché institutionnel protégé pour les librairies et la réglementation des tabelles (lesquelles fixent les prix en fonction des taux de change). Ainsi, la nouvelle accréditation n'accorde qu'un titre aux libraires, sans aucun avantage commercial. La portée de la loi de 1965 reste donc limitée.

Au début des années 1970, la situation de la librairie est toujours aussi problématique. De plus, l'importance de la présence étrangère devient source de préoccupations. Les Messageries Internationales du Livre, une filiale de distribution de Hachette, s'installe à Montréal. Cette dernière prend également une participation de 45 % dans le Centre éducatif et culturel, un grand éditeur scolaire, et acquiert la Librairie Garneau. Simultanément, Flammarion, déjà présente à Montréal depuis les années 1950, fonde en 1970 la SOCADIS, une société de distribution à laquelle se joint Gallimard deux ans plus tard.

À la suite de multiples doléances adressées notamment par les libraires au ministère des Affaires culturelles et au Comité consultatif du livre, trois Arrêtés en conseil sont finalement adoptés en 1972. On instaure de nouveaux instruments : l'aide publique et l'agrément, restreints aux entreprises de propriété québécoise ; l'agrément des librairies, sujet au respect de normes de volume et de variété du fonds ; les acquisitions des institutions, devant obligatoirement être faites auprès des librairies agréées ; les prix de vente aux institutions et les tabelles, réglementés. En 1973, la loi est modifiée et prend le titre de Loi sur l'agrément des libraires.

Soutenue par l'ensemble des dispositifs réglementaires mis en place, et plus encore par la croissance économique et le bouillonnement culturel de l'époque, l'industrie du livre se développe rapidement dans les années 1960 et 1970. L'édition québécoise, en particulier, connaîtra un véritable essor, avec l'éclosion de nombreuses maisons d'édition dont la plupart sont encore actives de nos jours. On assiste ainsi à la naissance des Éditions du Jour, de Boréal-Express, de Leméac (fondée en 1957, mais elle ne prendra son essor que dans les années 1970), des Éditions Québec Amérique, des Éditions internationales Alain Stanké, de VLB Éditeur, des Éditions Libre Expression, des Éditions Triptyque. Simultanément, l'édition scolaire se renforce et s'étoffe avec le Centre éducatif et culturel, les Éditions Hurtubise-HMH, les Éditions du Renouveau Pédagogique, HRW, Guérin, Modulo Éditeur, Gaëtan Morin et Publications Graficor. Loin de se cantonner à la littérature et au secteur scolaire, l'édition québécoise se développe dans tous les créneaux, investissant la poésie (Les Herbes Rouges, Éditions Le Noroît, Écrits des Forges), le livre pratique (redéploiement des Éditions de l'Homme, relayées par Les Éditions Broquet, Guy Saint-Jean Éditeur), le livre « engagé » (Parti-Pris, L'Aurore, Remue-Ménage, Albert Saint-Martin), la littérature jeunesse (Les Éditions de La courte échelle) et le livre d'art (Art Global). Ainsi la production québécoise de livres double entre 1972 et 1981, selon la Bibliothèque nationale du Québec, passant de 1 297 titres et d'un tirage de 4,6 millions d'exemplaires à 2 614 titres et 9,5 millions d'exemplaires.

La littérature est alors en pleine effervescence. Le renouveau et l'épanouissement de la création littéraire, à l'égal de l'ensemble des formes d'expression artistique de l'époque, est patent, et on voit poindre les premières œuvres des Jacques Ferron, Hubert Aquin, Marie-Claire Blais, Victor-Lévy Beaulieu et Michel Tremblay, entre autres.

Quant à l'infrastructure de distribution, elle se caractérise par un grand nombre de joueurs, plus de 70 distributeurs, dont environ 60 % sont de propriété québécoise. Les libraires-grossistes, qui ont dominé la distribution du livre jusqu'au début des années 1960, cèdent maintenant le leadership du secteur aux distributeurs exclusifs. La domination des grossistes, par définition des distributeurs non exclusifs, avait causé des problèmes aux éditeurs puisqu'on pouvait retrouver le même livre à des prix différents selon les fournisseurs. Au Québec, de grands éditeurs français installent des structures de distribution et, simultanément, des entreprises québécoises se lancent en affaire et signent des ententes de distribution exclusives avec des éditeurs étrangers. Ces deux événements modifient la dynamique du secteur. Un nouveau maillon industriel s'insère ainsi dans la filière du livre, caractérisé par des entreprises autonomes, spécialisées dans la diffusion et la distribution de livres et agissant à titre exclusif pour le compte de plusieurs éditeurs, locaux ou étrangers. Ainsi, au cours de cette période, la diffusion et la distribution du livre s'améliorent sensiblement et on met en place un véritable système de commercialisation, le système des offices. Inspiré du modèle français, ce système consiste à envoyer automatiquement les nouveautés aux librairies, sur la base de grilles qui ventilent la production par grandes catégories et par degré de facilité escomptée des ventes.

Du côté de la librairie, la situation ne s'est guère améliorée durant les années 1960, les fermetures étant nombreuses en région. Toutefois, les dispositifs de 1972 sont plus efficaces que l'avaient été ceux de la loi de 1965. Plusieurs librairies ouvrent et on enregistre des progrès considérables en matière d'accessibilité au livre. De 97 librairies agréées en 1970, on passe à 164 en 1972, puis à 174 en 1974. Le nombre d'agréments retombe toutefois à 137 en 1976. Dans l'ensemble, on estime qu'il y a environ 250 librairies au Québec à la fin des années 1970, et 4 000 points de vente au total.

De nouvelles préoccupations font surface au cours des années 1970. Les pratiques qui contreviennent à la loi se sont développées, la surveillance et le contrôle de l'application de la loi étant déficients et les sanctions prévues insuffisantes. De même, les pratiques qui permettent de fixer les prix des livres étrangers sont mal encadrées, la loi ne s'appliquant pas aux ouvrages étrangers distribués en exclusivité, lesquels représentent pourtant une grande part du marché total. Enfin, la présence française dans la distribution et la librairie est toujours aussi importante et tend même à augmenter.

Du côté de l'édition, le grand nombre d'éditeurs a pour contrepartie leur petite taille et l'étroitesse de leur marché. Ainsi, malgré le foisonnement de nouvelles maisons d'édition, les ventes de livres québécois, dans les années 1970, ne représentent pas plus de 20 % du chiffre d'affaires des librairies.

Quant au secteur de la distribution, quoique caractérisé par un grand nombre de joueurs, il est largement dominé par quatre entreprises, MIL (filiale de Hachette), SOCADIS (coentreprise Gallimard/Flammarion), Presses de la Cité et Agence de Distribution Populaire (ADP, fondée en 1961 pour diffuser les Éditions de l'Homme), dont une seule, ADP, est de propriété québécoise. Cependant, quelques nouveaux joueurs québécois nés au cours de cette période prennent rapidement de l'importance, notamment Dimédia (en 1974) et Prologue (1976).

Enfin, si les librairies ont sensiblement amélioré la couverture du marché depuis le début des années 1960, leurs conditions d'exploitation demeurent précaires et elles sont très fragiles sur le plan financier. À partir de 1973, rappelons-le, la situation économique est difficile, caractérisée par deux chocs pétroliers, une forte inflation et une stagnation économique, ce qui lamine les profits de la plupart des entreprises, notamment dans le commerce au détail.

1.5 Croissance, consolidation et… crise ?

L'expérience des années 1960 et 1970 montre que l'État québécois avait une vision trop étroite en mettant en place ces cadres législatifs. Les dispositifs réglementaires, centrés sur la librairie, négligeaient grandement les éditeurs. De même, on ne prévoyait pas la transformation du système de distribution, et en particulier l'émergence et l'expansion de diffuseurs-distributeurs très autonomisés, principalement de propriété étrangère.

Dans ce contexte, les arguments économiques, culturels et nationalistes font leur chemin au sein du gouvernement du Parti québécois, élu en 1976. Dans son *Livre blanc* de 1978, le gouvernement élabore une politique de développement culturel. En décembre 1979, il adopte un projet de loi concernant spécifiquement le livre, avec un délai d'application pour permettre aux différents acteurs de s'adapter. En juin 1981, un nouveau dispositif légal prend effet, celui de la Loi sur le développement des entreprises québécoises dans le domaine du livre (loi 51).

Cette loi entraîne de vastes modifications dans l'industrie. D'abord, le manuel scolaire est soustrait du champ d'application de la loi. En apparence, il s'agit d'une grande perte pour les librairies agréées. Or une large part du marché scolaire est déjà détournée, illégalement, vers les circuits de distribution plus courts, soit les ventes directes des éditeurs-distributeurs scolaires aux institutions. Ensuite, les remises aux collectivités sont abolies, ce qui contrebalance en partie la réduction du marché institutionnel protégé en faveur des librairies agréées. De plus, la loi régit les remises que les éditeurs et distributeurs doivent consentir aux librairies agréées (40 % pour les ouvrages de littérature générale et 30 % pour les ouvrages techniques et scientifiques). En paramétrant la répartition des revenus entre les acteurs de l'industrie, cela institue une forme de soutien indirect aux librairies. L'agrément est également étendu aux éditeurs et aux distributeurs, ce qui traduit une perception plus globale de l'industrie du livre. L'agrément devient aussi un moyen de soutenir le développement des entreprises locales de tous les secteurs, puisque son obtention, nécessaire pour avoir accès à l'aide du gouvernement québécois, a pour condition une propriété québécoise à 100 %.

Une fois passé le choc de la sévère récession de 1982, les dispositifs de la nouvelle loi régissant le domaine du livre, accompagnés par la restructuration et l'augmentation de l'aide aux entreprises, permettent à tous les acteurs de l'industrie de tirer pleinement profit de la forte période de croissance qui caractérise la seconde moitié des années 1980.

Entre 1983 et 1989[3], le nombre d'éditeurs agréés progresse de 70 à 85 avec l'apparition de plusieurs petites maisons indépendantes qui assurent le renouvellement industriel et créateur du secteur, en même temps que se consolident les maisons plus anciennes. La production continue à augmenter : les éditeurs agréés produisent 1 656 nouveautés pour un tirage de 5,4 millions d'exemplaires en 1989, contre 1 144 titres pour 4,2 millions d'exemplaires en 1983. Elle croît aussi en diversité : les éditeurs élargissent encore davantage leurs créneaux et leurs champs de spécialisation. Les revenus s'accroissent rapidement, de 63 à 130 millions de dollars entre 1983 et 1989, bien qu'une partie de cette croissance semble s'expliquer par la progression du nombre de titres et la hausse du prix relatif du livre. Autre phénomène significatif de cette période : on assiste au développement d'un véritable marché de masse avec l'impact de plus en plus réel du best-seller, ce qu'on peut attribuer à l'émergence d'une nouvelle façon de vendre les livres, plus professionnelle et plus industrielle (Martin, 1996). Ce phénomène est visible depuis le début des années 1970, les titres américains et français inondant régulièrement le marché avec des succès comme *Papillon, Le choc du futur* et *Jonathan Livingston le goéland*. Ce qui est nouveau, c'est que certains titres québécois s'avèrent eux aussi de véritables best-sellers, à l'échelle du marché local. On pense évidemment au *Matou*, de Yves Beauchemin (1981), et aux *Filles de Caleb*, de Arlette Cousture (1985).

Quant au secteur de la diffusion-distribution, il se consolide. Les principales entreprises se développent rapidement (SOCADIS, ADP, Dimédia, Prologue). S'y ajoutent de nouveaux groupes, comme Diffusion du livre Mirabel en 1981 et Québec-Livres en 1983. Incidemment, cette dernière, une filiale du groupe Quebecor, reprend dans les années 1980 la distribution de Hachette, des Presses de la Cité et des Éditions Françaises (Larousse). Les distributeurs voient leurs revenus progresser de façon soutenue et, en plus d'accompagner l'essor des librairies, ils développent virtuellement tous les marchés, notamment la grande diffusion, débouché bien indiqué pour les best-sellers, tout en maintenant leur rentabilité.

Les librairies ne sont pas en reste et la loi 51 semble avoir nettement favorisé le secteur. Le nombre de librairies agréées progresse sensiblement, passant de 168 à 189 entre 1983 et 1989. Le réseau régional s'étend et se consolide, les ventes moyennes par librairie connaissent une croissance rela-

---

3. Toutes les données qui apparaissent dans cette section seront abondamment présentées et analysées dans la deuxième partie de la présente étude.

tivement soutenue, l'assortiment s'étoffe et, comme tous les autres acteurs, les revenus s'accroissent rapidement, de 123 à 220 millions de dollars entre 1983 et 1989. Mais en dépit de l'amélioration de leur rentabilité, les librairies demeurent fragiles.

Globalement, il semble que la loi 51 et le soutien financier de l'État aient créé des conditions favorables au développement des librairies, des éditeurs et des distributeurs, ainsi qu'à la mise en place d'un solide arrimage intersectoriel se caractérisant par une évidente capacité à desservir le marché québécois. Cette intervention a également favorisé, à l'évidence, une certaine reprise en main du marché par des intérêts locaux.

Cependant, une sévère récession, suivie d'une période de relative stagnation, frappe l'économie à partir de 1991, année où la TPS est introduite. Le tournant des années 1990 marque ainsi un temps d'arrêt pour l'industrie. Les ventes globales de livres au Québec stagnent autour de 600 millions de dollars, et elles sont même en régression à partir de 1995. Le nombre d'éditeurs agréés poursuit sa hausse, passant de 85 à 113 entre 1989 et 1998, tout comme le nombre de nouveautés (de 1 656 à 2 829 entre les mêmes années), mais les tirages moyens chutent, passant de 3 287 exemplaires à 2 909. Si les revenus des éditeurs agréés progressent de 123 à 169 millions de dollars, en termes réels ils stagnent, en même temps que les marges bénéficiaires fondent.

Le secteur de la distribution aussi connaît des difficultés. Dans un contexte où il faut distribuer des titres de plus en plus nombreux dans un marché stagnant, les taux de retour s'élèvent, ce qui signifie qu'il faut déplacer de plus en plus de livres pour atteindre un même niveau de vente. Cela alourdit considérablement les coûts associés au système de l'office.

Les librairies agréées semblent à première vue s'en tirer un peu mieux. Leurs revenus progressent en effet de 220 à 532 millions de dollars entre 1989 et 1998. Cependant, cette progression résulte en partie d'un effet mécanique lié à la hausse du nombre d'agréments octroyés (de 189 à 218) et d'un transfert des ventes des librairies non agréées vers les librairies agréées. Elle repose aussi, dans une large mesure, sur une progression extrêmement rapide des ventes d'autres produits, les ventes de livres étant passées de 147 à 257 millions de dollars. On assiste également, à partir du milieu de la décennie, à une profonde restructuration de l'ensemble du commerce au détail, caractérisée par la montée en puissance des magasins à grande surface et le développement rapide des chaînes de librairies. Cette restructuration s'accompagne d'un déplacement des ventes dans certains segments de marché — en particulier celui des best-sellers — au profit de ces grandes surfaces. Dans le contexte d'un marché qui se resserre, ce déplacement affecte tout particulièrement les librairies indépendantes, dont le taux de profit chute.

Tout au long des années 1990, les difficultés s'accumulent au sein de l'industrie, les marges rétrécissent dans tous les secteurs, entamant une phase de consolidation et, même, de concentration.

Sogides, la maison-mère des Éditions de l'Homme et de ADP, crée ainsi le Groupe Ville-Marie Littérature en rachetant les Éditions VLB, l'Hexagone, les Quinze et Typo. Dans le secteur scolaire, le Groupe Beauchemin Éditeur est créé, né de la fusion des Éditions Beauchemin, des Éditions de l'Image de l'Art, de FM et de Doutre et Vandal. Quebecor possède non seulement les éditions Quebecor mais aussi, en coentreprise avec Hachette, le Centre éducatif et culturel (un des plus gros éditeurs de manuels scolaires), de même que Québec-Livres (un des principaux distributeurs). Cette entreprise se lance alors dans une vaste opération d'envahissement de la filière, en acquérant de nombreuses sociétés ou en achetant un grand nombre de leurs actions : Éditions Wilson & Lafleur, Éditions Libre Expression, Éditions du Trécarré, Éditions Internationales Alain Stanké, Éditions Logiques. Elle poursuit son intégration verticale en ajoutant la vente au détail, grâce à l'acquisition du groupe Archambault, une chaîne de librairies multimédia en plein développement qui est également le plus grand distributeur indépendant de disques au Québec, et de Camelot-Info, une chaîne de librairies spécialisées en informatique, ainsi que de Paragraphe, une librairie anglophone.

Les libraires indépendants se retrouvent coincés entre la poussée des grandes surfaces non spécialisées d'un côté (Price Costco, Wall-Mart, Maxi...), qui proposent au consommateur des assortiments réduits à prix bradés, et le développement des grandes chaînes de librairies de l'autre (Chapters, Indigo), dont le pouvoir d'achat et la puissance financière inquiètent. Cette dernière tendance se confirme d'ailleurs avec la fusion de Renaud-Bray, Champigny et Garneau en 1999 et la progression de la chaîne Archambault.

Quant au secteur de la distribution, s'il semble épargné par le jeu des fusions et des acquisitions d'entreprises, le mouvement de concentration y est néanmoins bel et bien réel. Le jeu des gains et des pertes de droits de diffusion et de distribution exclusifs se traduit par la disparition de plusieurs petits distributeurs, si bien qu'on en repère un peu moins de 50 à la fin des années

1990. Désormais, près de 70 % du marché francophone de littérature générale est aux mains de six entreprises : Socadis, ADP, Dimédia, Québec-Livres, Diffusion du Livre Mirabel et Prologue.

Simultanément, les développements foudroyants dans le domaine des nouvelles technologies de l'information et des communications — commerce électronique, impression à la demande, édition numérique, *eBook* — offrent aux acteurs de l'industrie d'éventuelles occasions de se redéployer, mais risquent aussi de mettre en péril plusieurs d'entre eux et même des secteurs entiers de l'industrie. De plus, le vaste mouvement planétaire de concentration et de formation de gigantesques groupes qui couvrent la quasi totalité des secteurs médiatiques et culturels jette une ombre sur la possibilité d'un déploiement extérieur des joueurs québécois, voire sur leur capacité à conserver leur place et leur spécificité au sein de leur propre marché. On pense par exemple à Vivendi-Universal et Warner-AOL, et dans une moindre mesure à Quebecor qui, avec l'acquisition de Vidéotron, adopte la même logique de déploiement multimédia.

En fin de décennie, les difficultés économiques sont réelles et le malaise est palpable d'un bout à l'autre de la filière. En témoigne la succession d'instances publiques s'étant penchées sur le secteur. Le Forum sur l'industrie du livre (1997), le Sommet sur la lecture et le livre (1998), le Groupe de travail sur la consolidation et la rentabilité des librairies (1998-1999) puis le Comité sur les pratiques commerciales et les relations interprofessionnelles régissant le commerce du livre (1999-2000) débattent longuement de la situation du livre et de ses difficultés, à la recherche de solutions aux problèmes actuels de l'industrie.

1.6 Développement et croissance de l'industrie du livre : faits saillants

Quoique mené de façon relativement lapidaire, ce bref exercice d'histoire économique permet de souligner quelques-uns des principaux traits ayant caractérisé l'émergence, le développement puis la consolidation de l'industrie du livre au Québec.

D'abord, le développement de la population du Québec, son alphabétisation et sa scolarisation constituent des éléments sous-jacents à l'ensemble de cette histoire économique, mais trop souvent négligés ou tenus pour acquis. Même si l'argument peut sembler tautologique, il est évident que l'accroissement de la population a un impact direct sur la taille du marché du livre ; or la population du Québec, qui n'était que de 890 000 habitants en 1851, passe à 1,6 million en 1901, à 4,1 millions en 1951 et à 7,4 millions en 2000. La progression de l'alphabétisation a également constitué un facteur essentiel au développement de l'imprimé, en particulier du livre ; si cette alphabétisation touche la majorité de la population vers 1850, elle n'est devenue universelle qu'après 1900. De même la scolarisation, qui est évidemment un corollaire de l'alphabétisation, se développe tout au long de cette période, et de façon particulièrement intensive depuis les années 1960. À partir de la seconde moitié du XIXe siècle, ces facteurs constituent des éléments décisifs pour l'essor culturel du Québec et pour l'émergence d'une industrie du livre qui n'existe véritablement que depuis 40 ans. Dans un avenir prévisible, la hausse de la population est peu susceptible de favoriser la croissance du marché, mais par ailleurs, il reste des progrès à accomplir en matière d'alphabétisation et de scolarisation.

On doit également souligner que depuis sa naissance, le développement de l'industrie du livre s'est caractérisé par un comportement fortement cyclique. Ce qui est une façon de dire qu'elle ne peut s'abstraire de l'ensemble de la réalité économique de la société, cette réalité incontournable que l'on tend parfois à oublier lorsqu'on examine la situation en étant trop strictement centré sur la dynamique interne de l'industrie du livre. En ce sens, l'extraordinaire croissance du revenu et du niveau de vie des Québécois depuis la Seconde Guerre mondiale a constitué une formidable occasion de développer cette industrie. À l'inverse, les difficultés économiques, la stagnation des revenus et l'endettement des ménages, phénomènes visibles tout au long des années 1990, explique en grande partie le coup de frein donné au développement de cette même industrie dans la dernière décennie.

Or des conditions économiques favorables ne constituent qu'un potentiel à exploiter. Et ce que montre également l'histoire du livre, c'est que l'élargissement de son marché a reposé, dans une large mesure, sur le développement constant de nouveaux produits, de nouveaux débouchés et de nouveaux lecteurs, ce qui fut rendu possible d'une part par l'élargissement, la ramification et le raffinement continuel de sa structure de diffusion et de commercialisation, et d'autre part par le développement et l'enrichissement de la production, la diversification des lignes éditoriales, des genres et des formes. L'évolution et la transformation de la structure industrielle, en son tout comme en chacune de ses parties, est donc une constante historique. La configuration actuelle de l'industrie ne doit pas être considérée comme un fait acquis, pas plus que ne serait souhaitable une immuable pérennité, que l'on serait tenté ici d'associer à la rigidité, voire à la sclérose. À l'aune de ce critère, on doit percevoir les transformations qu'apporteront le commerce électronique, la numérisation des contenus et la dématérialisation du livre comme autant d'occasions d'amorcer une nouvelle phase de développement et d'élargissement du marché.

Il faut également resituer le livre dans un contexte plus global, c'est-à-dire dans l'ensemble de l'offre des produits de culture, de divertissement et de loisirs. À cet égard, le livre est en proie à une forte concurrence si l'on considère que cette offre s'élargit et s'accroît sans cesse. Tout acteur de l'industrie, qu'il s'agisse d'un éditeur, d'un distributeur ou d'un libraire, n'est pas seulement en concurrence avec son semblable, petit ou gros, local ou étranger, mais aussi avec la télévision, le cinéma, Internet et les jeux informatiques, le sport, les activités de plein air, etc. Concurrence non seulement pour un même portefeuille, mais aussi pour un temps de loisir qui, depuis plusieurs décennies déjà, ne progresse guère.

Enfin, il faut également souligner que dans le contexte précis du Québec — un marché étroit pour des produits qui trouvent difficilement des débouchés extérieurs — l'aide publique est essentielle à la survie de tous les acteurs, des auteurs jusqu'aux libraires. Sans pour autant surestimer l'impact de cet appui, il n'en demeure pas moins très clair que, depuis le début des années 1960, l'aide gouvernementale a parfaitement accompagné le développement de l'industrie et favorisé une certaine reprise en main par des intérêts locaux (que ce soit sous forme de réglementations ou de soutien financier). Cependant, tout comme pour la structure industrielle (et pour les mêmes raisons), cette aide doit évoluer, se moderniser et se raffiner. C'est ce qu'elle fait d'ailleurs depuis 40 ans.

CHAPITRE 2

La marchandisation du livre, ou comment le livre s'insère sur le marché

Avant de tenter la moindre évaluation chiffrée concernant l'ampleur du marché du livre au Québec, il est essentiel de souligner à quel point son rapport au marché est complexe. Cette complexité prend sa source dans la double nature du livre, qui est tout à la fois un bien culturel et un bien économique. Quoique création intellectuelle unique, le livre est en effet touché par les processus de marchandisation et d'industrialisation, comme tout autre bien. Or dans le domaine du livre, comme dans les autres industries culturelles, ces deux processus sont particuliers et demeurent inachevés. C'est ce que nous tenterons de démontrer dans la première section de ce chapitre, en insistant sur les caractéristiques économiques qui font du livre une marchandise particulière. Dans la deuxième section, nous montrerons que ce sont ces caractéristiques qui rendent complexe et singulier son mode d'insertion sur le marché, qu'il s'agisse de la valorisation du livre, de la fixation de son prix, de la structuration de l'offre ou de la formation de la demande.

2.1 Le livre, bien culturel et bien économique

TENTATIVE DE DÉFINITION

De façon formelle et traditionnelle, on peut définir le livre comme un objet matériel constituant tout à la fois un support pour un texte écrit, un bien destiné à être diffusé et conservé, et un objet maniable (Lallement, 1993)[1].

Le livre est en effet un objet matériel, qui sert de support à un texte écrit, une création intellectuelle. En ce moment, ce support est surtout fait de papier imprimé, mais il existe déjà d'autres types de supports, qu'il s'agisse des micro-fiches ou du CD-ROM, voire du *eBook*. La forme physique du support compte, tant du point de vue de son impact sur les acteurs économiques qui participent à sa diffusion qu'au point de vue de la réceptivité et de l'usage qu'en font les consommateurs. Néanmoins, ce support est toujours subordonné à la création intellectuelle, au contenu auquel il donne forme. Il demeure secondaire.

Le livre est également un bien destiné à être diffusé, lu et conservé. De ce fait, il constitue un bien durable fort particulier. En effet, si la consommation (la lecture) d'un livre ne le détruit pas, elle a néanmoins un impact négatif sur sa valeur, ce dont rend bien compte l'existence d'un marché secondaire de l'usagé. Or le livre peut parfois conserver sa valeur d'usage, voire l'augmenter comme c'est le cas des œuvres qui, avec le temps, s'avèrent des « classiques ».

Enfin, la dernière caractéristique évoquée par Lallement est que le livre doit être maniable, transportable, compact et solide. Ce qui l'oppose, selon cet auteur, aux représentations qui précèdent l'imprimerie (tablettes d'argiles, *gros volumen*, etc.).

Bien sûr, on peut penser que cette définition traditionnelle du livre est quelque peu mise à mal par les récents développements technologiques : commerce électronique, diffusion numérique des contenus, impression sur demande ou *eBook*. Ces développements sont fort différents les uns des autres, autant par leurs caractéristiques propres que par la différence d'impact que chacun a sur la structure de production et de diffusion du livre. Pourtant, on doit signaler que les caractéristiques du livre traditionnel s'appliquent encore : dans tous les cas, on retrouve 1) un support matériel[2] sur lequel est

1. Cet auteur reprend la définition de Labarre : « Pour définir le livre, il faut faire appel à trois notions dont la conjonction est nécessaire : support de l'écriture, diffusion et conservation d'un texte, maniabilité. » Labarre, A. (1990), *Histoire du livre*, PUF, Paris.

2. À cet égard, il faut mentionner que le concept de dématérialisation, que l'on devrait essentiellement appliquer à la description du mode de distribution du contenu, génère davantage de confusion qu'il n'éclaire. D'une part, la matrice originelle d'une œuvre est forcément inscrite sur un support matériel, qu'il s'agisse d'un manuscrit de papier ou du disque dur d'un ordinateur. D'autre part, la lecture exige elle aussi un support matériel. Même une lecture directe à l'écran

inscrit le contenu ; 2) un bien destiné à être diffusé, lu et conservé ; et 3) un objet maniable.

Évidemment on constate un changement qualitatif fondamental, en particulier avec le *eBook* qui propose un contenu multiple, variable et renouvelable, au contraire du support traditionnel de papier dont le contenu unique est immuable. De même, la notion de mise à disposition est considérablement élargie, étant a priori infinie puisque non limitée par un inventaire matériel et des ruptures de stock. Quant à la conservation, elle pourrait également changer de nature, la bibliothèque personnelle étant remplacée, du moins selon la vision de certains promoteurs, par des bibliothèques universelles et intégrales, accessibles en tout temps[3].

Les transformations qui pourraient résulter de l'implantation de ces nouvelles technologies sont loin d'être négligeables, mais il faut toutefois prendre garde aux confusions qui naissent souvent de l'excitation médiatisée entourant leur lancement. Le *eBook* n'est pas le contenu, pas plus que le téléviseur n'est l'émission télévisée. Ainsi, ce qui est véritablement en jeu dans la numérisation, la « dématérialisation » et la vente électronique du livre, c'est d'abord la multiplication des canaux et des supports qui permettent de diffuser le contenu, le produit intellectuel. Ce processus doit être considéré dans une perspective de complémentarité (les nouveaux supports ne feront pas disparaître le livre de papier, ils le compléteront) et il contient les germes d'un élargissement de l'accessibilité et des débouchés économiques du livre. Cette complémentarité prend sa source dans la diversité des contenus et des goûts des consommateurs, ainsi que dans l'utilité relative, pour les différents contenus, que peuvent avoir les possibilités de recherche, de références croisées ou d'indexation que ces nouveaux supports autorisent. Cette utilité n'est évidemment pas la même pour des contenus scientifiques et techniques, ou

---

d'un ordinateur suppose un support matériel (l'ordinateur et l'écran) ; qui plus est, le lecteur fera généralement imprimer (à ses frais, incidemment) l'œuvre en question, recréant de ce fait un support physique. Quant au *eBook*, tout comme l'ordinateur, il s'agit d'un support on ne peut plus matériel.

3. Encore faut-il signaler que cette vision va totalement à l'encontre d'un usage social non seulement largement répandu, mais aussi solidement ancré, qui pousse les individus, à des degrés évidemment divers, à se constituer des bibliothèques, discothèques (y compris des fichiers MP3) et vidéothèques personnelles. Repêcher un vieux livre dans sa bibliothèque pour le relire ne constitue pas du tout, tant d'un point de vue sociologique et économique que psychologique, le même acte que celui de retélécharger — et du coup repayer le droit à la lecture — le même titre sur son *eBook*.

pour certains guides pratiques et livres de références, par exemple, que pour un recueil de poésie ou un roman.

Ce qui ne veut pas dire que l'on doive ignorer les transformations technologiques qui pourraient affecter l'industrie, ses principaux acteurs et ses structures, ou modifier à long terme le processus de création ou d'appropriation du texte par les lecteurs. Toutefois, il convient de rappeler qu'au centre de toutes ces transformations et de tous ces supports se trouve d'abord cette création, cette œuvre intellectuelle qu'est le contenu.

LE LIVRE DANS L'UNIVERS DES INDUSTRIES CULTURELLES

C'est la séparation entre le contenu et le support matériel qui rend possible la reproduction du texte en grand nombre. Cette reproductibilité — en principe infinie — rend possible à son tour, ou du moins autorise la marchandisation et l'industrialisation du livre. Par marchandisation, on fait référence au processus de transformation des objets et services en marchandises qui se vendent et s'achètent sur un marché, c'est-à-dire des produits qui ont à la fois une valeur d'usage et une valeur d'échange. Quant à l'industrialisation, le terme réfère à la présence de trois facteurs dans le champ de la production : 1) un investissement et une valorisation significatifs de capital ; 2) une mécanisation, c'est-à-dire l'application systématique de la science et de la technologie au processus de production ; 3) une division du travail, caractérisée notamment par la séparation entre les organisations et les travailleurs.

Notons d'abord qu'en dépit d'une accélération marquée de leur pénétration depuis l'après-guerre, la marchandisation et l'industrialisation demeurent des processus inachevés dans le livre, comme dans les autres industries culturelles (Lacroix et Tremblay, 1997). Nous le verrons plus loin, ce phénomène est la conséquence directe des caractéristiques mêmes de ces produits. Quoique les industries culturelles soient loin de constituer un tout indifférencié, elles partagent un ensemble de caractéristiques précises. Prises une à une, celles-ci se retrouvent dans d'autres secteurs industriels, mais c'est leur présence massive et simultanée qui est particulière et qui permet de les distinguer. Ainsi le livre, en plus de se caractériser par une dualité contenu/support qui autorise la reproductibilité, résulte de la mise en œuvre d'un imposant travail de création, il est soumis à la nécessité d'un constant renouvellement de l'offre, il doit faire face à une demande hautement aléatoire et, par son unicité, il possède le caractère d'un prototype, du moins en partie. Voyons cela plus en détail[4].

- **La reproductibilité**, qui naît de la séparation entre un contenu et un support, et qui rend possible une production de masse, est le trait qui rapproche le plus l'industrie du livre des autres secteurs industriels. Même là, toutefois, cette reproductibilité est particulière, puisqu'elle repose sur une structure de coûts caractérisée par des frais fixes de production élevés (et irrécupérables[5]) et des frais de reproduction faibles[6], qui s'approchent même de zéro dans le cas d'un bien entièrement numérisé. Cette structure de coûts est l'un des principaux éléments[7] expliquant que la production et la consommation de biens culturels, communicationnels et informationnels génèrent des rendements d'échelle croissants, au contraire des secteurs industriels traditionnels où l'on retrouve le plus souvent des rendements décroissants[8]. Par rendements d'échelle croissants, on entend des mécanismes de rétroaction positive qui fonctionnent — dans les marchés, les entreprises, les industries — de façon à renforcer la position de celui qui remporte du succès, ou à aggraver la position de celui qui souffre de pertes. Les principales

4. Dans les lignes qui suivent, nous nous sommes abondamment inspiré de : Rouet (1989), Lacroix et Tremblay (1997), Tremblay (1986), Miège (2000) et Huet *et al.* (1984). Bien qu'on se limite, ici, à présenter les caractéristiques du livre, signalons que ces caractéristiques s'appliquent, avec quelques variantes et particularités, à toutes les industries culturelles.

5. Si un livre s'avère un échec commercial, il n'y aura pas de marché pour le manuscrit, peu importe l'importance des investissements entrepris, lesquels seront dès lors perdus.

6. À partir d'une étude que nous présenterons plus loin, on peut évaluer qu'au Québec le coût de production moyen d'un livre de littérature générale (hors secteur scolaire) est de 2 810 $, tandis que son coût de reproduction (impression) est de 3,28 $.

7. Les autres éléments explicatifs sont : la présence d'effets de réseaux ou de base d'utilisateurs, lesquels génèrent des effets d'entraînement sur la demande ; des effets d'apprentissage, qui tendent à « verrouiller » le consommateur dans un système, un produit, un genre, etc., et à diminuer sa sensibilité au prix. Nous reviendrons plus en détail sur ces questions.

8. Si, par exemple, un producteur agricole étend sa production, il en arrivera à utiliser des terres de moins en moins propices à la production ; il fera donc face à des rendements décroissants. Dans le contexte où plusieurs producteurs se font concurrence, chacun développera sa production jusqu'à atteindre des limites qui prendront la forme de coûts moyens croissants et de profits en baisse. Le marché sera alors partagé entre plusieurs producteurs et les produits étant normalement substituables les uns aux autres, un prix de marché devrait s'établir à un niveau prévisible. Un marché à l'équilibre prévisible et donc susceptible d'analyse scientifique, stable et sécuritaire (Arthur, 1996).

propriétés de ce type de marché, à l'opposé des secteurs traditionnels, sont l'instabilité, l'imprévisibilité, la possibilité de dominer outrageusement un marché et l'obtention de plantureux profits pour le gagnant[9] (Arthur, 1986, 1996 et 1994, et Shapiro et Varian, 1999).

Il faut également souligner que si la production de masse devient possible à cause de la reproductibilité du support, il ne s'agit que d'une potentialité. Tous les producteurs ne recherchent pas forcément un marché de masse ; au contraire, plusieurs d'entre eux exploitent, et parfois avec succès, des segments de marché ou des niches relativement étroites. De plus, la reproductibilité n'impose pas l'industrialisation de toute la filière. De nombreuses activités demeurent pré-industrielles ou relèvent d'un mode de production artisanal. Ainsi, la création (le travail des auteurs), et dans une large mesure la production elle-même, ensemble d'opérations sous la responsabilité de l'éditeur, sont encore fort peu touchées par l'industrialisation. Par contre l'imprimerie, qui est largement autonomisée par rapport au reste de la filière, correspond à un secteur de la reproduction des supports qui peut être décrit comme pleinement industriel. En ce qui concerne la distribution et la vente au détail, on peut parler, au minimum, d'une fonction logistique quasi industrielle, dont la logique est fondée sur l'amélioration de l'efficacité par le biais d'une rationalisation des activités (Rouet, 1989).

Ce sont les exigences économiques liées à ces activités qui expliquent leur caractère quasi industriel, de même que la tendance à faire remonter vers l'amont les pressions à la concentration et à la rationalisation. Ces exigences résultent de l'importance du capital (entrepôts ou locaux, systèmes informatiques, etc.), de l'intensité en main-d'œuvre nécessaire aux opérations (équipe de représentants, personnel de vente), de la présence d'économies d'échelle, et du fait que c'est là que se font le plus

9. De façon plus concrète, lorsqu'il y a rendements d'échelle décroissants, les coûts moyens s'élèvent avec le niveau de production, tandis qu'ils s'abaissent lorsqu'il y a rendement croissant. Par rapport aux données de la note 10, pour des ventes de 1 000 exemplaires, par exemple (en supposant que le tirage soit identique aux ventes), le coût unitaire moyen est de 6,09 $; à 10 000 exemplaires, le coût unitaire moyen n'est plus que de 3,56 $. Si on tenait compte du fait que les coûts unitaires d'impression s'abaissent rapidement avec la hausse du tirage, cette baisse du coût moyen serait encore plus significative. Évidemment, le profit s'accroît de façon proportionnelle à la baisse du coût.

sentir les coûts de la mise à disposition élargie des produits, ce qui nécessite souplesse, rapidité, ampleur et diversité de l'assortiment, desserte de clientèles diverses ou restreintes, etc.

- **La mise en œuvre d'un imposant travail de création.** L'affirmation peut sembler triviale, mais elle compte. Le livre, marchandise et bien industriel, est en même temps un texte unique, dont la création relève de considérations extra économiques, qu'elles soient esthétiques, symboliques ou scientifiques. Cette dualité du livre, tout à la fois marchandise et produit culturel, bien industriel multiple et création intellectuelle unique, en constitue un trait marquant.

  Malgré les progrès de l'informatique, le processus de création demeure largement aléatoire et réfractaire à la mécanisation, à la rationalisation et au contrôle. Ce qui ne veut pas dire que l'éditeur n'est qu'un acteur passif dont le rôle se limite à sélectionner des créations susceptibles d'être valorisées, puis à les reproduire et à les diffuser. Au contraire, il participe pleinement à la création et à la conception du livre, à sa mise en forme finale et à la création de sa valeur. Par le biais de ses différents représentants (directeurs de collection, graphistes, maquettistes, metteurs en page, correcteurs, etc.), l'éditeur occupe évidemment une place centrale dans le processus de conception. Son rôle est également essentiel dans la création, ce qui paraît évident dans le cas d'un manuscrit commandé à un ou des auteurs et devant respecter des critères précis, ou celui d'une collection qui porte, par définition, des contraintes liées au respect d'une ligne éditoriale, d'une forme ou d'un format. Même dans un art aussi individuel que celui de l'écriture romanesque, l'éditeur commente et encourage, critique et suggère, parfois impose des modifications. Bref, il joue un rôle d'accompagnateur de l'auteur dans le travail qui mène au passage du produit brut au produit fini. Il joue également un rôle déterminant dans la fabrication de l'image de l'auteur puisque, pour donner de la valeur au livre, il engage son prestige et son capital symbolique et financier.

  Cette forte composante en création explique également que la structure du marché du travail soit fort singulière. Ce marché repose sur l'existence d'un vaste réservoir de main-d'œuvre artistique et professionnelle prenant la forme de différents « viviers » constamment renouvelés. Viviers d'auteurs établis ou en devenir, parmi lesquels les éditeurs peuvent puiser pour consolider ou renouveler leur production, de professionnels du métier en situation généralement plus ou moins précaire, et de non-professionnels disposés à se lancer dans une carrière professionnelle pour peu qu'on leur en donne l'occasion (Huet *et al.*, 1984). De même, au contraire des autres secteurs industriels, le salariat y est-il peu développé et pour l'essentiel limité aux fonctions administratives, et ce au profit du travail autonome, des contractuels et des pigistes. Les auteurs, de leur côté, sont rémunérés par les droits d'auteurs, lesquels sont fixés en proportion des ventes et sont évidemment négociables en fonction du rapport de force respectif des joueurs en cause. Cette singularité du marché du travail et des modes de rémunération s'explique par l'impossibilité de contrôler et de planifier le processus créatif et par la nécessité de s'adapter aux changements incessants des modes et tendances du marché. On peut aussi l'associer à une forme de transfert partiel du risque financier de la production vers cette main-d'œuvre, opération qui consiste à transformer en coûts variables des coûts qui, en présence d'un salariat, seraient fixes à moyen terme.

- **Le constant renouvellement de l'offre.** Le marché culturel exige un renouvellement constant et très rapide des produits. Si certaines œuvres, dites classiques, connaissent une durée de vie prolongée, il n'en demeure pas moins que le sort de la majorité des produits est celui de l'obsolescence rapide, et même de plus en plus rapide (Lacroix et Tremblay, 1997). Ce phénomène résulte en partie du fait que la culture est un incessant processus de redéfinition du sens. Les productions culturelles doivent donc faire face à ces exigences de nouveauté et de renouvellement, lesquelles sont, de plus, renforcées par la croissance extraordinaire, depuis quelques décennies, de l'ensemble de l'offre de produits culturels, de divertissement et de loisirs. Pourtant, cette obsolescence quasi programmée résulte aussi de l'extension de la logique marchande à l'ensemble de la filière, laquelle se fait sentir au moins de deux façons (Rouet, 1989). D'une part, les mécanismes de marché qui fonctionnent, pour l'essentiel, de manière instantanée et à court terme, s'accommodent mal des longues périodes nécessaires à l'identification collective d'une œuvre, d'où un raccourcissement des délais de rentabilisation. D'autre part, l'importance accordée aux signaux du marché, leur « monitoring » et leur diffusion de plus en plus rapide génèrent des effets d'entraînement qui assurent la montée rapide des succès, tout comme ils précipitent l'échec ou l'abandon des produits qui ne sont pas immédiatement performants.

- **Le caractère hautement aléatoire de la demande** ou, pour être plus précis, l'incertitude concernant les valeurs d'usage générées par les produits culturels comme le livre. Le marché de la culture en est un de constante imprévisibilité. Les goûts du public, malgré les progrès des techniques du marketing, sont difficilement prévisibles. On peut investir des milliers de dollars dans un produit, sans aucune garantie des réactions du public à son égard.

  Cette caractéristique trouve sa source dans le fait que la valeur du contenu d'un livre est fondamentalement subjective et indéterminée. Cette valeur ne peut être connue avant que le contenu ne soit mis en usage, et elle n'est pas égale d'un consommateur à l'autre, ni même forcément constante dans le temps pour un même consommateur. Autrement dit, l'information contenue dans un livre n'a pas de valeur intrinsèque, c'est l'utilisation qui en est faite qui permet de lui définir une valeur d'usage. Au contraire de la plupart des biens industriels, le lecteur est donc en situation d'incertitude radicale face au livre. Si on va chez un concessionnaire automobile pour acheter une voiture, on peut non seulement la voir, la toucher et donner un coup de pied dans ses pneus, on peut même l'essayer. Mais on ne peut pas essayer (lire) un livre avant de l'acheter, sinon il n'y aura plus aucun intérêt à l'acheter. Ainsi, l'auteur ou l'éditeur ne peut tout simplement pas savoir à l'avance si un ouvrage correspondra à ce que le lecteur en attend. L'absence de critères qui permettraient d'établir objectivement la qualité du contenu pose autant de problèmes que l'absence d'information sur ce contenu.

  Face à cette incertitude, qui génère un grand risque, l'évaluation du consommateur peut être influencée par différents mécanismes de médiatisation :

  - l'information disséminée par l'éditeur (publicité, lancements, salons du livre, etc.) ;
  - l'opinion des « prescripteurs » (critiques, revues spécialisées, enseignants, libraires, etc.) ;

- les effets de réputation, soit l'image de marque d'un éditeur, d'une collection ou d'un auteur, « label » de qualité susceptible de susciter l'achat ;
- la publication, dans les journaux et les magazines, de listes des principaux vendeurs, des choix ou « coups de cœur » des libraires, la quantité vendue étant le plus souvent perçue comme un indicateur de qualité ;
- et, influence souvent majeure, le bouche à oreille.

De cet ensemble d'influences peuvent émerger des effets d'entraînement (*bandwagon effects*), que Leibenstein définit comme « [...] la mesure dans laquelle la demande d'un bien est augmentée parce que d'autres consomment le même bien. Cela reflète le désir d'acheter un bien pour "être dans le coup" ou pour ressembler à ceux à qui l'on souhaite être assimilé, pour être à la mode ou pour faire chic[10]. » Ces effets d'entraînement, ou effets boule de neige si on préfère, se cristallisent évidemment sous la forme de best-sellers, et comptent d'autant plus qu'est vaste la base d'utilisateurs, c'est-à-dire le nombre de consommateurs potentiels touchés par les formes de médiatisation formelles et informelles. Cela explique également que, malgré tous les efforts déployés par les sciences du marketing, ces best-sellers demeurent encore foncièrement imprévisibles aujourd'hui.

Cette incertitude quant à la valeur d'un livre et, donc, de la demande, explique également la mise en place, par les éditeurs, de différentes stratégies visant à la contrer. D'abord, la construction d'un catalogue de titres suffisamment étendu pour que des compensations s'effectuent entre les livres qui se vendent bien et ceux qui se vendent moins bien, l'anticipation des profits se faisant alors sur l'ensemble de la production de la maison et non sur les ventes de chaque titre (ce que Huet *et al.* [1984] ont appelé la « dialectique du tube et du catalogue »). Ensuite, l'exploitation maximale des thèmes, formules et auteurs reconnus ou à la mode d'un côté, et la recherche permanente de nouveaux talents et de nouveaux thèmes et formules de l'autre, d'où l'exploitation des « viviers »

10. Leibenstein (1976), p. 51. Voir aussi Leibenstein (1950). De la même façon, quoique à des échelles beaucoup plus réduites et dans des niches de marché davantage assimilées à la culture « noble » (par opposition à populaire), des effets de « snobisme » peuvent aussi se mettre en place, lesquels répondent, pour reprendre Bourdieu, à une logique de distinction.

précédemment mentionnés. Toutes ces stratégies qui ne réussissent pourtant que partiellement à contrer les risques générés par le caractère foncièrement aléatoire de la demande.

- **Le caractère de prototype.** On peut associer chaque livre à un prototype, parce qu'il constitue un produit culturel unique fondé sur un travail créatif dont la valeur d'usage est indéterminée. On aurait donc, avec le livre, une industrie de prototypes, chaque produit étant une nouveauté, au sens fort du terme. Le caractère prototypique du livre est toutefois relatif. L'unicité d'un livre paraît évidente lorsque son auteur possède un style fortement personnalisé, lequel constitue d'ailleurs son meilleur argument de vente. De ce point de vue, chaque livre apparaît comme étant fortement différencié, et sa nature de prototype rend impossible sa duplication pure et simple : on ne reproduit pas, à l'évidence, du Réjean Ducharme. Cela n'empêche pas, à l'occasion, des ruées sur des « filons », qu'il s'agisse d'arrosage par multiplication de produits semblables ou déclinaisons sur les thèmes à succès (Rouet, 1989). De même, tout éditeur, pour construire et bénéficier des effets de la réputation, qui équivaut à un « label » de qualité, doit définir clairement l'image qu'il veut projeter au public. Ce qui nécessite une cohérence minimale en matière de politique éditoriale. Il cherche donc, le plus souvent, à établir une certaine homogénéité dans sa production et, pour ce faire, il crée des collections, que l'on peut assimiler à des « lignes de produits ». De façon générale, l'unicité d'un livre est d'autant plus relative que pour bénéficier des effets d'entraînement, il a forcément avantage à ne pas être trop différencié. Il n'y a donc pas plus d'unicité intrinsèque du livre que de véritable passage à la série. On doit plutôt parler d'une tension constante entre tendance à l'individualisation et tendance à la standardisation ou, si l'on préfère, d'une dialectique de l'uniformisation et de la différenciation (Herscovici, 1984).

2.2 Le livre et le marché

VALORISATION DU LIVRE ET FIXATION DES PRIX

L'information qui constitue le contenu d'un livre est immatérielle, et donc indéfiniment reproductible. C'est pourquoi sa production se caractérise par une composante élevée en coût fixe et faible en coût variable. Sa valeur économique (sa valeur d'échange) tend donc à être liée au moyen de reproduction et de distribution plutôt qu'à la qualité ou à l'utilité de l'information elle-même. La demande des consommateurs se réfère, quant à elle, à la valeur d'usage du bien, à son utilité potentielle. Cette utilité de l'information peut être tout aussi bien, au sens économique le plus classique, la réduction de l'incertitude (une meilleure connaissance de l'environnement qui permet, par exemple, de réduire l'incertitude rattachée à un processus décisionnel, et donc de prendre des décisions plus rapides et plus judicieuses) que, dans le cas d'une information de nature plus artistique ou culturelle, l'« enrichissement » personnel de son utilisateur, enrichissement de sa perception du monde comme de lui-même dans ce monde, voire son seul divertissement. Mais quelle que soit sa nature, la valeur du contenu d'un livre est fondamentalement subjective et indéterminée.

De ce fait, le prix d'un livre n'est pas, en soi, un facteur déclencheur de l'achat. Tout au plus constitue-t-il un facteur permissif ou restrictif. Lorsqu'il prend une décision d'achat, le consommateur compare en effet sa capacité financière d'achat, la valeur qu'il attribue au bien et le prix de ce bien (Maruani *et al.*, 1993)[11]. Or, comme nous venons de l'affirmer, cette valeur est le résultat d'une évaluation individuelle qui, fondée tout à la fois sur des données objectives et subjectives, est influençable et parfois mouvante. Celui qui fixe le prix, l'éditeur, ignore presque toujours la valeur que le consommateur attachera à un livre.

Dans ce contexte, si un éditeur offre son livre à un même prix pour tous, il doit faire face à un double renoncement : il doit renoncer aux clients qui pourraient décider d'acquérir le bien si le prix était moins élevé, et il doit aussi renoncer à faire payer plus cher les consommateurs qui ne modifieraient pas leur décision d'achat si le prix était supérieur (Maruani *et al.*, 1993).

Pour mieux comprendre cette question, prenons l'exemple d'un marché de cinq clients dont les évaluations respectives, pour un même titre de livre sont de : 10 $, 20 $, 30 $, 40 $ et 50 $, chacune de ces valeurs représentant le prix que chaque personne est prête à payer pour ce livre. Ce qui détermine la courbe de demande de ce livre, c'est l'agrégation des différentes valorisations de celui-ci : pour un prix donné, la quantité achetée correspond aux lecteurs qui attribuent à l'ouvrage une valeur égale ou supérieure à son prix. Si on

---

11. Et sans doute tient-il également compte, au moins implicitement, du temps libre dont il dispose pour lire ce livre et de la valeur qu'il attribue à ce temps libre.

suppose que la valeur n'est pas influencée par le prix, la demande diminue forcément lorsque le prix augmente. Pour reprendre notre exemple, à 10 $, cinq personnes achèteront le livre ; mais à 50 $, il n'y en aura plus qu'une seule (voir la Figure 2.1). Cette forme typique de la courbe de demande implique une élasticité-prix négative, cette élasticité exprimant les mouvements le long de la courbe de demande.

Figure 2.1 Courbe de demande d'un livre pour un marché fictif de cinq consommateurs

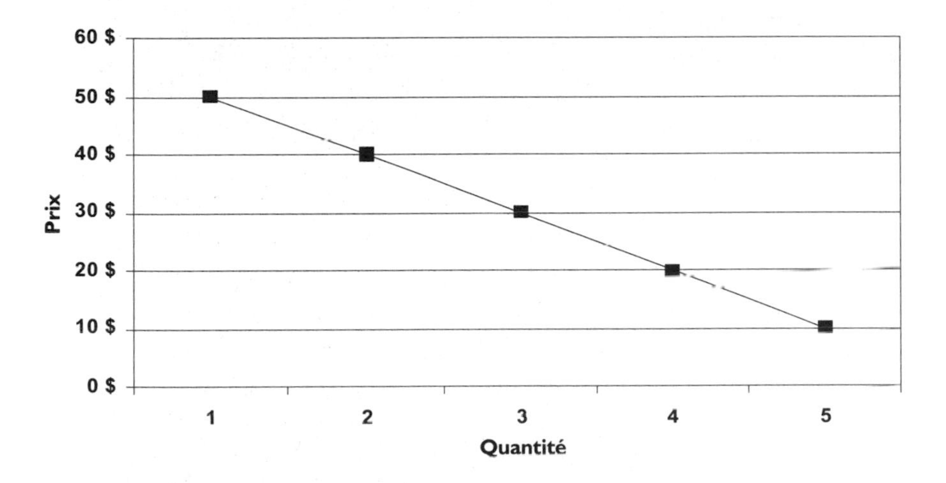

Si l'éditeur avait la possibilité de demander à chaque client le prix maximum qu'il est prêt à payer, la somme totale payée (et donc ses revenus) serait de 150 $ (soit la somme de 10 $, 20 $, 30 $, 40 $ et 50 $). En revanche, s'il devait fixer un prix identique pour tous, il retirerait, au mieux, 90 $ (soit en fixant le prix à 30 $, ce qui attirerait trois clients prêts à débourser 30 $ ou plus). Il renonce donc, de ce fait, à deux clients (ceux qui valorisent le livre à 10 $ et à 20 $), et renonce aussi à demander plus de 30 $ à ceux qui valorisent le livre à 40 $ et 50 $ et seraient prêts à débourser ces montants pour l'acquérir. Une situation de fixation de prix identique pour l'ensemble du marché n'est donc pas, a priori, optimale pour l'éditeur[12].

12. Pas plus, d'ailleurs, que pour les autres intervenants de la filière, commerçants, distributeurs et auteurs, les revenus de chacun s'établissant au prorata (un pourcentage fixe) du prix de vente final. Soulignons également au lecteur pressé qui conclurait immédiatement qu'un

Dans une telle situation, un éditeur a tout intérêt à faire une discrimination des prix, de façon à limiter ce double renoncement, à tirer davantage parti des évaluations différentes du produit.

La discrimination des prix est habituellement définie comme une pratique qui consiste à demander différents prix à différents consommateurs pour le même bien. En se référant à la taxonomie classique de Pigou (1920), on peut distinguer trois différentes formes de discrimination des prix (Varian, 1996). Dans sa forme la plus pure, la *discrimination de premier degré* (ou discrimination parfaite des prix), on demande à chaque consommateur le prix qui correspond à son désir de payer. Il s'agit évidemment d'un concept idéalisé, parce que dans ce cas, un producteur devrait connaître le désir de payer de tous les consommateurs et être capable d'empêcher la revente, ce qui est évidemment problématique, dans un cas comme dans l'autre.

La *discrimination de second degré* (ou fixation non linéaire des prix) opère une discrimination basée sur l'hétérogénéité non observée des consommateurs. Il s'agit encore de vendre différentes unités à différents prix, mais de faire en sorte que tout individu achetant la même quantité du même bien paie le même prix. Il s'agit, en fait, d'escomptes au volume. En pratique, le producteur encourage souvent l'autosélection en n'ajustant pas la quantité du bien, mais plutôt sa qualité. Les exemples classiques de cette forme de discrimination sont les lignes aériennes, avec la discrimination prix/qualité entre classe affaires et classe économique, ou le livre, justement, avec la discrimination prix/qualité entre le livre à couverture rigide et le livre de poche, à quoi on ajoute généralement un décalage temporel dans la publication. Le producteur offre donc un menu de produits et de prix, chacun ciblé vers un type précis de consommateurs. Les produits (ou groupes de produits) sont conçus de façon à rendre optimal, pour chaque type de consommateurs, le choix du produit conçu pour eux, et les consommateurs s'autosélectionnent dans la niche de marché appropriée[13]. De ce point de vue, signalons que la

---

système réglementé de prix unique serait donc forcément non optimal, qu'un marché non réglementé n'est pas non plus a priori optimal. En la matière, tout jugement doit se baser sur l'analyse du marché *réel* (et non pas sur l'abstraction que constitue le marché en concurrence pure et parfaite), c'est-à-dire en tenant compte de l'état réel des structures industrielles et de la concurrence, notamment de la présence éventuelle d'une concentration (des entreprises ou des produits) pouvant s'avérer très dommageable au bien-être des éditeurs tout autant qu'à celui des lecteurs/consommateurs.

13. La vente de livres en grande surface non spécialisée et le phénomène récent de la location de livres en bibliothèques (Gill, 2000b) répondent aussi à une logique de discrimination

numérisation du livre offre, hors secteur littéraire, de multiples possibilités de discrimination des prix reposant sur des qualités variables, du moins si on en juge par la pluralité d'expériences de distribution de biens numérisés dans Internet (Varian, 1997). Une encyclopédie ou un livre de référence, par exemple, peuvent être offerts à différents prix selon les fonctions d'accès ou de recherche ou l'étendue plus ou moins grande du contenu offert.

Enfin, la *discrimination de troisième degré*, la forme la plus courante de discrimination des prix, suppose une discrimination sur la base de caractéristiques observées chez les consommateurs. On pense ici à des rabais offerts aux étudiants ou aux personnes du troisième âge.

Le livre, évidemment, est en soi un produit hautement différencié, chaque titre étant unique. Or il s'agit d'une unicité relative, comme nous l'avons vu, considérant la présence de catégories éditoriales et de collections, ainsi que l'impact des images de marque, des effets de réputation des éditeurs et des effets d'entraînement qui attirent souvent, dans leur sillage, quantité de titres similaires.

C'est pourquoi on retrouve, dans le domaine du livre, en plus du cas particulier du livre de poche, une discrimination des prix qui s'appuie, dans une large mesure, sur une différenciation de qualité qui s'établit par gammes de produits ou, si l'on préfère, par gammes de « qualités ». Pour répondre à une segmentation de la valeur d'usage correspondant à la présence de catégories éditoriales distinctes, l'éditeur met en place une politique de prix différenciés pour chacune de ces catégories. Autrement dit, il vend à un prix différent des livres de catégories différentes, parce que le public les valorise

des prix. Cette discrimination ne repose toutefois pas sur la différenciation de la qualité des livres, mais sur celle de l'acte d'achat/acquisition. En grande surface, on retrouve un bas prix couplé à un faible assortiment, une absence de service à la clientèle et un faible coût de transaction (soit le temps de recherche et d'achat) ; en librairie, à l'opposé, le prix est plus élevé, le fonds est élargi, le service est étendu et le coût de transaction plus élevé. Dans le cas de la location, on offre, contre un débours relativement minime, un choix réduit de livres dont on peut disposer pour une période limitée et après, souvent, une certaine période d'attente. Dans tous ces cas, toutefois, cette discrimination n'est pas sous le contrôle de l'éditeur. En théorie, l'éditeur perçoit le même prix de vente du distributeur, que le livre soit vendu à une librairie ou à une grande surface (en pratique, il arrive que des négociations et des ventes directes aient lieu). Et au contraire de la vente/location de cassettes vidéos (autre cas classique de discrimination de second degré), où les prix de vente du producteur sont différents s'il veut favoriser la vente ou la location, le prix de vente à la bibliothèque est le même, que le livre soit ensuite prêté ou loué. Ce qui permet d'ailleurs de s'interroger sur la légalité même de cette pratique, du point de vue de la loi sur le droit d'auteur.

différemment, même si cette valorisation est relativement homogène à l'intérieur d'une même catégorie. Ainsi, le roman n'est pas au même prix que le livre jeunesse ou le livre scientifique. Pour chaque catégorie éditoriale il existe, en quelque sorte, en plus d'une « qualité » de référence, un « prix » de référence — ce que les éditeurs appellent le « prix de marché », lequel représente le prix maximal que le consommateur moyen est prêt à payer pour ce type de livre. L'éditeur doit se situer par rapport à ce prix[14]. Évidemment, un même consommateur peut être actif dans plusieurs catégories éditoriales, où dans chaque cas il est prêt à payer un prix égal ou inférieur à la valeur qu'il accorde aux livres de chaque catégorie. Un même consommateur, par exemple, pourra être prêt à débourser 40 $ ou 50 $ pour un livre scientifique, mais pas plus de 25 $ pour un roman et pas plus de 10 $ pour un livre jeunesse.

ÉLÉMENTS DE STRUCTURATION DE L'OFFRE

Au-delà de cet aspect des choses, c'est-à-dire avant même de songer à fixer un quelconque prix, l'éditeur doit faire un choix de production entre ces différentes catégories, lesquelles supposent des contraintes et des circonstances fort différentes. Une première distinction majeure, en terme de structuration de l'offre, est représentée par la différence entre l'offre quasi programmée et l'offre basée sur l'anticipation de la demande. La première fait référence, notamment, à la production de livres scolaires. L'éditeur scolaire commande le plus souvent ses manuscrits, il doit tenir compte des exigences établies par les programmes du ministère de l'Éducation, assumer des coûts de développement substantiels et un suivi auprès des enseignants, et il distribue souvent lui-même sa production. Il s'agit dans une large mesure d'un bien sur commande, soumis à une logique d'appel d'offres et intégrant une composante de service très présente dans la production. L'éditeur de littérature générale, en revanche, doit anticiper une demande qui, comme nous l'avons expliqué, se fonde sur une valorisation hautement aléatoire de la part

14. La pratique traditionnelle, qui consiste à fixer le prix en fonction d'un multiple des coûts unitaires, n'est pas complètement disparue, mais il semble, si on se fie aux propos des éditeurs, que le critère décisionnel ultime soit bien le « prix de marché ». La méthode du multiple devient alors un critère permettant d'évaluer quel devrait être, en fonction des coûts, le prix permettant de rentabiliser l'opération (en fonction d'une anticipation donnée des ventes, évidemment) et de mesurer l'écart entre ce prix et le « prix de marché ». L'éditeur peut ensuite, au besoin, diminuer ses coûts par des procédés techniques (qualité de l'impression ou du papier, mise en page, etc.), jusqu'à ce que les deux prix coïncident.

du consommateur. C'est donc cet éditeur qui, et de loin, est le plus soumis aux diktats du best-seller et de la rotation rapide des titres[15].

L'éditeur de littérature générale possède, à cause de la différenciation des produits, un certain pouvoir de marché, puisqu'il a le monopole sur chacun des produits dont il détient les droits. Toutefois, ce pouvoir est en partie limité par l'existence de produits plus ou moins similaires, donc substituables. À cela s'ajoutent de faibles barrières à l'entrée. La création d'une maison d'édition nécessite en effet peu de moyens (financiers, à tout le moins), ce qui explique précisément l'état de vivier permanent du secteur, caractérisé par l'entrée continuelle de nouveaux joueurs. Un éditeur n'est pas en situation de concurrence pure et parfaite, ni en situation de monopole. On peut parler, dans son cas, d'une concurrence monopolistique.

La concurrence monopolistique est une situation dans laquelle, du fait que les produits ne sont pas parfaitement substituables, les firmes peuvent avoir une certaine influence sur leur part de marché en modifiant les prix, même si elles sont nombreuses. Chaque firme dispose alors d'un monopole partiel, c'est-à-dire sur une partie du marché. Comme nous venons de le voir, cette offre se structure, se segmente en fonction de catégories éditoriales, et pour chacune de ces catégories, il existerait un prix de référence reflétant la valorisation de cette catégorie par les consommateurs, prix face auquel l'éditeur doit se situer. La marge de manœuvre dont il disposera à cet effet sera plus ou moins grande selon son réel pouvoir sur le marché. On peut ainsi repérer deux cas-types constituant les situations extrêmes de l'éventail des possibilités (Maruani *et al.*, 1993).

À un bout du spectre, on peut repérer une offre *quasi monopolistique*, dans les cas où les ouvrages peuvent faiblement se substituer les uns aux autres. Ceux-ci étant uniques aux yeux des acheteurs, l'éditeur peut se comporter davantage comme s'il détenait un monopole. Il dispose d'une plus grande marge de manœuvre en matière de fixation des prix, l'élasticité-prix de la demande (la sensibilité au prix) étant plus faible pour ces catégories : littérature dite « sérieuse » ou auteurs-vedettes, mais aussi sciences humaines, livre scientifique et technique, livre d'art, etc.

---

15. L'édition de livres collégiaux et universitaires de même que la production de livres de références sont des cas intermédiaires, mais qui relèvent eux aussi largement d'une demande au moins en partie programmée. Le terme programmation ne signifie évidemment pas que cette demande est entièrement donnée ou prévisible, mais que la création et la production sont largement déterminées par des critères relativement précis et objectifs, fixés par des instances qui se situent hors de la sphère de la production.

À l'autre bout, on peut repérer une offre *quasi concurrentielle* lorsque les ouvrages offerts par un éditeur peuvent, en partie du moins, être substitués par les ouvrages de ses concurrents, ou encore par un non-achat de livres. La marge de manœuvre de l'éditeur est alors beaucoup plus réduite, l'élasticité-prix étant plus élevée : livres et guides pratiques, littérature ou psychologie « populaire », etc.

L'éditeur peut donc, du moins partiellement, modifier la demande face à ses ouvrages en décidant, à l'intérieur des limites que lui imposent la présence d'un prix de référence et ses coûts unitaires, du niveau de prix de vente au public. Il peut aussi tenter d'influencer la valorisation et le positionnement de la demande. Il peut essayer d'accroître la valeur d'un livre en jouant sur son image ou sur la communication faite autour de l'ouvrage et de l'auteur dans les médias, et ainsi favoriser le déplacement de la courbe de demande vers la droite, c'est-à-dire tenter de faire en sorte que plus de gens soient prêts à acheter un livre, sans que le prix ait changé. Mais il peut aussi, en modifiant le nombre de pages, les illustrations, la qualité de l'ouvrage, du papier comme de la reliure ou de la mise en page, favoriser le déplacement de la courbe vers le haut, c'est-à-dire tenter de faire en sorte que les gens soient prêts à payer plus cher pour un même livre, parce qu'on l'estime de qualité supérieure.

Il est évidemment tentant de poursuivre le raisonnement et de déduire, à la suite de la description de ces deux types d'offre, la présence de deux types de spécialisations. Dualité qui serait représentée d'un côté par des éditeurs à l'orientation surtout commerciale et généraliste, visant le marché de masse en offrant des produits relativement banalisés et populaires, et de l'autre par des éditeurs à l'orientation plus culturelle et spécialisée, visant des niches de marché et proposant des produits plus innovateurs ou plus difficiles. Du point de vue de l'économie industrielle, ce type de distinction renvoie aux stratégies génériques utilisées par les entreprises. Un auteur comme Porter (1982), par exemple, affirme que les entreprises les plus rentables sont les petites sociétés qui adoptent des stratégies de focalisation et de différenciation, et les plus grandes qui disposent d'un avantage de coût. L'entre-deux est alors particulièrement à éviter, puisqu'elles ne permettent de bénéficier ni de l'un ni de l'autre avantage. Si ce type de vision est séduisante, elle ne s'applique toutefois que fort mal au cas du livre, particulièrement lorsque celui-ci évolue dans un petit marché, ce qui limite évidemment les possibilités de survie par la spécialisation.

Ainsi, au Québec, on retrouve bien de petites entreprises spécialisées dans des créneaux relativement étroits (en poésie, par exemple, avec Le Noroît et Les Écrits des Forges), qui offrent des écrits innovateurs ou expérimentaux dans leur formes et leurs sujets. On retrouve aussi de grandes entreprises visant explicitement le marché de masse avec des produits respectant les formes établies ou touchant des sujets populaires (Les Éditions de l'Homme ou Tormont-Brimar, par exemple). Mais au-delà du fait que, étroitesse du marché oblige, le premier groupe ne survit que grâce à un considérable soutien de l'État[16], la très grande majorité des entreprises, grandes et petites, adoptent une forme de stratégie mixte qui repose sur une certaine généralisation de l'activité éditoriale, comprenant en tout ou en partie la production de romans, d'essais, de littérature jeunesse, de poésie ou de théâtre. La raison en est relativement simple. Comme nous l'avons dit, le caractère hautement aléatoire de la demande pousse les éditeurs à gérer le risque en développant un catalogue de produits. Au surplus, il semble, à l'expérience, qu'un tel catalogue sera encore plus imperméable au risque s'il est composé de plusieurs catégories éditoriales. Ce qui est d'autant plus évident dans un marché aussi étroit que le marché québécois, où une logique de spécialisation rencontre rapidement des limites objectives. On peut d'ailleurs noter que même en France, des éditeurs « intermédiaires » comme Le Seuil ou Gallimard, peu susceptibles d'être accusés de favoriser à outrance une production populiste, ont également adopté une stratégie éditoriale relativement généraliste.

LE RÔLE DES PRIX ET DES REVENUS DANS LA FORMATION DE LA DEMANDE

Un certain nombre de facteurs affectent clairement, d'un point de vue global, la demande de livres. On sait par exemple que le sexe (les femmes lisent davantage que les hommes), la scolarité (plus elle est élevée, plus grand est le taux de lecture), l'âge (on lit davantage quand on est jeune et quand on est vieux, un peu moins à l'âge où on est en début de carrière et où on fonde une famille), et donc la pyramide des âges d'une société, sont des facteurs qui

16. L'aide de la SODEC à la production et l'aide du Conseil des arts du Canada visent précisément à soutenir davantage la production de livres à fort contenu culturel et la production éditoriale de qualité.

structurent de façon notable la demande de livres[17]. Il s'agit toutefois de facteurs qui évoluent fort lentement et dont l'influence n'est perceptible qu'à long terme.

D'autres facteurs ont des impacts économiques beaucoup plus immédiats. En premier lieu, comme pour tout bien matériel, il faut mentionner l'évolution des prix et des revenus des consommateurs. De même, les innovations de produits, qu'il s'agisse du renouvellement des formes, des styles ou des sujets traités, ou de l'introduction de nouveaux équipements de lecture (que l'on songe au *eBook*, par exemple), ainsi que les coûts de transfert associés au passage d'un format à l'autre lorsque des formats incompatibles existent (comme ce fut le cas lors de l'introduction du disque compact), sont également susceptibles d'avoir des impacts sur la demande. Les innovations en matière de contenu relevant toutefois, dans une large mesure, de considérations symboliques ou sociologiques, et l'introduction de nouveaux équipements de lecture étant par trop récente, nous nous contenterons d'aborder ici la question de l'impact des prix et des revenus sur la demande.

- Le *prix* est évidemment un élément majeur de la formation de la demande de tout bien ou service. L'élasticité-prix d'un bien, culturel ou non, est en pratique toujours négative, c'est-à-dire que la demande d'un bien augmente si son prix baisse, et vice-versa[18]. La demande d'un bien est toutefois non seulement affectée par son propre prix, mais aussi par le prix des biens qui lui sont substituts et des biens qui lui sont complémentaires. Quand deux biens sont *substituts*, la relation entre le prix de l'un et la consommation de l'autre est toujours positive ; la hausse du prix relatif des autres types de loisirs, par exemple, devrait entraîner la hausse de la demande de livres. L'élasticité prix-croisés du livre devrait donc être positive. Un bien est dit *complémentaire* lorsqu'il est néces-

17. Ces facteurs ont été, d'un point de vue empirique, abondamment analysés. Pour un bilan des plus récentes données au Québec, voir par exemple Gill (2000). Pour les résultats d'un sondage récent commandé par l'Association nationale des éditeurs de livres, voir ANEL (1999) et (1999a).

18. La notion d'élasticité, d'application très large en économie, renvoie au rapport entre les taux de croissance de deux variables. Une élasticité-prix de la demande de -1,5, par exemple, signifie qu'une hausse de 10 % des prix se traduit par une baisse de la demande (en unités) de 15 %. Lorsque l'élasticité est inférieure à 1 (en valeur absolue), on dit que la demande est inélastique.

sairement (ou souvent) consommé en combinaison avec un autre (CD et lecteur de CD, par exemple). La demande pour un bien donné évolue toujours en direction opposée du prix de son bien complémentaire. Par exemple, la baisse du prix des lecteurs de CD favorise la hausse de la consommation de disques. Concept sans grande pertinence jusqu'à tout récemment pour le livre, le processus de numérisation des contenus pourrait toutefois changer les choses. La baisse du prix du *eBook* ou même des imprimantes domestiques devrait ainsi favoriser la hausse de la demande de contenus numérisés.

Si on considère le livre comme une forme de loisir ou de divertissement, on peut penser qu'il existe de nombreux substituts, comme les journaux, les revues et périodiques, le disque, le cinéma, la télévision et la radio, les vidéocassettes, les jeux vidéos, Internet, les arts de la scène, le sport, les activités de plein air, etc. Face à un si grand nombre de substituts, à une offre croissante et donc une concurrence forcément exacerbée pour le budget du consommateur et son temps de loisir, on devrait s'attendre à une élasticité-prix de la demande relativement élevée. La croissance de l'offre dans un domaine, en effet, loin d'entraîner une croissance du temps total consacré à la consommation culturelle, implique le plus souvent un rehaussement de la concurrence entre les différents biens culturels, d'où une plus grande sensibilité à l'évolution du prix de chacun de ces biens.

Il existe toutefois une force contraire à cette première tendance. L'appréciation de la lecture, le développement des goûts et des préférences, constituent un processus d'apprentissage cumulatif qui a pour effet de rendre les substituts moins acceptables. Ceux qui acquièrent et développent un goût pour la lecture pourront évidemment prendre plaisir à d'autres formes de divertissement, mais ne les considéreront pas comme de réels substituts à l'objet premier de leur passion. On peut donc parler d'un effet d'apprentissage, et même d'accoutumance, qui fait que plus on lit, plus on aime lire, et plus on possède de livres et plus on en achète (Lallement, 1993).

À mesure que les préférences pour la lecture se développent, le consommateur devient moins concerné par son prix, ce qui revient à dire que la demande devient relativement moins élastique. Le même argument est valide, à l'inverse, pour ceux qui se situent hors de l'audience établie. Par exemple, un roman tel que *Ulysse*, de James Joyce, pourra paraître extraordinairement ennuyeux à celui qui n'a pas l'habitude de la lecture et n'a pas développé les éléments lui permettant de comprendre ou d'apprécier cette forme d'écriture. De telles personnes seront peu susceptibles de l'acheter du seul fait qu'il soit vendu à rabais. Ajoutons que la forte structuration du marché du livre en genres éditoriaux devrait entraîner une substituabilité plus faible entre différents genres éditoriaux qu'au sein d'une même catégorie éditoriale. Pour être plus clair, on peut supposer une plus faible substituabilité entre James Joyce et Danielle Steele qu'entre deux romans sentimentaux ou deux romans policiers.

Les effets d'apprentissage et le caractère cumulatif de la formation des préférences devraient donc entraîner, dans l'ensemble, une élasticité-prix de la demande inférieure à ce qu'on pourrait supposer ; inférieure, à tout le moins, à celle d'une boîte de petits pois, produit relativement indifférencié et qui ne nécessite qu'un apprentissage limité pour être apprécié à sa pleine valeur. Ce qui ne veut évidemment pas dire que les consommateurs sont totalement insensibles au prix du livre ; cette élasticité est tout de même fort probablement au moins égale à l'unité[19], comme nous le verrons au chapitre suivant.

- Le *revenu* est également un facteur important. Dans la plupart des cas, la demande des consommateurs pour un bien ou un service particulier augmentera à mesure que leurs revenus s'élèveront. En théorie, l'élasticité-revenu de la demande de livres devrait donc être supérieure à un. En effet, les biens essentiels — nourriture, vêtements, logement, etc. — ont priorité dans le budget des ménages, tandis que les dépenses comme les livres (des biens de « luxe ») ne seront envisagées qu'une fois atteint un certain seuil de revenu. La conséquence statistique d'un tel comportement de consommation sera qu'à mesure qu'on s'élève dans l'échelle des revenus, les dépenses en livres devraient s'accroître plus vite que les revenus. Autrement dit, un ménage au revenu élevé accorde une plus grande part de son revenu à l'achat de livres qu'un ménage ayant un faible revenu. De même, d'un point de vue chronologique, à mesure que le revenu moyen des ménages s'élèvera avec les années, davantage de

19. La signification d'une élasticité-prix unitaire (plus précisément, égale à -1) est que l'effet est neutre en termes de revenus. Une hausse de prix de 10 % se traduira par une baisse de la quantité consommée de 10 %, soit des ventes totales, en dollars, inchangées.

consommateurs dépasseront le seuil à partir duquel on commence à dépenser pour les biens culturels. Ces dépenses s'élèveront donc plus vite que les revenus, d'où une élasticité-revenu de la demande supérieure à un.

Le mode d'allocation du temps des consommateurs influence toutefois leur comportement de consommation et tend à réduire la sensibilité de la demande aux revenus. La consommation, en effet, requiert non seulement de l'argent, mais aussi du temps, lequel n'est pas indéfiniment extensible. Si le temps consacré aux loisirs, et en particulier aux médias et aux produits culturels, a évidemment augmenté de façon significative depuis 1945, il s'est cependant stabilisé depuis quelques années (Pronovost, 1996 et 1997). Ainsi, à mesure que le revenu s'accroît, le revenu disponible par heure de temps de consommation s'élève et la valeur que les consommateurs accordent à une heure de leur temps s'élève également. Avec l'élévation de leurs revenus, les consommateurs sont donc portés à substituer des biens qui exigent relativement moins de temps à ceux qui en exigent davantage. La lecture étant une activité relativement intensive en temps (davantage que la plupart des produits audiovisuels, en particulier), l'effet positif sur la demande qu'entraîne une hausse des revenus est en partie contrecarré par l'effet négatif de la hausse du coût du temps. Les déterminants du mode d'allocation du temps de loisir impliquent donc que l'élasticité-revenu de la demande sera probablement moins élevée qu'on pourrait le penser à prime abord, même si elle devrait quand même être supérieure à l'unité.

L'implication à long terme d'une élasticité-revenu unitaire (c'est-à-dire égale à un) est simple : à structure de prix relatifs constants, la croissance de la demande sera identique à celle des revenus[20].

2.3 Conclusion

Le livre a donc une double nature, étant tout à la fois un bien culturel et un bien économique. Il se caractérise non seulement par la séparation entre un

20. Dit autrement, une élasticité-revenu de 1,0 implique qu'une hausse de revenu de 10 % se traduira par une hausse de la consommation (en unités) de 10 % et donc, à prix constants, des ventes de 10 %.

support et un contenu (cette séparation impliquant la possibilité d'une reproduction de masse), mais aussi par l'intégration d'un imposant travail de création, par un nécessaire et constant renouvellement de l'offre, par le fait qu'il doit faire face à une demande hautement aléatoire, et par son caractère au moins partiel de prototype. Cet ensemble de caractéristiques explique que la marchandisation et l'industrialisation du livre demeurent encore, malgré leur ancienneté, des processus particuliers et inachevés.

Ainsi, dans un contexte où la valorisation d'un livre par le consommateur est aléatoire et a priori indéterminée, le prix n'apparaît pas comme un facteur déclencheur de l'achat. En effet, pour prendre une décision d'achat, le consommateur doit faire un arbitrage entre sa capacité financière, l'évaluation qu'il fait d'un livre et son prix. Le marché du livre étant de plus fortement segmenté par catégories éditoriales, l'éditeur est dans une situation où il peut opérer une discrimination des prix en se fondant sur les différences de « qualité » de ces catégories, et en se situant par rapport au prix de référence de chacune. Ce prix de référence repose sur une évaluation distincte de la valeur que leur accordent les consommateurs. La marge de manœuvre de l'éditeur, à cet égard, dépend des différentes élasticités-prix de la demande associées à chaque catégorie. L'éditeur se trouve dans une situation d'offre plus concurrentielle, avec une moindre marge de manœuvre si l'élasticité-prix est plus élevée, parce qu'il est plus facile de substituer les produits entre eux. Au contraire, pour les catégories de produits fortement différenciés et dont l'élasticité-prix est plus faible, il se trouve plus près d'une situation de monopole et dispose alors d'une plus grande marge de manœuvre.

Si la demande des consommateurs est sensible aux prix, il faut toutefois noter que cette sensibilité est affectée par le jeu de forces contraires. D'une part, la présence de nombreux substituts potentiels en matière de loisir et de divertissement tend à élever cette sensibilité. D'autre part, elle tend à être réduite par le fait que l'appréciation de la lecture et le développement des goûts et des préférences constitue un processus d'apprentissage cumulatif, qui tend à cloisonner le consommateur dans des segments ou des genres précis et à réduire sa sensibilité aux prix.

De plus, l'évolution des revenus des individus et des ménages, même si leur sensibilité à cette évolution est en partie contrainte par la limite objective de leur temps disponible, peut évidemment constituer un puissant incitatif ou, à l'inverse, une sévère contrainte au développement de la demande de livres.

CHAPITRE 3

Le marché du livre au Québec

L'analyse de l'industrie du livre, comme de la plupart des autres industries culturelles d'ailleurs, se heurte à l'absence de données publiques fiables et cohérentes. Ainsi, aucune enquête ne recense les ventes finales de livres au Québec[1], donnée pourtant essentielle, non seulement pour les observateurs de l'industrie, mais aussi pour les acteurs de la filière. Ces derniers en sont en effet réduits, la plupart du temps, à fonder leurs analyses sur des perceptions ou des visions partielles de la réalité, lesquelles sont évidemment grandement dépendantes de la place qu'ils occupent au sein de la filière.

L'absence de données publiques fiables ne nous laisse toutefois pas sans recours. Ainsi, sur la base des ventes des éditeurs et des diffuseurs exclusifs recensées par Statistique Canada, ajustées par un ensemble d'éléments structurels propres à la configuration de la commercialisation du livre au Québec, il est possible de proposer des estimations sur l'ampleur, l'évolution et la segmentation du marché final. Tout en gardant en tête que, comme pour tout travail de ce type, ces données sont toujours susceptibles de souffrir d'un certain nombre de biais et d'erreurs, les estimations proposées dans les pages qui suivent constituent, croyons-nous, les évaluations les plus sensées et les plus représentatives du marché qu'il est actuellement possible de produire.

1. Par vente finale, on entend la dernière transaction commerciale concernant un produit, c'est-à-dire sans revente ultérieure, ce qui comprend les ventes au détail, les ventes aux institutions et les ventes directes aux consommateurs. Soulignons que l'Observatoire de la culture et des communications a mis en place une enquête mensuelle sur les ventes finales de livres en 2001.

Nous présenterons donc, dans la première section de ce chapitre, des estimations sur l'ampleur et l'évolution récente des ventes finales de livres au Québec. Dans la seconde, nous évaluerons la répartition de ces ventes selon les principaux canaux de diffusion. Enfin, dans la troisième, nous discuterons des principaux déterminants de la demande de livres, avant de conclure sur l'impact de l'évolution des prix et des revenus sur cette demande.

3.1 Le marché final à la consommation

AMPLEUR DU MARCHÉ

Selon nos estimations, la valeur des ventes finales de livres au Québec, tous canaux de distribution confondus, atteignaient 588 millions de dollars en 1998[2]. Ce qui représente, à un prix de vente moyen de 23 $[3], environ 25,6 millions de livres vendus.

Cette valeur peut sembler relativement minime à l'aune du PIB québécois, qui était de 193 milliards de dollars en 1998, selon l'Institut de la statistique du Québec. Mais il faut tout de même noter que l'industrie du livre figure parmi les poids lourds des industries culturelles. Ainsi, le marché du disque était évalué à 279 millions de dollars en 1997, soit 18,3 millions de disques vendus (Ménard, 1998). En ce qui concerne l'audiovisuel, les recettes cinématographiques en salles étaient de 146,1 millions de dollars en 1999 (ISQ, 2000), les achats de vidéocassettes atteignaient environ 61 millions de dollars et les recettes de location, 261 millions (en 1996)[4]. Les recettes de la

---

2. La méthode d'estimation utilisée repose sur les déclarations de ventes des éditeurs et des diffuseurs exclusifs au Québec et tient compte des remises aux détaillants, de l'évolution du rapport entre l'indice de prix au détail et l'indice de prix de gros du livre et d'une estimation des rabais accordés par les différents canaux de vente. Voir les détails à l'annexe 1.

3. Le prix de vente moyen (non pondéré par les tirages) estimé par la BNQ est de 25,57 $ en 1998. En utilisant une pondération basée sur les prix et les tirages des 66 catégories éditoriales recensées par la BNQ, on obtient un prix moyen de 24,07 $. Comme il s'agit du prix de détail suggéré, il faut retrancher la valeur moyenne des rabais accordés par les détaillants (estimés à 4,2 %), ce qui ramène le prix à 23,06 $. Cette valeur ne concerne toutefois que les nouveautés et les rééditions. Les réimpressions, qui représentaient 45 % du tirage total des éditeurs agréés en 1998 (comme nous le verrons au chapitre 5), demeurent au prix de leur lancement initial et sont donc en théorie moins chères, du seul fait de l'inflation. Pour 1998, toutefois, la progression du prix des livres, tel que mesuré par l'indice canadien du prix du détail du livre de Statistique Canada, fut d'exactement 0 %. Nous retenons donc la valeur de 23 $ pour 1998.

4. Données estimées d'après l'enquête sur les dépenses des ménages, Statistique Canada, *Dépenses des ménages au Québec*, IPS 62F0021.

télédiffusion privée, quant à elles, étaient de 352 millions de dollars en 1996[5]. Enfin, du côté des autres supports de lecture, on pouvait estimer les dépenses des ménages en journaux à environ 465 millions de dollars en 1996, et les dépenses en revues et périodiques à 200 millions[6].

Si les ventes de livres ne représentaient, en 1996, que 0,5 % des dépenses totales de consommation au Québec, elles accaparaient cependant 6,5 % de l'ensemble des dépenses de loisirs et de matériel de lecture (biens et services, y compris l'équipement)[7], un fort pourcentage si l'on considère l'accroissement phénoménal de l'offre de cet ensemble au cours des dernières décennies, particulièrement du côté de l'audiovisuel, de l'informatique et des jeux vidéos.

Un marché d'importance, donc, tant en termes absolus que relatifs. Pourtant le marché du livre, depuis quelques années, souffre de toute évidence d'un manque de dynamisme.

ÉVOLUTION RÉCENTE DU MARCHÉ

Selon nos estimations, le marché final du livre au Québec serait passé de 378 millions de dollars, en 1987, à 588 millions en 1998, ce qui correspond à un taux de croissance annuel moyen de 4,1 %. À première vue, on peut parler d'une bonne croissance.

Or l'évolution des ventes, comme on peut le constater à l'examen du Tableau 3.1, se partage en trois périodes bien caractéristiques : la croissance est soutenue de 1987 à 1991 (taux de croissance annuel moyen de 11,9 %), plus modeste de 1991 à 1994 (croissance annuelle moyenne de 3,3 %) et carrément négative de 1994 à 1998 (-2,5 % par année en moyenne). Cette chute des ventes depuis 1994 fut telle que l'on est revenu, en 1998, au niveau des ventes de 1991.

L'estimation de l'évolution réelle des ventes (c'est-à-dire en retranchant l'effet de l'inflation) est un peu délicate, considérant l'introduction, en 1991, de la taxe fédérale sur les produits et services (TPS). L'indice des prix à la consommation du livre incluant les taxes, à partir de 1991 nous avons ajouté

5. Statistique Canada, cat. 56-204. L'ensemble des recettes publicitaires télévisuelles (chaînes traditionnelles privées et publiques et chaînes spécialisées) au Québec pouvaient toutefois être estimées à 461 millions de dollars (Ménard et Le Bouar, 1999).

6. Données estimées d'après l'enquête sur les dépenses des ménages, Statistique Canada, *Dépenses des ménages au Québec*, IPS 62F0021.

7. *Ibid.*

la TPS à la valeur des ventes courantes, avant de les déflater au moyen de cet indice. En termes réels (en dollars 1992), la croissance entre 1987 et 1998 n'est plus que de 1,0 % par année en moyenne, tandis que de 1994 à 1998, la chute des ventes atteint 4,9 % par année. En termes réels, les ventes de 1998 sont donc à peine supérieures à celles de 1988.

Tableau 3.1 Estimation des ventes finales de livres au Québec, 1987-1998 (en milliers de dollars)

	Ventes finales (en $ courants)	Taux de croissance annuel	Ventes finales réelles (en $1992)	Taux de croissance annuel
1998	588 387	-2,8 %	541 802	-2,8 %
1997	605 234	-2,0 %	557 315	-4,7 %
1996	617 305	-1,0 %	585 045	-3,2 %
1995	623 560	-4,3 %	604 356	-8,9 %
1994	651 755	3,7 %	663 538	0,5 %
1993	628 495	4,8 %	659 951	2,9 %
1992	599 448	1,3 %	641 409	0,4 %
1991	591 517	9,2 %	638 671	4,8 %
1990	541 733	10,2 %	609 373	4,1 %
1989	491 779	12,6 %	585 452	9,3 %
1988	436 608	15,6 %	535 716	10,5 %
1987	377 741	n.d.	484 905	n.d.
TCAM[1]				
1987-1998	—	4,1 %	—	1,0 %
1987-1991	—	11,9 %	—	7,1 %
1991-1994	—	3,3 %	—	1,3 %
1994-1998	—	-2,5 %	—	-4,9 %

1. Taux de croissance annuel moyen.

Source : Estimation SODEC, d'après les données de Statistique Canada, cat. 87-210/87F0004XPB et CANSIM (matrice 9957) pour l'indice de prix à la consommation, Canada.

Comme on peut le voir à la Figure 3.1, l'impact de l'introduction de la TPS ne fut pas immédiat, la courbe des ventes ne s'infléchissant qu'à partir de 1992. Mais encore faut-il souligner que l'évolution d'ensemble de l'économie, caractérisée par le ralentissement de la croissance à partir de 1989 et une récession en 1991, a également affecté les ventes de livres, tout comme les transformations au sein de la structure de commercialisation du livre, conjonction de facteurs qui rend difficile la lecture. Nous reviendrons sur ces différents éléments.

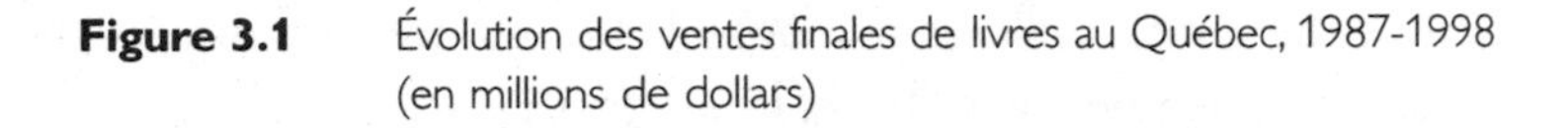

Figure 3.1 Évolution des ventes finales de livres au Québec, 1987-1998 (en millions de dollars)

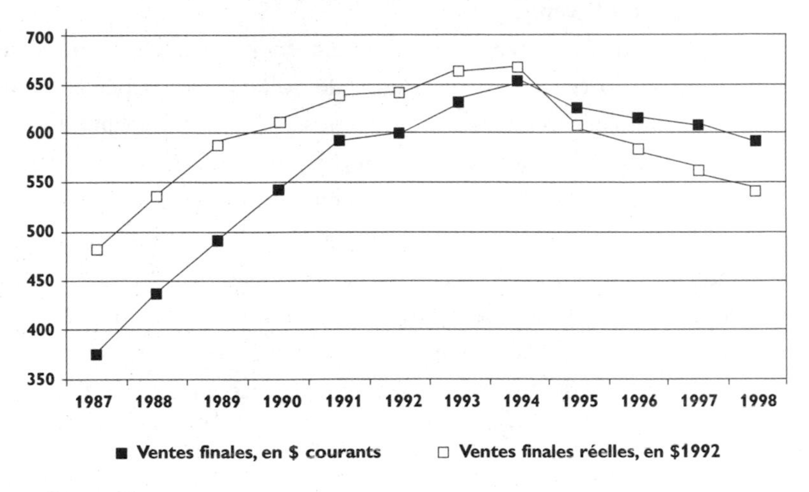

Source : Tableau 3.1

Signalons que ces estimations ne représentent pas, à strictement parler, les ventes de livres au Québec, mais plutôt leur approximation par les ventes canadiennes des éditeurs et des diffuseurs exclusifs installés au Québec. Bien qu'il s'agisse de la meilleure estimation dont on dispose, encore faut-il se demander dans quelle mesure celle-ci peut s'écarter du marché intérieur final. Ainsi, pour passer des ventes canadiennes des entreprises québécoises à ce marché final québécois, il faudrait : 1) retrancher de la première valeur les expéditions de livres au Canada hors Québec (les exportations internationales sont déjà exclues) ; 2) ajouter les importations directes de livres en provenance du Canada (hors Québec) et ne transitant pas par un diffuseur ou un distributeur québécois ; 3) ajouter les importations internationales de livres ne transitant pas par un diffuseur ou distributeur québécois. À cet égard, quoique l'on soit en terrain nettement moins solide, on peut proposer une évaluation permettant d'établir un ordre de grandeur. On peut ainsi estimer que la valeur du marché intérieur final québécois se situait entre 575 et 614 millions de dollars en 1998[8]. Par rapport à notre estimation initiale de 588 millions, il s'agit d'un écart inférieur à 5 %. Une telle « marge d'erreur » peut

8. Voir les détails de l'estimation à l'annexe 1.

être considérée comme satisfaisante, étant donné l'état des données disponibles. Malheureusement, rien ne nous permet de supposer que cet écart puisse demeurer constant à l'avenir.

Les importations internationales directes, en particulier, quoique très variables (elles varient entre 6 et 32 millions de dollars pour la période 1994-1998), semblent afficher une tendance à la hausse. Il s'agit d'achats directs à l'étranger de la part de librairies, de bibliothèques publiques ou privées, y compris les bibliothèques universitaires, d'entreprises et d'individus. Ces importations constituent une donnée relativement fiable, mais non exhaustive, les douanes étant incapables de repérer, par exemple, un livre expédié sous enveloppe et non identifié comme tel. Ainsi, non seulement une quantité non négligeable de livres sont importés au Québec sans transiter par la structure traditionnelle de distribution, mais avec le développement du commerce électronique, ce segment de marché risque fort de prendre de l'ampleur au cours des prochaines années[9].

MISE EN PERSPECTIVE INTERNATIONALE

On peut évidemment s'interroger sur l'ampleur relative du marché québécois par rapport aux autres marchés du livre sur la scène mondiale. On trouvera au Tableau 3.2 des comparaisons avec le Canada dans son ensemble, les États-Unis et la France. Si l'homogénéité des données présentées n'est pas parfaite, les sources utilisées étant nombreuses et la méthodologie pas toujours explicite, la comparaison est néanmoins éclairante. Si le marché québécois était estimé à 588 millions de dollars en 1998, l'ensemble du marché canadien pouvait quant à lui être évalué à 2,3 milliards, le marché américain à 42,6 milliards et le marché français à 9,2 milliards (toutes les valeurs sont ici en dollars canadiens). Les ventes par habitant correspondantes sont de 80 $ pour le Québec et de 76 $ pour le Canada, mais de 158 $ pour les États-Unis et de 156 $ pour la France. Des écarts du simple au double, ce qui semble à première vue énorme.

Comme c'est toujours le cas en la matière, les différences nationales dans la répartition des ventes par types d'ouvrages peuvent expliquer en partie les écarts repérés. Mais plus important encore, les distorsions dans les taux de change résultant de la surévaluation de certaines monnaies (comme le franc

9. On trouvera, à l'annexe 2, les données détaillées des importations et des exportations internationales québécoises de livres, de 1994 à 1998.

Tableau 3.2 Marché du livre : comparaisons internationales, 1998 (en dollars canadiens)

	Québec	Canada	États-Unis	France
Au taux de change courant :				
Marché total (en millions de $)	588	2 301	42 575	9 184
Ventes par habitant (en $)	80	76	158	156
Valeurs ajustées par la PPA[1] :				
Marché total (en millions de $)	588	2 301	33 630	6 365
Ventes par habitant (en $)	80	76	125	108

1. Parité de pouvoir d'achat.

Source : Tableau 3.1 pour le Québec ; rapport entre les dépenses des ménages en livres au Québec et au Canada (Statistique Canada, *Dépenses des ménages*, 1996), pour le Canada ; Book Industry Study Group pour les États-Unis ; Syndicat national de l'édition pour la France, OCDE pour les PPA.

suisse, pour prendre un exemple notoire) ou de la sous-évaluation de certaines autres (le dollar canadien, en particulier), tendent à retirer toute signification réelle aux données internationales libellées en une devise particulière.

À cet égard, l'utilisation des parités de pouvoir d'achat (PPA) fournit une base d'ajustement simple et utile[10]. Les troisième et quatrième lignes du Tableau 3.2 présentent les valeurs ajustées pour tenir compte des différences entre le pouvoir d'achat respectif des différentes monnaies. Comme on peut le voir, les écarts se sont considérablement amenuisés, mais sans pour autant disparaître : les ventes par habitant, ajustées par la PPA, sont maintenant de 125 $ aux États-Unis et de 108 $ en France, soit des écarts respectifs avec le Québec de 56 % et 35 %. Une partie de cet écart peut s'expliquer par un effet de richesse. Tel que mesuré par le PIB par habitant ajusté par la PPA, les Américains sont en effet 30 % plus riches que les Québécois. Les Français, en revanche, sont 15 % plus pauvres. Dans un cas comme dans l'autre, l'écart ne peut être totalement expliqué par les seuls facteurs économiques de base et il

10. Sommairement, il s'agit de comparer le prix d'un même panier de biens d'un pays à l'autre. Les différents prix, transformés en indices, rendent compte des disparités respectives du pouvoir d'achat des monnaies. Il est alors possible, à partir de ces indices, d'évaluer des taux de change qui correspondent, théoriquement, à une parité de pouvoir d'achat d'un pays à l'autre. Autrement dit, on peut transformer les taux de change de façon à ce qu'un achat de 15 $US dans un pays, par exemple, corresponde à la même ponction sur le pouvoir d'achat dans tous les pays.

relève, en fin de compte, de variables socio-culturelles. Par conséquent, si le marché québécois du livre est, relativement parlant, un peu plus développé que le marché canadien, il est sensiblement sous-développé lorsqu'on le compare aux marchés américain et français.

3.2 La répartition des ventes par canaux de distribution

Nous avons souligné l'importance historique de l'élargissement et de la complexification des canaux de distribution du livre au Québec. Il est donc utile de présenter une évaluation de la répartition du marché en fonction de ces différents canaux et l'évolution de cette répartition au cours des dernières années. Nous n'examinerons toutefois que les données disponibles depuis 1991. Ces estimations reposent sur l'enquête de Statistique Canada concernant les ventes des éditeurs et des diffuseurs exclusifs. Or l'examen des données de cette enquête pour les années antérieures à 1991 permet de relever des incohérences notables concernant la répartition des ventes par canaux de distribution d'une année à l'autre, ce qui rend ces données peu fiables. Nous avons donc préféré les exclure.

D'après nos estimations présentées au Tableau 3.3, les ventes des détaillants représentent le segment le plus important du marché, avec 371 millions de dollars de vente en 1998, soit 63,0 % du total de 588 millions de dollars. Sur cette somme, les ventes de livres par les librairies représentaient 311 millions (52,9 % du marché), celles par les magasins à grande surface 45 millions (7,6 %), dont 27 millions (4,7 %) pour les clubs-entrepôts et les magasins de rabais (Price-Costco, Maxi, WallMart, etc.). Les ventes par correspondance (VPC) et celles des clubs de livre représentaient 7 millions (1,2 %), celles des autres détaillants, 8 millions (1,3 %) et les ventes des détaillants sur Internet, un maigre 42 000 $. Dans ce dernier cas, toutefois, il s'agit des ventes des éditeurs et des diffuseurs québécois à des détaillants Internet, et non pas de l'ensemble des achats de livres faits dans Internet par les Québécois.

Quant aux points de vente desservis par les grossistes, ils représentaient 103 millions de dollars, soit 17,5 % du marché total. Le grossiste indépendant traditionnel est un distributeur non exclusif desservant une multitude de petits points de vente non spécialisés dans le livre, souvent sous le mode du *rack-jobbing*. Si ce type de grossiste est en voie de disparition, l'activité ayant été en grande partie récupérée par les grands distributeurs, le segment demeure tout de même important, mais difficile à préciser, compte tenu du fait que l'enquête de Statistique Canada ne repère pas la destination finale de ces ventes. On peut toutefois caractériser ce segment par trois types d'entreprises : 1) quelques grossistes traditionnels encore en activité, distribuant principalement des revues et des magazines, mais possédant également un secteur livre, principalement anglophone (Messageries de Presses Benjamin, Messageries Dynamiques, notamment) ; 2) des grossistes-détaillants spécialisés dans le livre et les fournitures scolaires, et desservant, en particulier, les écoles privées ; 3) des grossistes situés au Canada hors Québec, puisque les ventes des éditeurs comprennent, rappelons-le, des expéditions au Canada, hors Québec.

Quant aux ventes finales au secteur institutionnel, constitué principalement d'établissements d'enseignement, elles étaient de 90 millions de dollars, soit 15,3 % du total. Cette valeur ne représente pas l'ensemble du marché institutionnel, puisqu'une partie des ventes aux institutions transitent par les librairies. Rappelons en effet que la loi 51 oblige les bibliothèques publiques à s'approvisionner auprès des librairies agréées.

Enfin, les autres ventes, principalement constituées de ventes directes, étaient de 25 millions de dollars, soit 4,2 % du marché total.

On remarquera que de 1991 à 1998, la part des détaillants est en légère progression, passant de 60 % du total à 63 % ; celle des points de vente desservis par les grossistes est stable autour de 17 %, de même que celle des ventes aux clients institutionnels, autour de 15 %. Enfin, les ventes directes sont en baisse, étant passées de 7,3 % à 4,2 % du total.

On remarquera que, parmi les détaillants, la part des librairies est à peu près stable, variant entre 50 % et 53 % du total, tandis que la part des magasins à grande surface s'accroît dans un premier temps, passant de 7,1 % à 10,5 % entre 1991 et 1996, puis baisse par la suite, glissant à 7,6 % en 1998. Cette évolution contrastée dissimule toutefois une transformation majeure, soit la montée en puissance des clubs-entrepôts et magasins de rabais depuis le milieu des années 1990, au détriment des grands magasins traditionnels (La Baie, Sears, etc.). Or ces clubs-entrepôts et ces magasins de rabais, dont le mode de fonctionnement repose sur une petite sélection de titres pour lesquels ils offrent des rabais sur le prix courant pouvant atteindre jusqu'à 25 %, ont beaucoup plus d'impact sur l'ensemble du marché que les grands magasins traditionnels, notamment par leur capacité à concurrencer les librairies sur ce segment de marché, qui est étroit mais fort rentable.

Tableau 3.3 Estimation de la répartition des ventes finales au Québec par types de points de vente, 1991-1998

a) En milliers de dollars courants

	91-92	92-93	93-94	94-95	95-96	96-97	97-98	98-99
Ventes totales	**591 517**	**599 448**	**628 495**	**651 755**	**623 560**	**617 305**	**605 234**	**588 387**
Grossistes	**99 549**	**104 020**	**100 231**	**109 216**	**103 081**	**100 647**	**101 916**	**102 801**
Détaillants	**352 710**	**363 345**	**397 124**	**417 289**	**401 233**	**399 188**	**386 992**	**370 734**
Librairies	293 450	301 661	330 152	343 929	327 464	322 605	317 420	311 420
Grands magasins	41 766	44 024	51 249	59 329	61 136	64 862	56 412	44 778
dont clubs-entrepôts	n.d.	n.d.	n.d.	n.d.	n.d.	n.d.	n.d.	27 405
VPC et clubs de livres	3 129	3 214	4 793	6 786	6 133	5 714	6 337	6 914
Détaillants Internet	n.d.	n.d.	n.d.	n.d.	n.d.	n.d.	n.d.	42
Autres détaillants	14 365	14 446	10 930	7 245	6 500	6 007	6 822	7 581
Institutions	**96 093**	**89 516**	**90 072**	**100 568**	**93 042**	**88 958**	**89 719**	**90 156**
Biblio. gouv. et spécialisées	2 663	916	1 147	777	1 313	1 864	1 809	1 750
Biblio. publiques	22 053	1 752	1 100	2 999	2 847	2 796	2 626	2 454
Établ. enseign. prim. et sec.	55 953	76 355	63 696	76 457	73 076	72 269	72 593	72 667
Établ. enseign. post-sec.	11 106	7 642	18 530	16 693	11 890	7 721	9 756	11 674
Autres	4 318	2 850	5 599	3 642	3 917	4 307	2 935	1 611
Autres	**43 164**	**42 567**	**41 068**	**24 682**	**26 204**	**28 512**	**26 607**	**24 696**
Ventes directes	39 464	36 309	37 148	22 186	18 664	15 935	15 574	15 178
Autres et non identifiées	3 700	6 257	3 921	2 496	7 540	12 577	11 033	9 518

b) En % des ventes totales

	91-92	92-93	93-94	94-95	95-96	96-97	97-98	98-99
Ventes totales	**100 %**	**100 %**	**100 %**	**100 %**	**100 %**	**100 %**	**100 %**	**100 %**
Grossistes	**16,8 %**	**17,4 %**	**15,9 %**	**16,8 %**	**16,5 %**	**16,3 %**	**16,8 %**	**17,5 %**
Détaillants	**59,6 %**	**60,6 %**	**63,2 %**	**64,0 %**	**64,3 %**	**64,7 %**	**63,9 %**	**63,0 %**
Librairies	49,6 %	50,3 %	52,5 %	52,8 %	52,5 %	52,3 %	52,4 %	52,9 %
Grands magasins	7,1 %	7,3 %	8,2 %	9,1 %	9,8 %	10,5 %	9,3 %	7,6 %
dont clubs-entrepôts	n.d.	n.d.	n.d.	n.d.	n.d.	n.d.	n.d.	4,7 %
VPC et clubs de livres	0,5 %	0,5 %	0,8 %	1,0 %	1,0 %	0,9 %	1,0 %	1,2 %
Détaillants Internet	n.d.	n.d.	n.d.	n.d.	n.d.	n.d.	n.d.	0,007 %
Autres détaillants	2,4 %	2,4 %	1,7 %	1,1 %	1,0 %	1,0 %	1,1 %	1,3 %
Institutions	**16,2 %**	**14,9 %**	**14,3 %**	**15,4 %**	**14,9 %**	**14,4 %**	**14,8 %**	**15,3 %**
Biblio. gouv. et spécialisées	0,5 %	0,2 %	0,2 %	0,1 %	0,2 %	0,3 %	0,3 %	0,3 %
Biblio. publiques	3,7 %	0,3 %	0,2 %	0,5 %	0,5 %	0,5 %	0,4 %	0,4 %
Établ. enseign. prim. et sec.	9,5 %	12,7 %	10,1 %	11,7 %	11,7 %	11,7 %	12,0 %	12,4 %
Établ. enseign. post-sec.	1,9 %	1,3 %	2,9 %	2,6 %	1,9 %	1,3 %	1,6 %	2,0 %
Autres	0,7 %	0,5 %	0,9 %	0,6 %	0,6 %	0,7 %	0,5 %	0,3 %
Autres	**7,3 %**	**7,1 %**	**6,5 %**	**3,8 %**	**4,2 %**	**4,6 %**	**4,4 %**	**4,2 %**
Ventes directes	6,7 %	6,1 %	5,9 %	3,4 %	3,0 %	2,6 %	2,6 %	2,6 %
Autres et non identifiées	0,6 %	1,0 %	0,6 %	0,4 %	1,2 %	2,0 %	1,8 %	1,6 %

Estimations faites à partir de la répartition des ventes des entreprises francophones.
Source : Estimation SODEC, d'après Statistique Canada, cat. 87-210/87F0004XPB.

Tableau 3.4 Répartition des ventes aux particuliers et des ventes aux institutions, 1992-1998

	1992-1993	en %	1996-1997	en %	1998-1999	en %
Ventes aux particuliers	**451 231**	**100,0 %**	**470 312**	**100,0 %**	**427 347**	**100,0 %**
Librairies	242 960	53,8 %	264 570	56,3 %	240 536	56,3 %
librairies agréées	118 585	26,3 %	155 112	33,0 %	185 801	43,5 %
autres librairies	124 375	27,6 %	109 458	23,3 %	54 735	12,8 %
Magasins à grande surface	44 024	9,8 %	64 862	13,8 %	44 778	10,5 %
grands magasins	n.d.	n.d.	n.d.	n.d.	17 372	4,1 %
clubs-entrepôts, rabais	n.d.	n.d.	n.d.	n.d.	27 405	6,4 %
Pts de vente grossistes	104 020	23,1 %	100 647	21,4 %	102 801	24,1 %
VPC et clubs de livres	3 214	0,7 %	5 714	1,2 %	6 914	1,6 %
Autres détaillants	14 446	3,2 %	6 007	1,3 %	7 581	1,8 %
Détaillants Internet	n.d.	n.d.	n.d.	n.d.	42	0,01 %
Ventes directes	36 309	8,0 %	15 935	3,4 %	15 178	3,6 %
Autres et non identifiées	6 257	1,4 %	12 577	2,7 %	9 518	2,2 %
Ventes aux institutions	**147 551**	**100,0 %**	**146 993**	**100,0 %**	**161 040**	**100,0 %**
Des éditeurs/diffuseurs	89 516	60,7 %	88 958	60,5 %	90 156	56,0 %
Des librairies agréées	58 035	39,3 %	58 035	39,5 %	70 884	44,0 %

Source : Tableau 3.3 et chapitre 7.

On aura toutefois une plus juste vision des choses si on compare ce qui est comparable. Il est donc utile de distinguer les ventes aux particuliers des ventes institutionnelles, ces dernières constituant un marché à la dynamique fort particulière, soumis en grande partie aux limites des budgets établis par l'État. Pour ce faire, il faut évidemment non seulement isoler le segment des ventes directes des éditeurs et diffuseurs aux institutions, mais aussi séparer les ventes des librairies agréées selon qu'elles s'adressent aux particuliers ou aux institutions. Ce qui permet, incidemment, de mieux préciser la place réelle occupée par les librairies sur ces deux marchés.

D'abord, comme on peut le remarquer au Tableau 3.4, il ressort clairement que la baisse du marché, dans la seconde moitié des années 1990, est entièrement attribuable à la baisse des ventes de livres aux particuliers (-43 millions de dollars entre 1996 et 1998). Le marché des ventes aux particuliers, qui représentait 75,4 % du total en 1992 et 76,2 % en 1996, glisse ainsi à 72,6 % en 1998. Le marché institutionnel, entre les deux mêmes années, affiche une progression de 14 millions de dollars.

On constate également qu'au sein des ventes aux particuliers, la part des librairies progresse légèrement entre 1992 et 1998, étant passée de 53 % du total à 56 % ; mais leurs ventes, en valeur absolue, sont en baisse. Et dans ce sous-segment, les librairies agréées sont en forte progression (de 26,3 % du total à 43,5 %), tandis que la part des « autres » librairies se rétrécit beaucoup (de 27,6 % à 12,8 %). On peut donc parler d'un considérable déplacement du marché en faveur des librairies agréées.

La tendance est assez semblable du côté des ventes aux institutions, puisque la part des librairies agréées s'accroît là aussi, passant de 39,3 % à 44,0 %, au détriment des ventes directes des éditeurs et des diffuseurs (principalement de livres scolaires).

Dans un cas comme dans l'autre, par conséquent, en dépit d'un marché qui se resserre sérieusement, et malgré la poussée et la concurrence des magasins à grande surface non spécialisés, les librairies, et tout particulièrement les librairies agréées, semblent avoir particulièrement bien résisté aux aléas économiques des années 1990. On peut mieux en juger si on compare la situation québécoise avec la répartition des ventes aux particuliers des marchés américains et français (voir le Tableau 3.5).

La part des librairies au Québec, à 56 %, est nettement plus grande qu'en France (37 %) et aux États-Unis (42 %). À l'inverse, la part des magasins à grande surface non spécialisés y est plus faible, à 11 %, contre 17 % pour la France et 19 % pour les États-Unis. Quant à la vente par correspondance, elle est négligeable au Québec, alors qu'elle est considérable en France comme aux États-Unis.

La situation des librairies québécoises paraît donc relativement solide si on en juge par leur part de marché dans les ventes aux particuliers. D'autant plus qu'à ces ventes s'ajoute une forte participation au marché institutionnel,

Tableau 3.5 Répartition des achats de livres des particuliers, Québec, France et États-Unis

	Québec (1998)	**France (1998)**	**États-Unis (1997)**
Librairies	56 %	37 %	42 %
Grandes surfaces non spécialisées	11 %	17 %	19 %
VPC et clubs de livres	2 %	21 %	26 %
Autres points de vente	31 %	25 %	13 %

Note : Pour la France, la FNAC est incluse dans les librairies.
Source : Tableau 3.4 pour le Québec ; *Mini chiffres-clés*, Département des études et de la prospective, pour la France ; BISG, *New Consumer Research Study on Book Publishing*, pour les États-Unis.

les ventes aux institutions représentant près de 30 % de leurs ventes aux particuliers. En France et aux États-Unis, au contraire, la participation des librairies au marché institutionnel est beaucoup plus réduite, puisque c'est la vente directe des éditeurs ou des grossistes qui prédomine dans ces pays.

Solidité que l'on doit tout de même mettre en perspective. La baisse récente du marché a fragilisé ces entreprises du point de vue de la rentabilité, comme nous le verrons en détail au chapitre 7. Et on peut aussi penser que la faible part relative occupée au Québec par les magasins à grande surface signifie simplement qu'il reste encore, pour ces derniers, beaucoup d'espace à occuper.

Il y a évidemment un grand absent dans ce tableau, et ce sont les ventes par Internet. Aux États-Unis, selon les données du Book Industry Study Group (BISG)[11], les ventes sur Internet représentaient 0,3 % du total des ventes de livres pour adultes en 1997, 1,9 % en 1998 et 5,4 % en 1999. Rapportées aux dépenses de consommation de l'ensemble des livres aux États-Unis, ces ventes représentent environ 550 millions de dollars américains en 1998 et 1,65 milliard en 1999. Largement dominées par Amazon.com et Barnesandnoble.com, ces seules ventes étaient donc supérieures, dès 1998, à l'ensemble du marché québécois du livre.

Au Québec, une étude récente de SOM (2000) évalue le marché des livres achetés par Internet à 28,3 millions de dollars en 1999-2000, avec une marge d'erreur de plus ou moins 10 millions. Cela représente de 3 à 6 % du marché total. Cette évaluation, en plus d'être fort imprécise, paraît très élevée en regard de la même donnée pour les États-Unis, qui est de 5,4 % en 1999, et du fait que le Québec affiche un retard marqué par rapport aux États-Unis en matière de diffusion et d'utilisation des nouvelles technologies de l'information et des communications, généralement de l'ordre de 2 à 3 ans. Ainsi, en appliquant mécaniquement les pourcentages américains au Québec avec un retard de deux ans, on obtiendrait des ventes de 2 millions de dollars en 1999, 12 millions en 2000 et 32 millions en 2001, des chiffres beaucoup plus modestes. Mais quoi qu'il en soit de la valeur exacte de ces ventes, on peut miser sur leur progression rapide. SOM, notamment, prévoit un marché de plus de 60 millions de dollars en 2003. Et l'impact de ce développement sera d'autant plus puissant sur l'industrie québécoise du livre qu'une part substantielle de ces ventes risque fort d'être le fait d'entreprises étrangères : toujours

11. Voir http://www.bisg.org.

selon l'étude de SOM, la part des sites québécois dans l'ensemble des achats en ligne était de seulement 13 % en 1999-2000, contre 38 % pour les sites canadiens et 49 % pour les sites américains.

3.3 Les déterminants de la demande de livres au Québec : éléments d'interprétation

L'évolution récente du marché du livre au Québec permet de penser qu'en plus de l'impact majeur de l'offre croissante de produits culturels et de divertissement, l'évolution du prix du livre et celle des revenus des consommateurs ont pu avoir des effets particulièrement déprimants sur la consommation de livres au cours des années 1990. Examinons donc ces différents éléments.

UNE CONSOMMATION — ET UNE CONCURRENCE — CROISSANTE DES AUTRES PRODUITS CULTURELS

Nul besoin d'analyser longtemps la situation pour conclure que l'offre de produits culturels et de divertissement est en croissance soutenue depuis une vingtaine d'années au Québec. On n'a qu'à penser au développement de l'offre télévisuelle (chaînes spécialisées), du cinéma (en salles et sur vidéocassettes), de la musique enregistrée (surtout depuis l'introduction du disque compact), de l'informatique (matériel et logiciels, mais aussi Internet) et des jeux vidéos (sur ordinateur ou sur consoles spécialisées), pour comprendre que le livre doit faire face à une concurrence exacerbée pour l'attention et le portefeuille du consommateur.

À cet égard, l'enquête de Statistique Canada sur les dépenses des ménages est éclairante, quoique imparfaite à certains égards[12]. De larges écarts apparaissent, même lorsqu'on compare les dépenses de 1992 et de 1996, une période pourtant assez courte (voir le Tableau 3.6). Au Québec, les dépenses moyennes des ménages en biens et services de loisirs sont en effet passées de 1 926 $ à 2 139 $ entre 1992 et 1996, ce qui correspond à une croissance annuelle moyenne de 2,7 %, à mettre en rapport avec la maigre croissance de

12. Les résultats dépendent des déclarations concernant les dépenses des ménages effectuées au cours d'une année entière. Or il est évident que l'on se rappellera plus précisément les sommes consacrées à l'achat d'un ordinateur ou à un abonnement au câble qu'aux achats de livres, actes éparpillés sur l'année et qui peuvent répondre à l'impulsivité ou au désir de les offrir en cadeaux.

Tableau 3.6 Dépenses des ménages au Québec, 1992-1996

	1992	**1996**	**TCAM[1] 1992-1996**
Revenu avant impôts	41 784	44 962	1,8 %
Consommation courante totale	29 152	29 659	0,4 %
Impôts personnels	9 242	9 894	1,7 %
Loisirs	**1 926**	**2 139**	**2,7 %**
Ordinateurs	7	166	120,7 %
Logiciels	8	20	25,7 %
Cassettes, CD et disques	79	92	3,9 %
Vidéocassettes	6	20	35,1 %
Location de vidéocassettes	74	86	3,8 %
Cinéma	40	51	6,3 %
Événements sportifs	20	32	12,5 %
Spectacles sur scène	43	46	1,7 %
Télédistribution	178	237	7,4 %
Matériel de lecture et autres imprimés	**235**	**234**	**-0,1 %**
Journaux	106	110	0,9 %
Revues et périodiques	57	48	-4,2 %
Livres et brochures (sauf scolaires)	64	69	1,9 %

1. Taux de croissance annuel moyen.

Source : Statistique Canada, *Dépenses des ménages*, 1992 et 1996.

0,4 % pour l'ensemble des dépenses de consommation des ménages. De plus, certains postes ont affiché des croissances particulièrement soutenues, par exemple les ordinateurs (+121 %) et les logiciels (+26 %), les achats de vidéocassettes (+35 %), les événements sportifs (+12 %) et la télédistribution (+7 %).

En comparaison, les dépenses des ménages en matériel de lecture font figure de parents pauvres, étant demeurées stables au cours de la même période, à 234-235 $. Si parmi celles-ci les dépenses en livres et brochures (hors scolaire) affichent une croissance, elles demeurent nettement en deçà de l'ensemble des loisirs, étant passées de 64 $ à 69 $ par ménage, soit une hausse annuelle moyenne de 1,9 %.

La même tendance est également visible lorsqu'on examine l'évolution des taux de lecture ou du nombre de livres lus au Québec. Selon les enquêtes du ministère de la Culture et des Communications du Québec (1999), le taux de lecture, tel que mesuré par le nombre de lecteurs assidus et moyens, c'est-à-dire ayant déclaré lire très souvent et assez souvent, varie entre 51 % et 57 %

entre 1979 et 1999, sans qu'une tendance très nette à la hausse ou à la baisse puisse être repérée. Quant au nombre de livres lus annuellement, il est également stable de 1989 à 1999, variant entre 20 et 21.

DES PRIX RELATIFS EN HAUSSE

Si la concurrence des autres produits culturels est féroce, elle s'aggrave du fait que le prix du livre augmente plus rapidement que l'ensemble des prix. À cet égard, l'examen des indices de prix à la consommation de Statistique Canada est fort instructif.

L'indice des prix à la consommation (IPC) mesure les taux de variation dans le temps du coût à l'achat d'un panier fixe de biens et de services, représentant les achats d'un groupe déterminé de population. Son élaboration repose sur le choix d'un groupe cible le plus représentatif possible de l'ensemble de la population, sur la détermination et la pondération des éléments composant le panier de consommation et sur la fixation d'une année de base[13]. Statistique Canada relève donc les prix d'un ensemble de produits de façon mensuelle, puis combine les indices de produits suivant la hiérarchie de sa classification, tout en appliquant les pondérations pertinentes. Comme il s'agit du prix final payé par le consommateur, les prix tiennent compte des taxes, de même que des rabais des commerçants.

On trouvera, au Tableau 3.7, les taux de croissance annuels de quelques indices de prix pour le Québec et le Canada. En ce qui concerne d'abord l'IPC de l'ensemble de l'économie, on notera que l'inflation moyenne, depuis 1987, est de 2,4 % par année au Québec. Mais une rupture très nette est visible en 1991, année d'introduction de la TPS, ce qui explique le bond de tous les indices de prix à la consommation à ce moment-là. Ainsi, de 1987 à 1991, l'inflation atteint 4,8 % par année en moyenne, mais elle n'est plus que de 0,6 % entre 1991 et 1994, et de 1,6 % de 1994 à 1999. Quant à l'indice de prix du matériel de lecture, lequel comprend les livres et les brochures (à l'exclusion des manuels scolaires), les journaux, les revues et les magazines, sa croissance est significativement supérieure à celle de l'IPC d'ensemble, avec

13. La composition de l'actuel panier de consommation repose sur les données des dépenses des ménages déterminées par le dernier recensement, soit 1996. L'année de base est celle pour laquelle on attribue la valeur de 100 à l'indice, et elle est modifiée régulièrement pour coïncider avec le changement des périodes de base des autres grandes séries statistiques. La période de base actuelle est 1992.

Tableau 3.7 Indices de prix à la consommation, Québec et Canada, 1987-1999 (Taux de croissance annuels)

	Québec		Canada		
	Ensemble de l'économie	**Matériel de lecture**	**Ensemble de l'économie**	**Matériel de lecture**	**Livres et brochures[1]**
1999	1,5%	3,3%	1,7%	1,8%	2,1%
1998	1,4%	0,3%	0,9%	0,4%	0,0%
1997	1,5%	3,7%	1,6%	3,0%	2,9%
1996	1,6%	4,1%	1,6%	4,6%	2,3%
1995	1,8%	7,8%	2,2%	6,5%	5,0%
1994	-1,4%	1,2%	0,2%	3,2%	3,1%
1993	1,4%	0,3%	1,8%	1,7%	1,9%
1992	1,8%	0,6%	1,5%	1,3%	0,9%
1991	7,3%	18,9%	5,6%	13,7%	11,5%
1990	4,3%	6,2%	4,8%	5,6%	5,8%
1989	4,3%	3,1%	5,0%	5,0%	3,1%
1988	3,7%	5,1%	4,0%	5,7%	4,6%
1987	4,4%	8,0%	4,4%	7,7%	10,5%
TCAM[2]					
1987-1999	2,4%	4,4%	2,6%	4,3%	3,6%
1987-1991	4,8%	8,2%	4,9%	7,4%	6,2%
1991-1994	0,6%	0,7%	1,2%	2,1%	2,0%
1994-1999	1,6%	3,8%	1,6%	3,2%	2,4%

1. Hors manuel scolaire.
2. Taux de croissance annuel moyen.
Source : Statistique Canada (CANSIM, matrices 9962 et 9957).

une croissance moyenne de 4,4 % par année entre 1987 et 1999, contre 2,4 % pour l'IPC global[14].

On retrouve la même tendance au Canada, soit une progression supérieure, entre 1987 et 1999, de l'IPC matériel de lecture (4,3 % par année) que de l'IPC d'ensemble (2,6 %) de 1987 à 1999. Statistique Canada compile cependant, à l'échelle canadienne, un indice de prix plus désagrégé, soit un indice de prix des livres et brochures (excluant le manuel scolaire). Comme on peut le voir, toujours au Tableau 3.7, cet indice, à 3,6 % par année entre 1987 et 1999, progresse lui aussi plus rapidement que l'IPC d'ensemble, mais moins rapidement que celui du matériel de lecture ; ce qui signifie, bien sûr,

14. L'IPC du matériel de lecture progresse également plus rapidement que l'indice de prix des loisirs, de la formation et de la lecture (lequel représente globalement l'évolution des prix des concurrents les plus directs du livre) : 2,9 % par an en moyenne entre 1992 et 1999, contre 1,8 % pour ce dernier.

que le prix des journaux, revues et magazines augmente plus rapidement que celui des livres et des brochures.

Toutefois, la plupart des économistes s'entendent pour affirmer qu'en matière de prix, c'est le prix relatif qui compte le plus pour le consommateur. Il est en effet plausible que le consommateur réagisse davantage, au moins intuitivement, à des variations de prix relatives qu'à des variations absolues. Autrement dit, si le prix du livre augmente de 2 % au cours d'une année, les consommateurs jugeront probablement que le prix du livre demeure inchangé si l'IPC d'ensemble s'élève, lui aussi, de 2 %. Or, du fait de la progression plus rapide de l'indice des prix du livre que de celui de l'ensemble de l'économie, le prix relatif du livre est évidemment à la hausse tout au long de la période. Mais comme on peut le voir à la Figure 3.2, cette progression s'est faite par plateaux, avec une hausse très nette en 1991, puis une autre s'étalant de 1994 à 1997. Pour les autres années, le prix relatif est à peu près stable[15].

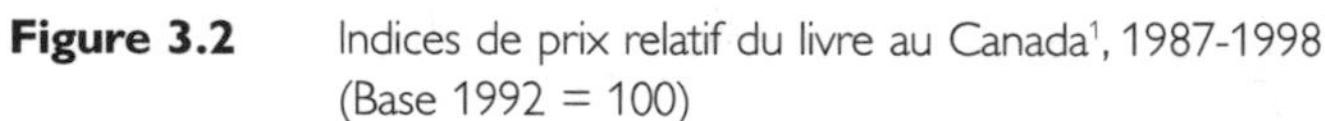

Figure 3.2 Indices de prix relatif du livre au Canada[1], 1987-1998 (Base 1992 = 100)

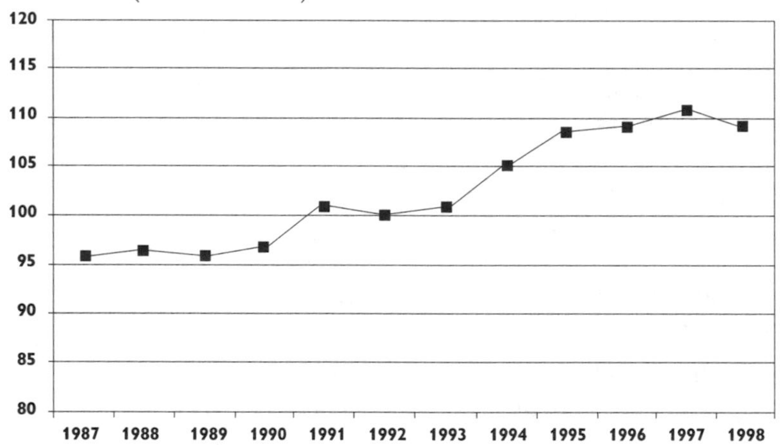

1. Rapport entre l'indice des prix du livre et l'indice général des prix à la consommation.

Source : Statistique Canada (CANSIM, matrices 9957).

---

15. Cela ne nous indique évidemment pas dans quelle mesure l'indice de prix canadien du livre est représentatif de l'évolution des prix du livre au Québec. Le seul élément de comparaison dont nous disposons, à cet égard, est la mise en rapport des indices de prix du matériel de lecture au Canada et au Québec. Leur taux de croissance, entre 1987 et 1999, est très similaire, 4,4 % au Québec et 4,3 % au Canada. De plus, le coefficient de corrélation entre ces deux indices est de 0,999 (valeur significative pour un seuil de confiance de 99 %). Sans pour autant préjuger d'une stricte correspondance des prix du livre en valeur absolue, il semble donc que l'on puisse affirmer que l'évolution des prix canadiens du livre reflète probablement assez fidèlement celles des prix du livre au Québec.

Le prix du livre a donc progressé plus rapidement que l'ensemble des prix depuis 1987. La demande de livres s'en est forcément trouvée négativement affectée. Quant à la raison de cette hausse systématique du prix relatif, il semble qu'elle trouve son principal fondement dans la hausse des coûts unitaires des éditeurs, comme nous le verrons au Chapitre 5.

DES REVENUS STAGNANTS

La croissance économique au Québec, telle que mesurée par l'évolution du produit intérieur brut (PIB), fut fort dynamique dans la seconde moitié des années 1980. Elle s'est toutefois avérée anémique en 1989 et 1990, avec une progression de +0,9 % et +0,2 %, et même négative, à -2,0 %, en 1991. La reprise fut laborieuse par la suite, et ce n'est que depuis 1997 qu'une croissance solide et régulière est au rendez-vous.

Le revenu personnel disponible (lequel mesure le revenu après taxes et impôts) constitue cependant une mesure du pouvoir d'achat de la population plus juste que le PIB, surtout lorsqu'on considère la part croissante des taxes et impôts dans le PIB depuis plusieurs années. Or, comme on peut le voir à la Figure 3.3, le revenu personnel disponible (en dollars 1992), après une croissance relativement soutenue jusqu'en 1990, chute brutalement en 1991 et en 1992, avant de reprendre sa croissance de manière faible et erratique à partir de 1993. Ainsi, entre 1987 et 1999, le revenu personnel disponible ne progresse que de 1,0 % par année en moyenne, et ce n'est pas avant 1998 qu'on réussit à retrouver le niveau de 1990. Cette stagnation prolongée du pouvoir d'achat, aggravée par le haut taux d'endettement des ménages, a donc très certainement limité les possibilités de croissance du livre tout au long des années 1990.

A contrario, toutefois, le proche avenir est un peu plus prometteur. Considérant d'abord le délai de réaction habituel du revenu personnel disponible face à l'évolution du PIB et ensuite le fait que, tant au provincial qu'au fédéral, des réductions d'impôts sont entrées en vigueur en 2000 et devraient se poursuivre, on en conclut que le revenu personnel disponible devrait progresser à un rythme plus soutenu au cours des prochaines années. Ce qui créera forcément pour le livre un potentiel de croissance (insistons toutefois sur le mot « potentiel »).

Figure 3.3 Taux de croissance annuel du revenu personnel disponible au Québec, 1987-1999 (en dollars 1992)

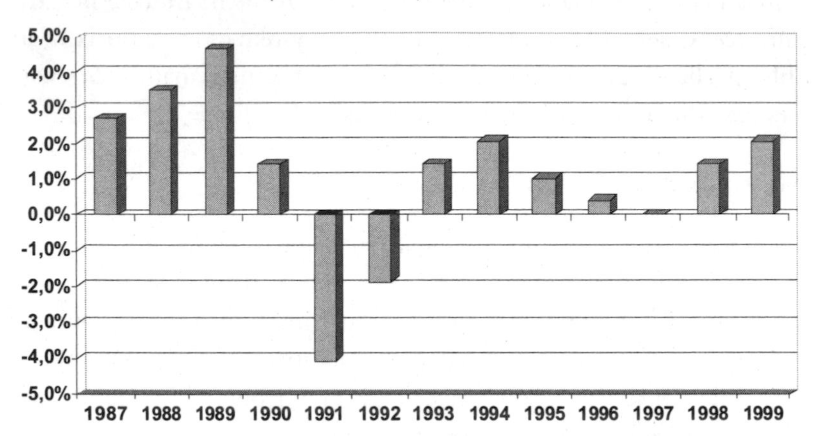

Source : Institut de la statistique du Québec.

3.4 En guise de conclusion : l'impact des prix et des revenus sur la demande de livres au Québec

Le marché du livre, au Québec, peut donc être estimé à 588 millions de dollars en 1998, ce qui correspond à environ 80 $ par habitant. Si les ventes étaient en solide croissance jusqu'en 1991, elles se sont toutefois nettement essoufflées depuis. De plus, si on le mesure à l'aune des ventes par habitant, le marché québécois demeure relativement sous-développé comparé aux marchés américain et français. Toutefois, au contraire de la situation que l'on retrouve dans ces deux pays, la part occupée par les librairies dans le marché des ventes aux particuliers est grande au Québec. Position qui est, de plus, renforcée par une participation active de ces librairies sur le marché institutionnel, cas international unique qui est redevable à la loi 51, laquelle institue un marché protégé en faveur des librairies agréées. À l'inverse, la part des grandes surfaces non spécialisées et celle de la vente par correspondance sont beaucoup plus faibles au Québec.

Depuis 1995, la baisse des ventes de livres au Québec pose un défi considérable à l'ensemble de l'industrie. Il est essentiel de bien comprendre ce qui est en jeu dans cette dynamique. Dans la seconde partie de cet ouvrage, nous examinerons en profondeur l'offre, avec ses acteurs, ses structures et ses caractéristiques ; mais pour le moment, c'est la façon dont le problème se pose du côté de la demande qu'il s'agit de bien comprendre.

Or, de ce point de vue, il est assez clair que tout au long des années 1990, la demande de livres au Québec a été laminée par l'action conjuguée de trois facteurs : 1) l'accroissement soutenu de l'offre de l'ensemble des produits culturels et de loisirs, ce qui s'est traduit par une croissance plus rapide des dépenses de consommation pour ces produits et services (particulièrement dans le domaine de l'informatique et de l'audiovisuel) que celles consacrées au livre ; 2) une hausse régulière du prix relatif du livre, tant par rapport à l'indice général des prix qu'à celui des autres biens et services culturels et de loisirs ; 3) la stagnation, tout au long des années 1990, du revenu personnel disponible des ménages.

Quant à préciser l'importance relative qu'ont pu avoir ces différents facteurs, il faut noter que l'inextricable complexité des relations en jeu rend difficile toute estimation statistique. Il est cependant possible de tirer des enseignements utiles d'une étude menée par Szenberg (1989) et portant sur les livraisons des éditeurs américains. Quoique un peu ancienne (elle couvre la période 1967-1982), cette analyse a l'avantage d'examiner conjointement l'effet du prix et du revenu réel disponible sur la demande de livres.

Les résultats des analyses économétriques menées par Szenberg montrent que la demande totale de livres semble plutôt insensible au prix, mais assez sensible à l'augmentation du revenu disponible (les élasticités respectives étant de +0,45 et +2,02). L'élasticité-prix est toutefois positive, alors qu'elle devrait être, théoriquement, négative. Comme la demande agrégée intègre des demandes pour des catégories de livres dont les sensibilités aux prix sont différentes (résultat de la forte segmentation du marché), il est peu surprenant que les résultats globaux ne concordent pas avec la théorie.

C'est pourquoi l'auteur segmente ensuite son analyse entre livres à couverture rigide et livres à couverture souple puis, pour ces derniers, entre livres à couverture souple destinés à la grande diffusion (*mass market paperbacks*) et livres vendus principalement en librairies (*trade paperbacks*). Cette dernière analyse propose des résultats fort intéressants. Pour les livres destinés à la grande diffusion, il obtient de faibles élasticités-revenu (+0,3) par sa première méthode d'estimation, et une très forte élasticité-prix, à -4,0, par sa deuxième méthode (cette élasticité-prix est toutefois faiblement positive pour la première méthode)[16]. Pour les livres vendus aux librairies, au contraire,

16. Pour le lecteur intéressé, mentionnons que l'auteur utilise, comme première méthode, les moindres carrés ordinaires pour les équations d'offre et de demande prises séparément et,

l'élasticité-prix est plus faible (+0,5 ou -0,9, selon la méthode utilisée), mais l'élasticité-revenu plus élevée (+2,1 ou +2,5, selon la méthode).

Que doit-on en conclure ? En dépit de résultats qui ne sont statistiquement pas aussi solides que l'on pourrait le souhaiter, ceux-ci nous permettent tout de même de préciser beaucoup nos intuitions. D'abord, l'élasticité-prix du livre semble moins élevée que pour les produits indifférenciés et, dans certains cas, elle est même inférieure à un, tandis que l'élasticité-revenu est non seulement positive, mais dans la plupart des cas supérieure à l'élasticité-prix[17]. Ensuite, il semble qu'à une forte segmentation du marché par catégories éditoriales s'ajoute, en aval de la filière, une segmentation par types de commerce, laquelle serait liée à la sensibilité des consommateurs aux prix, aux revenus, à l'assortiment et au service, de même qu'à la valeur qu'ils accordent à leur temps et à leur degré d'aversion au risque.

Autrement dit, on peut supposer que la demande des consommateurs fréquentant les librairies serait moins sensible au prix et plus sensible au revenu, mais aussi plus sensible à la « qualité » du service (la présence d'un vaste assortiment, d'un classement et d'un étalage facilitant la recherche, d'une fonction de conseil de la part du libraire, d'une possibilité de commande de titres, etc.), moins sensible au risque (ces consommateurs sont davantage prêts à expérimenter) et moins sensible aux coûts de transaction (c'est-à-dire le temps consacré à la recherche de l'information sur les livres et le temps consommé lors de l'achat). À l'inverse, la demande des consommateurs fréquentant les grandes surfaces et autres points de vente non spécialisés serait plus sensible au prix et moins sensible au revenu, mais aussi moins sensible à la qualité du service et plus sensible aux coûts de transactions, tandis que l'aversion au risque de ces consommateurs (la crainte de choisir un livre que l'on n'aimera pas) serait plus élevée.

Pour les acteurs de l'industrie, il peut paraître ironique que le facteur affectant probablement le plus la demande du livre, l'évolution des revenus des consommateurs, soit précisément celui sur lequel ils n'ont aucun contrôle. En revanche, le positionnement du livre dans l'univers des produits

---

comme seconde méthode, les moindres carrés en deux étapes pour le système d'équations simultané.

17. Résultat assez usuel pour un bien culturel. Par exemple, dans une étude extensive sur le disque au Royaume-Uni, Burke (1996) obtient des estimations de l'élasticité-revenu de la demande assez élevées (variant entre 1,4 et 2,1 selon la méthode utilisée) et des élasticités-prix assez faibles (entre -0,8 et -0,9).

culturels et de loisirs, son accessibilité et sa diversité (par la multiplication des points de vente et leur raffinement, y compris dans leurs versions numériques, mais aussi par la profondeur des assortiments disponibles) ainsi que le contrôle de l'évolution des prix relatifs, voilà des éléments qui affectent également la demande et sur lesquels ces acteurs peuvent et doivent agir s'ils désirent dynamiser leur marché.

2

LA FILIÈRE DU LIVRE ET SES COMPOSANTES

CHAPITRE 4

Composantes et structuration de la filière du livre

Jusqu'à présent, nous avons à peine esquissé l'importance des liens qui unissent les différents secteurs d'activité concernés par la vie du livre, sa création et sa consommation. À cet égard, la confusion terminologique est fréquente. Marché, industrie ou secteur, filière ou chaîne de valeur, ces termes sont souvent utilisés de façon indifférente, alors que chacun d'eux renvoie à des réalités conceptuelles précises. C'est pourquoi nous consacrons la première section de ce chapitre à quelques précisions d'ordre méthodologique qui nous permettent d'affirmer que le concept de « filière » est le plus apte à décrire l'ensemble de la chaîne économique du livre. Dans la deuxième section, nous décrivons brièvement les principaux secteurs qui composent cette filière. Les éléments qui la structurent — les règles du jeu commercial — feront l'objet de la troisième section. Enfin, nous conclurons par quelques commentaires sur les impacts prévisibles des nouvelles technologies sur la filière du livre.

4.1 Industrie, secteur et filière : quelques précisions méthodologiques

Pour définir une industrie, les économistes, selon les époques et les courants de pensée, ont privilégié une caractéristique plutôt qu'une autre en fonction, surtout, de leurs objectifs de recherche. Le concept d'industrie est ainsi longtemps demeuré téléologique. Traditionnellement, il faisait référence à une notion de marché lorsque l'homogénéité d'un groupe de firmes reposait sur le fait qu'elles vendaient leurs produits sur un même marché, ou au contraire à une notion de producteurs lorsque la question était appréhendée du point de vue de la production et de la valorisation du capital. Avec le temps, plusieurs économistes, insatisfaits de ces partitions et désirant proposer un découpage plus pertinent du système productif, en sont venus à imaginer d'autres concepts que celui d'industrie, et c'est ainsi, en particulier, qu'est né le concept de filière (Angelier, 1991).

Pour décrire l'activité économique entourant la vie du livre, depuis sa création jusqu'à sa consommation, le concept de filière est particulièrement adéquat[1]. Il fait référence à un domaine d'activité intermédiaire, parfois qualifié de méso-économique, qui ne peut se réduire aux comportements micro-économiques et macro-économiques. Il implique également l'idée d'une transformation productive, ce qui veut dire que la filière est constituée d'opérations successives axées sur un substrat technique commun. Elle regroupe donc un certain nombre de secteurs[2] industriels reliés entre eux, en particulier par des échanges de fournisseurs à clients. Ces secteurs sont soumis à des contraintes d'interdépendance plus ou moins fortes, ce qui se traduit par des intérêts et des pressions communs. Dans une conception plus élaborée (De Bandt, 1991 et 1990), l'analyse met davantage l'accent sur les aspects économiques que sur les aspects techniques des comportements des acteurs et de leurs relations. Selon cette analyse, la filière est conçue d'abord comme un ensemble organisé de relations, c'est-à-dire un système doté d'une dynamique propre, et ensuite comme le champ d'action stratégique des acteurs. Dans ce cadre, la dynamique du système productif est principalement constituée par le jeu complexe des affrontements qui résultent des plans stratégiques des acteurs et de leurs relations de conflits et de coopération.

---

1. Signalons que le concept de filière, né de l'économie industrielle française, n'a pas d'équivalent anglais. La notion d'*industry*, stimulée notamment par les recherches sur l'intégration verticale des entreprises, en est venue à posséder une connotation plus englobante, systémique et dynamique que le terme français industrie, qui renvoie le plus souvent au concept de secteur. Une *industry* est souvent considérée comme un sous-ensemble organisé ayant des dimensions verticales autant qu'horizontales, même si les théories de l'organisation industrielle — et surtout le triptyque canonique conditions de base-structures-performance — tendent à limiter le raisonnement aux structures données d'un secteur ou d'une branche (De Bandt, 1991). Les travaux de Michael Porter (1982 et 1986), par exemple, se rapprochent sur plusieurs points (analyse stratégique des entreprises, « chaîne de valeur » et relations inter-entreprises) d'une analyse en filière.

2. Le concept de secteur correspond à l'ensemble des firmes exerçant la même activité principale. Le terme est utilisé dans la comptabilité nationale lorsqu'il s'agit d'analyser les firmes, leur financement, leurs investissements.

Une telle conceptualisation introduit davantage de relief dans l'analyse, notamment en ce qui concerne les dimensions technologiques et techniques, les relations entre les entreprises et les aspects organisationnels des « méso-systèmes ». Ainsi, l'idée d'un ensemble organisé de relations, lequel peut être plus ou moins spontané et adapté, rigide ou flexible, signifie que ces relations obéissent à un certain nombre de « règles du jeu ». Ces règles peuvent être très spécifiques et concernent une multitude d'aspects, comme les modalités de sous-traitance, de passation des commandes, de transmission d'informations, de crédit inter-entreprises, de mobilité inter-entreprises du personnel, de normes techniques ou de qualité, de pratiques de concurrence, etc. Que ces règles soient formulées ou non, elles conditionnent évidemment les actions et les comportements des acteurs (De Bandt, 1991).

Si on passe de l'organisation industrielle en général aux industries culturelles en particulier, on trouve un parallèle évident entre ce concept de règles du jeu et celui de logique, tel qu'il a été développé par plusieurs chercheurs (Flichy, 1980, Huet *et al.*, 1984, Miège *et al.*, 1986 et Tremblay et Lacroix, 1990, en particulier). Pour ces auteurs, en effet, la mise en lumière et la distinction des différentes logiques à l'œuvre dans les industries culturelles permettent de différencier ces industries les unes des autres. Plus précisément, une logique peut être définie comme l'ensemble des règles qui régissent le fonctionnement d'une industrie, indépendamment des stratégies déployées par les acteurs, ou groupes d'acteurs, qui y sont à l'œuvre. Ces règles, qui peuvent être de nature technique, économique, juridique ou sociale, déterminent les caractéristiques et l'articulation des fonctions de création, de production, de mise à disposition et de consommation des produits culturels. Elles dépendent de l'état des techniques à un moment donné, lesquelles définissent l'ensemble des possibilités et des contraintes. Elles résultent aussi des rapports de force entre acteurs que consacre l'état du marché à un moment donné et du cadre législatif qui fixe les autorisations et les interdictions. Les logiques structurent donc le jeu entre les acteurs, indépendamment de la volonté de chacun d'eux. Des auteurs comme Lacroix et Tremblay (1997), notamment, distinguent de grandes logiques, ou logiques génériques, qui caractérisent les industries culturelles : logique éditoriale (livres, disques, vidéocassettes et, avec quelques particularités, cinéma), logique de flot (radio et télévision) et logique de réseau ou de « club privé » (câblodistribution, diffusion par satellite et par micro-ondes, etc.).

Le concept de filière paraît donc approprié pour décrire et analyser la vie économique du livre. En tout état de cause, nous utiliserons les termes filière et industrie comme des synonymes, c'est-à-dire que, dans un cas comme dans l'autre, nous ferons référence à un ensemble de relations complexe et organisé reliant plusieurs secteurs. Un des principaux problèmes rencontrés dans les analyses de filières, toutefois, est d'en déterminer les contours précis, lesquels peuvent varier non seulement dans le temps et dans l'espace, mais également selon les auteurs et les objectifs qu'ils poursuivent. Nous tracerons, quant à nous, un contour relativement étroit de la filière du livre, en centrant l'analyse sur les secteurs industriels les plus directement touchés par la production du livre, soit l'édition, la diffusion-distribution et la librairie. Chacun de ces secteurs fera l'objet d'un des chapitres suivants. Auparavant, présentons brièvement l'ensemble de la filière et de ses secteurs, ainsi que les principales règles du jeu qui conditionnent son organisation.

4.2 Les composantes de la filière du livre

On peut concevoir la filière du livre comme étant composée de cinq principaux secteurs d'activité, ou métiers, qui répondent chacun à une fonction économique bien précise : la création, l'édition, la fabrication, la diffusion-distribution et le commerce de détail[3].

LA CRÉATION

À la source de la création du livre se trouvent des écrivains, auteurs, rédacteurs, traducteurs et illustrateurs. Pour l'éditeur, l'auteur est une ressource dont l'approvisionnement est difficile à maîtriser (Rouet, 2000). Si la relation peut être conflictuelle — l'auteur ayant tendance à défendre bec et ongles l'intégrité de son œuvre, l'éditeur désirant la raffiner et la polir, parfois la transformer pour en maximiser le potentiel commercial —, les deux activités demeurent fortement liées. Mais l'initiative éditoriale (les projets de commande) demeure importante et les relations entre auteurs et éditeurs, à défaut d'être caractérisées par le salariat, sont souvent assez personnalisées. Il est d'ailleurs fréquent que les éditeurs soient eux-mêmes auteurs.

Les auteurs sont rémunérés par les droits d'auteurs, c'est-à-dire une forme de rémunération proportionnelle au prix de vente final du livre, géné-

3. La rédaction de cette section s'est appuyée sur les sources suivantes : Rouet (2000), Gill (2000a), Clerides (1999), Chaumard (1998), Bouvaist (1993), Renart (1989), Eurequip (1989), COPIBEC (http :/www.copibec.qc.ca) et Publishers Association (http :/www.publishers.org.uk).

ralement basée sur les ventes nettes. À cet égard, le forfait demeure l'exception. Le pourcentage est souvent lié à l'atteinte de plateaux de vente donnés, tandis que la pratique des à-valoirs, qui sont des avances récupérables sur les futurs droits d'auteurs, mais non remboursables en cas de mévente, ne concerne que les auteurs reconnus. Les taux de droits d'auteurs, parce que négociables, sont fort variables, mais dans l'ensemble, lorsqu'on s'éloigne de la première publication (livre de poche, par exemple) ou du champ littéraire (où le taux est généralement de 10 % et plus), les taux sont plus faibles.

Les droits affectant les auteurs comprennent également les droits dérivés, les droits de reproduction et le droit de prêt public. Les droits dérivés (ventes de droits à l'étranger, traduction, clubs de livres, adaptation cinématographique ou télévisuelle, etc.) peuvent être conservés par l'auteur, mais il en cède souvent la gestion à son éditeur. Les revenus versés par des tiers sont alors partagés entre l'auteur et l'éditeur, le premier recevant généralement entre 50 et 65 % des sommes perçues.

Au Québec, toute personne ou organisme (établissements d'enseignement, gouvernements, comptoirs privés de photocopie, etc.) qui désire reproduire une œuvre imprimée doit s'adresser à la Société québécoise de gestion collective des droits de reproduction (COPIBEC) afin d'obtenir une autorisation ponctuelle ou acquérir une licence globale de reproduction. Cette société, créée par l'Union nationale des écrivains du Québec (UNEQ) et l'Association nationale des éditeurs de livres (ANEL) en 1997, assure la gestion de ces droits, accorde les autorisations de reproduction (lesquelles peuvent prévoir différents mécanismes de contrôle, déclarations exhaustives, sondages, échantillonnages, etc.) et perçoit, administre et distribue les redevances en provenance des usagers. La répartition des redevances est de 50 % aux auteurs et coauteurs, illustrateurs, traducteurs, etc., et 50 % aux éditeurs.

De juridiction fédérale, le droit de prêt public concerne les relations entre les auteurs et l'État, en tant que représentant des bibliothèques publiques. Les paiements aux auteurs sont fondés sur l'examen des collections d'un nombre représentatif de bibliothèques. Plus est élevé le nombre de bibliothèques où les livres d'un auteur se retrouvent, plus est élevé le paiement de droits, sous réserve d'un maximum établi chaque année (3 780 $ en 1999). Au Québec, les auteurs se partagent annuellement environ 2,5 millions de dollars (l'enveloppe totale au Canada est de 8 millions). Il faut toutefois noter que le droit de prêt public n'est pas enchâssé dans la Loi sur le droit d'auteur au Canada. Ce droit repose sur un consensus politique et ses fonds sont puisés dans des enveloppes discrétionnaires, ce qui lui confère une certaine précarité (Gill, 2000a).

En dépit de la multiplicité des sources de revenus des auteurs, signalons que bien peu d'entre eux réussissent à vivre exclusivement de leur plume.

L'ÉDITION

L'éditeur joue un rôle fondamental dans la filière du livre. C'est lui, en effet, qui choisit les textes qui seront édités, que les manuscrits lui soient soumis ou qu'il les commande ; il en négocie les droits et participe activement à leur mise au point définitive ; il conçoit, ou fait concevoir, leur forme matérielle (composition, impression et reliure) ; enfin, il définit les politiques de promotion et de diffusion du livre. C'est donc l'éditeur qui décide de l'offre et court le risque de la publication, c'est lui qui assume le coût financier de la production et de la multiplication des exemplaires sur un mode industriel. Ce n'est qu'en deuxième ressort que son choix est validé, ou non, par les consommateurs.

L'éditeur est donc l'intermédiaire principal entre le créateur du texte, l'auteur, et le consommateur final, acheteur ou lecteur. Comme dans toute intermédiation, sa fonction d'interface entre la création intellectuelle et les attentes du public peut provoquer des tensions, surtout à cause de la distance entre, d'un côté, les particularités de l'activité créatrice et, de l'autre, la rationalité économique et même industrielle qui soutient les activités de reproduction matérielle, la diffusion et la distribution. Un éditeur doit souvent composer avec des impératifs à la fois culturels et économiques, tout en maîtrisant ses relations avec les auteurs, l'imprimeur et le diffuseur-distributeur. Ce rôle d'interface multiple, le contrôle qu'il exerce sur l'offre et sa prise de risque initiale font en sorte qu'il se trouve au centre même de la dynamique de l'ensemble de la filière, qu'il en constitue l'élément-moteur.

Le processus d'édition d'un livre est généralement divisé entre différentes fonctions : éditoriale, de conception et de production, de marketing, de gestion des contrats et des droits, et d'administration. La *fonction éditoriale* comprend la prise de décision concernant les manuscrits à publier ou à commander. Tous les manuscrits reçus doivent passer par un processus de sélection. Une fois acceptés, les manuscrits sont préparés pour l'impression (correction ou révision linguistique plus extensive). La fonction de *conception et de production* intègre la planification du livre fini (typographie, mise en page, choix du type de papier, etc.) et la sélection ou la commande des illustrations et de la jaquette. Il faut également obtenir des estimations de coûts, placer des commandes auprès d'imprimeurs et de relieurs, et surveiller le livre à chacune des étapes de production. Le *marketing* comprend les relations publiques et la publicité, la planification de campagnes promotionnelles, le service de presse, les communiqués et les relations de presse, etc. La *gestion des contrats et des droits* comporte la rédaction du contrat entre l'éditeur et l'auteur, la négociation et la gestion des droits dérivés. Enfin, l'*administration* comprend les activités traditionnelles de comptabilité et d'informatique. Toutes ces activités, selon la taille et les ressources de l'entreprise, peuvent être du ressort de départements bien identifiés ou de quelques personnes exerçant plusieurs tâches.

LA FABRICATION

Les secteurs liés à la fabrication matérielle, ou si l'on préfère à la reproduction du livre en de multiples exemplaires, sont principalement l'imprimerie et la reliure. Les relations entre l'imprimerie et l'édition sont anciennes, nous l'avons vu, mais de nos jours, éditeur et imprimeur sont devenus presque totalement indépendants l'un de l'autre. Les éditeurs de livres ne représentent qu'une faible part de la clientèle de l'imprimerie, si bien qu'on ne peut considérer cette dernière comme faisant vraiment partie de la filière du livre. La relation doit plutôt être qualifiée de sous-traitance, c'est-à-dire une opération par laquelle une entreprise confie à une autre le soin d'exécuter une partie des actes de production ou de services dont elle conserve la responsabilité finale. Les transformations du secteur de l'imprimerie ne sont évidemment pas sans effet sur la filière du livre, notamment sa capacité à produire, à coût abordable, des tirages de plus en plus réduits dans des délais de plus en plus courts. L'évolution des techniques d'imprimerie sur demande pourrait également, à terme, pousser les éditeurs à se réapproprier l'activité d'impression (par exemple pour les petits tirages), ou encore reléguer cette activité aux points de vente au détail, ce qui, de facto, réintégrerait la fonction au sein de la filière.

LA DIFFUSION-DISTRIBUTION

Les diffuseurs et distributeurs servent d'intermédiaires entre les éditeurs et les différents points de vente du livre. Ils permettent d'assurer l'acheminement de l'information et des produits finis vers ces détaillants.

La *diffusion* consiste à susciter la commande des acheteurs par l'intermédiaire d'un réseau de représentants qui agissent pour le compte d'un ou de plusieurs éditeurs. Les principales tâches du représentant, qui est rémunéré en partie à la commission, consistent à présenter à ses clients les nouveautés à paraître et les promotions à venir, à remplir les grilles d'office et à prendre les commandes. Il doit bien connaître le détaillant, mais aussi le marché qu'il dessert.

La *distribution* rassemble les tâches logistiques liées à la circulation physique du livre et à la gestion des flux financiers qui y sont liés. Le distributeur fait l'envoi des offices, traite les commandes, prépare les colis et la facturation, gère et contrôle les stocks, l'entreposage, les expéditions, les retours, les crédits, etc. En pratique, l'acheminement des expéditions vers les différents destinataires est généralement délégué aux transporteurs, qui ne font pas partie de la filière à strictement parler. Le distributeur, comme le diffuseur, est rémunéré au pourcentage du prix de vente du livre. La prestation de services qu'il offre aux éditeurs n'implique aucun transfert de propriété, le distributeur n'étant généralement pas propriétaire des stocks qu'il entrepose et distribue.

Si les fonctions de diffusion et de distribution sont nettement différenciées, elles restent néanmoins solidement liées l'une à l'autre. Les commentaires plus qualitatifs des représentants du diffuseur sont un complément indispensable à l'analyse quantitative des ventes qu'effectue le distributeur, et vice-versa, si bien que généralement, l'insuffisance de l'un rendra inefficace la performance de l'autre (Rouet, 2000). Ce qui explique, aussi, que les deux activités soient souvent prises en charge par une même entreprise ou par des entreprises liées.

On peut repérer différents types de diffuseurs-distributeurs. L'*éditeur-diffuseur-distributeur*, dont l'intégration relève de la volonté d'un éditeur de créer une structure de distribution adaptée à la diffusion la plus large et la plus efficace de sa production, constitue la structure la plus fréquemment adoptée par les éditeurs scolaires. Le *diffuseur-distributeur autonome* est une entreprise qui diffuse et distribue des livres de façon exclusive au nom de plusieurs éditeurs ; il s'agit du cas le plus fréquent, représenté par tous les grands distributeurs à l'exception de SOCADIS. Quant au *diffuseur exclusif*, il représente et diffuse des éditeurs, mais délègue la distribution à un tiers ; les grands éditeurs français Flammarion, Gallimard et Hachette, notamment, sont dans cette situation. Le *distributeur autonome « pur »* ne s'occupe que de la fonction logistique de la distribution des livres ; le cas est assez rare et la SOCADIS — coentreprise entre Gallimard et Flammarion — en est le principal exemple. Enfin, le *distributeur non exclusif*, ou grossiste, comprend à la fois des distributeurs de revues et de magazines pour qui le livre (surtout anglophone) représente une partie des activités (Messageries Benjamin, Messageries Dynamiques), et à la fois des commerçants grossistes, surtout présents dans le domaine scolaire privé.

LE COMMERCE DE DÉTAIL

Au Québec, comme nous l'avons déjà mentionné, une grande part du marché est constituée de ventes aux institutions, qui représentaient 27,4 % du total des ventes de livres en 1998. Sur l'ensemble de ces ventes, 56 % (soit un peu plus de 15 % du marché total) étaient des ventes directes des éditeurs-distributeurs scolaires aux institutions d'enseignement, le reste étant représenté par les ventes des librairies agréées.

Du côté de la vente aux particuliers, c'est la multiplicité des points de vente qui prédomine. Multiplicité qui répond, depuis des décennies, à l'exigence d'atteindre le plus large public possible. À cet égard, il est pertinent de distinguer la librairie, le commerce non spécialisé et la vente directe.

La *librairie*, par définition un commerce spécialisé dans la vente de livres, occupe évidemment une grande place dans le marché. Les librairies offrent un vaste assortiment d'ouvrages et un véritable service à la clientèle. La vente de livres étant leur principale activité, elles sont les seuls commerces à faire véritablement partie de la filière. Il subsiste quand même de grandes disparités entre librairies, notamment en ce qui concerne leur taille, et aussi leur appartenance, ou non, à un réseau, leur caractère généraliste ou spécialisé, et leur situation géographique (présence dans une grande ville ou en région, sur une grande artère commerciale, une petite artère ou dans un centre commercial, etc.). Cette variété explique que les librairies vivent fort différemment les problèmes du commerce du livre et que bien souvent la concurrence se fait davantage entre librairies qu'entre librairies et autres points de vente.

Une grande part du marché du livre est également occupée par le *commerce non spécialisé*, dont le principal objectif est de coller au plus près à la population, à sa concentration et à ses déplacements. On y retrouve des magasins à grande surface (grands magasins traditionnels, clubs-entrepôts et magasins de rabais), mais aussi une multitude de petits points de vente (tabagies, kiosques à journaux, pharmacies, etc.) et des commerces spécialisés offrant un rayon de livres adaptés à leur spécialisation (jardinage, quincaillerie, alimentation naturelle, jeux et jouets, etc.).

L'évolution la plus marquante dans le domaine, au cours de la dernière décennie, est sans aucun doute la place croissante occupée par les magasins à grande surface non spécialisés, de type clubs-entrepôts et magasins de rabais (Price Costco, Maxi, Wall-Mart, Zellers, etc.). Le concept repose sur une offre globale la plus large possible, parmi laquelle se trouve le livre. L'assortiment moyen est assez limité, par exemple de 200 à 300 titres pour le Club Price, et il est surtout composé de livres que l'on peut considérer comme « pré-vendus », parce qu'ils possèdent d'emblée un puissant impact médiatique, sont largement soutenus par le marketing des éditeurs ou sont déjà consacrés par les ventes en librairie. Cela inclut évidemment certains romans, mais aussi des livres pratiques, des ouvrages jeunesse, des bandes dessinées, des dictionnaires. La stratégie tient compte du fait qu'il existe une demande particulière, comme nous l'avons vu au chapitre précédent, en matière de prix, d'assortiment des titres, de service, de coûts de transaction et d'aversion au risque de la part de la clientèle qui effectue une grande partie de ses courses dans ce type de commerce. Le livre représente donc, pour ces commerces, une part minime du chiffre d'affaires, mais il peut contribuer à améliorer leur image de marque ou devenir un produit d'appel très efficace dans le cas de certains ouvrages de grande diffusion. Leur méthode de fixation du prix se démarque du reste de la filière, incidemment. Alors que les rabais accordés par les librairies sont effectués à partir du prix de vente suggéré par l'éditeur, ces commerces fonctionnent plutôt par l'attribution d'un *mark-up*, un pourcentage fixe qu'ils ajoutent au prix coûtant, le même pour tous les produits. Méthode qui leur permet, surtout lorsqu'ils profitent de remises substantielles de la part des éditeurs, d'afficher des prix inférieurs aux autres types de commerce, jusqu'à 25 % dans certains cas.

Enfin, la *vente directe*. À cet égard, il est souhaitable de distinguer les ventes réalisées par les entreprises spécialisées dans la vente directe (comme les clubs de livre, les entreprises de vente par correspondance et par courtage), des ventes effectuées directement aux consommateurs par les entreprises dont ce n'est pas la vocation première (éditeurs et distributeurs) et pour lesquels, généralement, il s'agit d'une activité marginale (ventes lors des lancements, des salons du livre, à leurs comptoirs, etc.). Les clubs de livre utilisent largement les techniques de la VPC (utilisation d'un catalogue) et du courtage (recrutement d'adhérents). Mais leur principale particularité réside dans l'existence d'un contrat d'adhésion passé entre l'éditeur et l'acheteur, qui permet à ce dernier de bénéficier de certains avantages, en particulier un prix inférieur à l'édition courante, en contrepartie de l'achat d'une quantité minimale d'ouvrages du catalogue dans un laps de temps donné. L'importance de ce type de vente est, au contraire de la France et des États-Unis, assez réduite au Québec.

On trouvera, à la Figure 4.1, un schéma présentant l'ensemble de la filière du livre, les secteurs qui la composent et les flux reliant ceux-ci. Puisque ce sont les flux monétaires que nous avons reproduits sur cette figure, les flèches représentent la circulation des sommes d'argent le long de la filière, des achats des consommateurs et des institutions jusqu'aux détenteurs des droits, les auteurs.

4.3 Les règles du jeu au sein de la filière : les pratiques commerciales

La filière du livre relève évidemment de la logique générique dite éditoriale, laquelle préside à la production et à la mise à disposition des marchandises culturelles, soit des copies d'une œuvre qui sont vendues ou louées directement aux consommateurs. Le qualificatif d'éditoriale, mis de l'avant par Flichy (1980), s'explique par la référence au rôle central que joue l'éditeur ou le producteur, intermédiaire qui assure la jonction entre la fonction de création des contenus et celles de la production matérielle et de la reproduction industrielle des œuvres[4].

Si ce type de caractérisation des logiques par grands modèles génériques est utile pour distinguer les principales caractéristiques des différentes industries culturelles, on doit la compléter, pour l'examen d'une filière donnée, par une analyse beaucoup plus fine. L'ensemble de règles, normes et conventions qui structurent les relations commerciales et la concurrence — plus prosaïquement : les pratiques commerciales en usage — constituent un ensemble

4. Par contraste, la logique de flot est celle qui régit la mise à disposition des produits par la diffusion massive et simultanée à un grand nombre de consommateurs (cas de la radio et de la télévision, où le rôle central est joué par le programmateur). Dans la logique de réseau, ou de « club privé », c'est le distributeur (câblodistributeur, opérateur de service par satellite, par micro-ondes, etc.) qui compose un catalogue ou un bouquet de services qu'il offre aux consommateurs en contrepartie du paiement d'un abonnement mensuel et, contre paiement supplémentaire, de services additionnels sur demande. Pour une discussion de ces logiques génériques, de leur chevauchement et développement, voir Lacroix et Tremblay (1997) et Miège (2000).

Figure 4.1 Composantes de la filière du livre et principaux flux financiers

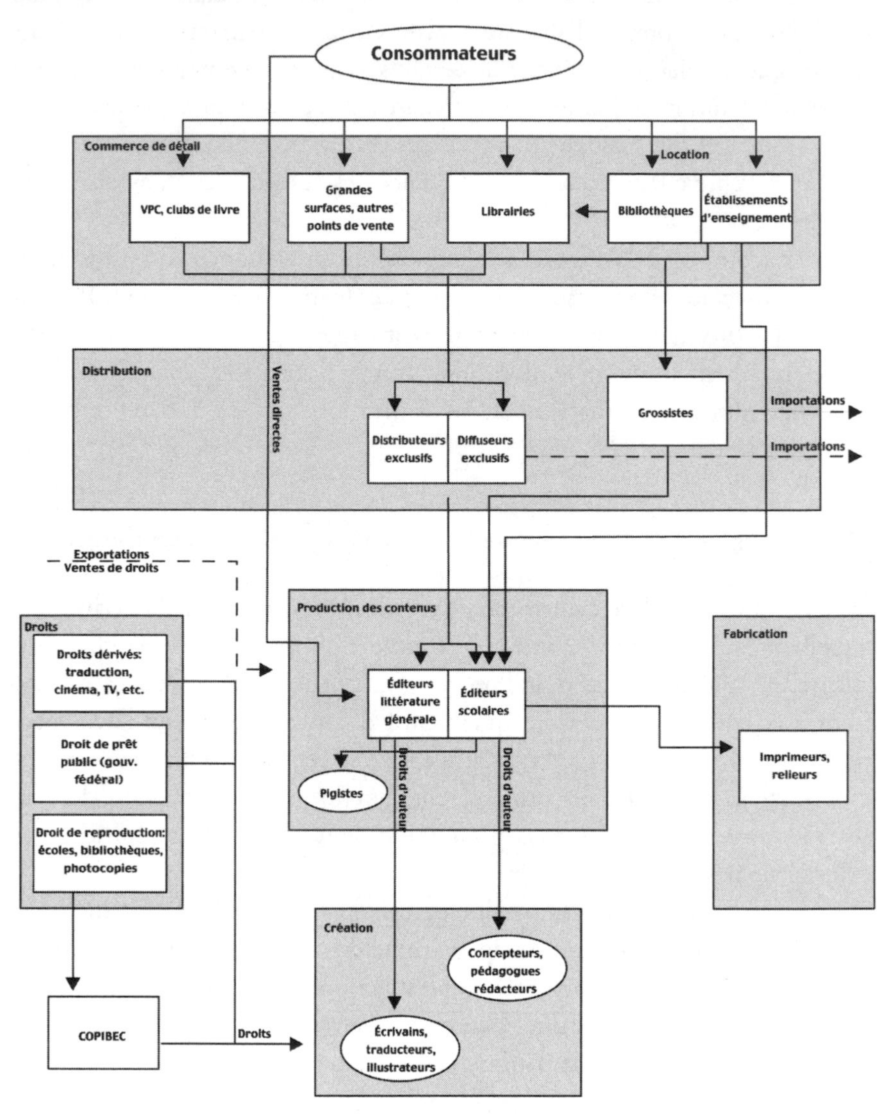

Source : SODEC.

de pratiques relativement stables, même si elles sont susceptibles de varier avec le temps, et respectées par l'ensemble des acteurs. Elles sont tout à la fois déterminées par la loi et ses règlements, le rapport de force entre acteurs ou groupes d'acteurs et les négociations intersectorielles, lesquelles sont parfois avalisées par des ententes formelles entre les associations professionnelles concernées (associations des écrivains, des éditeurs, des distributeurs et des libraires).

Voici les éléments les plus pertinents pour l'analyse : les conditions imposées par la loi 51, le partage intersectoriel de la valeur et le mode de mise à disposition des nouveautés. Examinons-les.

LES CONDITIONS IMPOSÉES PAR LA LOI

Lors de son implantation en 1981, la loi 51 (Loi sur le développement des entreprises québécoises dans le domaine du livre) avait pour objectifs d'assurer la diffusion de la littérature québécoise et d'augmenter l'accessibilité territoriale et économique du livre, en implantant un réseau de librairies étendu dans l'ensemble des régions et en développant une infrastructure industrielle et commerciale concurrentielle. Cette loi structure de façon importante les relations intersectorielles au sein de la filière du livre, en particulier par les conditions d'obtention de l'agrément et les avantages et obligations qui en découlent, par la contrainte qu'elle impose aux institutions de faire leurs achats de livres auprès des librairies agréées, et par la fixation, pour ces mêmes librairies, de taux de remise minimal. Voyons d'abord les avantages et obligations de l'agrément.

Un *éditeur*, pour être agréé, doit être à 100 % de propriété québécoise, avoir publié au moins 5 titres d'auteurs québécois ou posséder un inventaire d'au moins 15 titres d'auteurs québécois (respectivement 3 et 5 pour une maison d'édition d'art, et 5 et 8 pour une maison d'édition existant depuis moins de 3 ans). Il doit aussi être à jour dans l'acquittement des droits dus aux auteurs. Ces conditions ne sont pas très contraignantes, mais ce qui importe surtout, c'est que l'agrément est nécessaire pour avoir accès à l'aide gouvernementale québécoise.

Un *distributeur*, pour être agréé, doit être à 100 % de propriété québécoise, approvisionner les librairies agréées, distribuer des livres d'auteurs québécois et répondre à des critères attestant son professionnalisme : services de représentation et de rotation des stocks, services de commande, d'entreposage et d'information, respect des tabelles, etc. Pour les distributeurs, l'obtention ou non de l'agrément est sans grand effet, puisque la plupart des règles qui l'affectent vraiment (taux de remises, ventes aux collectivités ou respect des tabelles) s'appliquent de toute façon à tout distributeur désirant faire affaire avec une librairie agréée. De ce fait, peu de distributeurs sont agréés, d'autant plus qu'aucune forme d'aide publique ne leur est accessible.

Une *librairie*, pour être agréée, doit être à 100 % de propriété québécoise ; elle doit détenir au moins 2 000 titres différents publiés au Québec et 4 000 publiés ailleurs, recevoir les offices d'au moins 25 éditeurs agréés, garder ces offices à l'étalage pendant au moins quatre mois et s'approvisionner chez les distributeurs agréés ou admissibles à l'agrément pour les titres dont ils ont l'exclusivité. De plus, la vente de livres doit représenter au moins 50 % de son chiffre d'affaires total ou s'élever à au moins 300 000 $ si cette librairie est située dans une municipalité de plus de 10 000 habitants, et à 150 000 $ si la municipalité a moins de 10 000 habitants. Elle doit également respecter certains critères en matière d'équipement bibliographique. L'agrément donne aux librairies un accès à l'aide gouvernementale et leur accorde l'exclusivité des ventes aux institutions, à l'exception des manuels scolaires.

La loi intervient aussi en matière de fixation des remises. Les distributeurs et éditeurs, qu'ils soient agréés ou non, doivent accorder aux librairies agréées une remise minimale de 40 %, sauf pour les livres scientifiques et techniques, pour lesquels la remise qui s'applique est de 30 %. Le manuel scolaire n'est pas assujetti à la loi. Mais la définition de manuel scolaire s'appliquant uniquement aux ouvrages produits pour l'enseignement des niveaux primaire et secondaire, les manuels des niveaux collégial et universitaire sont assujettis, par défaut, à la loi 51. Selon la réglementation, les éditeurs sont donc tenus d'accorder la remise minimale de 30 % aux librairies agréées sur les ouvrages utilisés pour l'enseignement collégial et universitaire autres que les ouvrages de littérature. Cependant, le flou entourant les définitions entraîne des classifications aléatoires, si bien que les librairies se voient souvent accorder des remises qui varient selon les fournisseurs[5].

Évidemment, cet ensemble de règlements structure la filière, en orientant une partie des flux intersectoriels tout en intervenant directement sur le partage de la valeur entre acteurs. Sur ce dernier point, toutefois, l'intervention n'est que partielle, puisque l'établissement des remises relève en grande partie de considérations strictement commerciales.

---

5. Ainsi, les remises peuvent passer de 30 % à 20 % sur des ouvrages que les éditeurs considèrent comme manuels scolaires, ou de 40 % à 30 % sur des œuvres littéraires modifiées en ouvrages à caractère didactique par l'ajout d'une préface, de quelques notes de lecture ou d'un questionnaire portant sur son contenu. De même, des ouvrages grand public ou de vulgarisation scientifique qui devraient être soumis à une remise de 40 % selon la loi sont parfois déclarés livres scientifiques et techniques. La variabilité, et parfois l'arbitraire, de ces pratiques est source de friction entre libraires et éditeurs (SODEC, 2000).

LE PARTAGE INTERSECTORIEL DE LA VALEUR : LES REMISES EN QUESTION

La fixation des prix, dans le livre, est assez différente de la façon usuelle de fonctionner dans la plupart des secteurs industriels. L'éditeur fixe le prix de détail suggéré du livre, et c'est à partir de ce prix que sont établies les remises du commerçant et du diffuseur-distributeur (un pourcentage du prix de vente suggéré). C'est également à partir de ce prix suggéré que le libraire peut offrir, s'il le désire, un escompte à sa clientèle. Comme nous l'avons déjà mentionné, la pratique d'ajouter une marge au prix coûtant, comme c'est le cas pour les grandes surfaces non spécialisées, est une exception dans la filière.

Les résultats d'une enquête menée par la SODEC auprès des distributeurs québécois[6] permet d'évaluer les remises moyennes accordées aux différents points de vente (voir le Tableau 4.1). Les remises aux librairies (agréées et non agréées) s'établissent, en 1998-1999, à 39,5 %. Pour le réseau grande diffusion dans son ensemble, la remise moyenne est de 33,6 %, mais elle passe de 31,4 % pour les grands magasins à 35,2 % pour les clubs-entrepôts.

Tableau 4.1 Évaluation des remises consenties par les distributeurs aux différents points de vente, 1998-1999

Points de vente	Remise moyenne
Réseau librairies	39,5 %
Réseau grande diffusion	33,6 %
magasins de grande surface	31,4 %
clubs-entrepôts	35,2 %
tabagies, pharmacies, etc.	34,6 %

Source : Enquête sur les distributeurs, SODEC.

L'écart des remises entre les librairies et les autres points de vente s'explique par le fait que le distributeur doit assumer un coût de traitement des livres plus élevé (coûts de conditionnement, pelliculage, étiquetage, etc.). Quant à la variation des remises au sein de la grande diffusion, elle s'explique surtout par le rapport de force de certains commerçants qui, en mettant de l'avant l'ampleur de leurs ventes, arrivent à négocier des remises plus élevées.

6. Les résultats détaillés de cette enquête sont présentés au chapitre 6.

Certains clubs-entrepôts sont même traités par des distributeurs comme une librairie, c'est-à-dire qu'on leur accorde une remise de 40 %, ou bien ils transigent directement avec les éditeurs.

À partir des données compilées dans le cadre d'une étude menée par la SODEC sur les flux de trésorerie et l'économie de l'office dans le domaine du livre au Québec[7], on peut évaluer de façon assez précise la répartition moyenne de la valeur entre les secteurs, du moins pour les livres de littérature générale (ouvrages pour la jeunesse, littérature, livres pratiques), à partir des prix de cession des livres de secteur à secteur. Le Tableau 4.2 présente cette répartition pour un livre vendu en librairie, ainsi que pour un livre vendu en grande surface. Comme on peut le voir, un livre vendu 20,79 $ en librairie est payé 12,47 $ au distributeur (soit une remise de 40 %), et le distributeur, à son tour, verse 9,40 $ à l'éditeur. L'éditeur, quant à lui, verse 4,64 $ pour l'impression et la reliure, et environ 2,08 $ en à-valoir et droits d'auteurs[8]. La part du libraire est ainsi de 8,32 $, celle du distributeur de 3,07 $ et celle de l'éditeur de 2,68 $, ce qui représente, respectivement, 40,0 %, 14,8 % et 12,9 % du prix de vente final, contre 10,0 % pour l'auteur. Le reste, soit 22,3 %, est absorbé par le secteur de l'imprimerie.

---

7. Dans le cadre des travaux du Comité sur les pratiques commerciales dans le domaine du livre (SODEC, 2000), la SODEC a commandé à la firme SECOR une étude devant permettre de : 1) colliger, auprès de quelques entreprises de chacun des secteurs (trois éditeurs, trois distributeurs et trois librairies), l'information nécessaire pour repérer les quantités et les mouvements de trésorerie mensuels liés au lancement, par les éditeurs, de leurs nouveautés, sur la base d'un échantillon de 54 titres et pour une période de 18 mois après le lancement ; 2) construire, à partir de ces données, des chiffriers représentant les mouvements de trésorerie mensuels liés à ces nouveautés pour chacun des secteurs et leurs interrelations ; 3) établir, à partir de ces données, un ensemble d'indicateurs (quantités, revenus et coûts unitaires moyens) pour l'ensemble des titres suivis. Sur la base des données recueillies, nous avons ensuite, après pondération des données pour les ajuster à l'ensemble du marché de l'édition québécoise (hors secteur scolaire), construit un modèle permettant d'estimer un ensemble d'indicateurs, d'évaluer l'importance des nouveautés lancées par les éditeurs québécois dans l'ensemble de l'activité de chacun des secteurs et d'estimer les impacts financiers, sur ces secteurs, d'une variation du taux de retour et des délais de paiements accordés aux librairies.

8. Le coût unitaire d'impression est évalué en fonction du nombre de copies vendues (et non du nombre de copies imprimées), ce qui représente le coût réel de l'impression à la fin des opérations, incluant les invendus. Pour les droits d'auteurs, la somme déterminée par le modèle était de 1,73 $, mais la recension de ces flux se terminant au bout de 17 mois, tous les droits d'auteurs n'avaient pas encore été versés. Nous avons posé, par hypothèse, que le total devait se chiffrer à environ 10 % du prix de vente en librairie.

Comme on peut le remarquer, plus on remonte vers l'amont de la filière, plus les parts, en proportion du prix de vente final, se réduisent. Cette particularité est le reflet de l'intensivité en capital et en ressources humaines des secteurs en aval. Pour la librairie, en particulier, l'entretien d'un vaste espace commercial, le maintien d'un vaste assortiment de livres et les charges de main-d'œuvre liées au service à la clientèle sont très lourds à supporter, beaucoup plus que pour un magasin à grande surface, comme on peut le constater encore une fois au Tableau 4.2. Pour un livre qui se vendrait 15,70 $, soit un rabais de 25 % sur le prix régulier (ce qui implique un *mark-up* de 12 % de la part du commerçant), la part du commerce à grande surface est de 1,68 $, soit 10,7 % du prix de vente. L'importante réduction de la part par rapport à celle d'une librairie résulte de charges nettement moindres (absence de service et de possibilité de commande, assortiment réduit). Quant à la part du distributeur, elle grimpe à 4,62 $, ou 29,4 % du prix de vente. Les charges du distributeur sont plus élevées lorsqu'il approvisionne un magasin à grande surface, puisqu'il doit conditionner ces livres (étiquetage, pelliculage), mais aussi parce que les taux de retour y sont plus élevés qu'en librairie, comme nous le verrons plus loin.

Tableau 4.2 Répartition de la valeur intersectorielle, littérature générale (hors secteur scolaire), production des éditeurs québécois, 1998-1999

	Vente en librarie			**Vente en grande surface**		
	Prix de cession	**Part de la valeur**	**en % du prix de vente**	**Prix de cession**	**Part de la valeur**	**en % du prix de vente**
Librairie	20,79 $	8,32 $	40,0 %	—	—	—
Grande surface	—	—	—	15,70 $	1,68 $	10,7 %
Diffuseur-distributeur	12,47 $	3,07 $	14,8 %	14,02 $	4,62 $	29,4 %
Éditeur	9,40 $	2,68 $	12,9 %	9,40 $	2,68 $	17,1 %
Impression	4,64 $	4,64 $	22,3 %	4,64 $	4,64 $	29,6 %
Droits d'auteurs	2,08 $	2,08 $	10,0 %	2,08 $	2,08 $	13,2 %

Source : Modèle des flux de trésorerie dans l'industrie du livre, SODEC.

LA MISE À DISPOSITION DES PRODUITS : PRÉDOMINANCE DES NOUVEAUTÉS

Le livre, rappelons-le, est un produit qui, par sa nature même de bien culturel, est soumis aux exigences d'un constant et rapide renouvellement. L'ampleur des arrivages annuels, dans le domaine, est carrément infernal : près de 4 000 nouveautés québécoises et entre 25 000 et 30 000 nouveautés au total[9]. Ce renouvellement permanent de l'offre prend nettement le dessus sur les ventes « longues », celles du fonds, soit des titres ayant été publiés depuis plus d'un an.

Le modèle de flux de trésorerie construit par la SODEC et portant sur l'année 1998-1999 permet de mesurer l'importance des nouveautés dans l'industrie du livre au Québec. Par rapport à l'ensemble des revenus générés par les ventes de livres d'éditeurs québécois (hors secteur scolaire), les nouveautés représentaient ainsi, sur une base annuelle, entre 65 et 69 % des revenus des éditeurs, distributeurs et librairies. Le corollaire de cette prédominance très nette des nouveautés est évidemment la courte durée de vie du livre sur le marché, comme on peut le voir par la courbe des ventes de la Figure 4.2.

Figure 4.2 Courbe des ventes mensuelles moyennes, nouveautés d'éditeurs québécois en littérature générale (hors secteur scolaire), 1998-1999 (en % des ventes totales sur 17 mois)

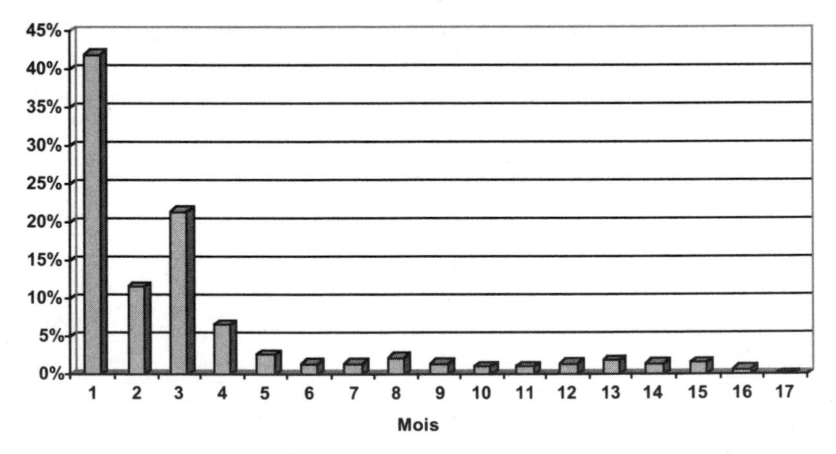

Source : Modèle des flux de trésorerie dans l'industrie du livre, SODEC.

9. Donnée estimée à partir de l'enquête sur la distribution, présentée au chapitre 6.

Cette courbe représente la moyenne des ventes mensuelles des nouveautés des éditeurs québécois, en pourcentage des ventes totales sur 17 mois. Comme on peut le constater, la durée de vie moyenne d'un titre de littérature générale ne semble guère dépasser quelques mois : au bout d'un mois, on totalise déjà 41,9 % des ventes totales, après trois mois 74,9 % et, après six mois, 85,7 %.

Multitude de titres, prédominance des nouveautés dans les flux financiers et durée de vie réduite des titres ; autant de phénomènes qui expliquent l'importance cruciale du principal mode de mise à disposition de la nouveauté au Québec, soit le système de l'office.

LE SYSTÈME DE L'OFFICE[10]

Pour la mise en marché des nouveautés, le Québec, dans les années 1970, a adopté le système français de l'office et l'a adapté. Ce système est basé sur des envois automatiques et réguliers de la part des éditeurs et diffuseurs aux librairies, par le biais des distributeurs. Cette pratique favorise la diffusion automatique et rapide des nouveaux ouvrages, de même que la diversité de choix pour les consommateurs. Au Québec, ce système est soumis aux règlements prévus dans le cadre de la loi 51 et fait l'objet d'un protocole d'entente annuel entre l'Association des libraires du Québec (ALQ) et les distributeurs exclusifs. L'actuel protocole engage les librairies à choisir leur grille d'office, à garder les livres reçus pour une période minimale de 90 jours (120 jours dans le cas de livres québécois, en vertu de la loi 51) et engage les distributeurs à respecter la grille d'office. L'expédition des livres aux librairies est payée par les distributeurs, tandis que les retours voyagent aux frais des librairies. Les factures sont payables le plus souvent en 60 jours, mais la moyenne s'établit à environ 75 jours. Quant aux délais de paiement des distributeurs aux éditeurs, ils sont en moyenne de 60 jours. Ce qui, ajouté aux délais de 75 jours des libraires, donne aux éditeurs un délai total de 135 jours après le lancement.

La grille d'office est un outil de planification qui ventile la production par grandes catégories et par degré de facilité escomptée des ventes. Elle peut comprendre jusqu'à 400 catégories dans certains cas. Le libraire, conjointement avec le diffuseur, détermine à l'avance le nombre d'ouvrages désirés

---

10. Une partie du texte de cette sous-section repose sur le *Rapport du Comité sur les pratiques commerciales dans le domaine du livre* (SODEC, 2000).

dans chacune de ces catégories. Les représentants contactent périodiquement les libraires pour présenter leurs nouveautés et les évaluer en fonction des catégories de vente. Les quantités sont parfois révisées par les éditeurs et les diffuseurs, à cause d'imprévus de toutes sortes (parutions retardées, absence de l'auteur, campagne de promotion, etc.).

Il faut également mentionner l'introduction, à la fin des années 1970, du prénoté. Cet outil était à l'origine une commande ferme, c'est-à-dire sans droit de retour, qui s'ajoutait à l'office, mais était livrée avant celui-ci. À l'origine, cette pratique visait à compléter et raffiner l'office, mais des abus sur certains titres (commandes gonflées en prénoté) en vinrent à causer des problèmes de rupture de stock lors des envois d'office. Avec les années, le prénoté est ainsi devenu une commande livrée aux même conditions et en même temps que l'office. Et avec les années, aussi, le prénoté a pris de plus en plus d'importance, au point de représenter, aujourd'hui, plus de 50 % des envois de nouveautés. Outil précieux pour ajuster au plus près les commandes et faire face aux besoins des consommateurs, le prénoté est cependant très lourd à l'usage pour les diffuseurs, les représentants devant passer beaucoup plus de temps à présenter les ouvrages à leurs clients.

Toujours avec l'aide du modèle de flux de trésorerie, on peut estimer que les envois d'office représentaient 44,4 % de la quantité « mouvementée »[11] de nouveautés d'éditeurs québécois en 1998-1999. Quant aux ventes des livres qui avaient été envoyés d'office aux commerçants, elles représentaient 33,1 % des ventes nettes de nouveautés des distributeurs, et 23,9 % de l'ensemble de leurs ventes.

La plupart des intervenants de la filière s'entendent pour dire que l'office est le système le plus rapide et le plus efficace de mise en marché des nouveautés et le plus à même d'assurer la diversité de choix du consommateur. Il n'en demeure pas moins qu'avec les années, les difficultés se sont accumulées. L'accroissement phénoménal du nombre de nouveautés (elles ont doublé en quinze ans) et la baisse concomitante des ventes moyennes par titre alourdissent considérablement le système et poussent à la hausse les coûts unitaires de tous les intervenants. Les irritants traditionnels entre libraires et distributeurs — niveau des remises, délais de règlement des transactions, espacement des visites de représentants en région, non-déballage de colis, accessibilité de

---

11. C'est-à-dire les ventes, ce qui comprend tout à la fois les ventes d'office, de prénotés et les réassorts, plus les retours.

l'information concernant les nouveaux ouvrages et ampleur croissante des retours — dans un contexte de stagnation du marché, tendent à devenir plus aigus.

Plus précisément, deux éléments affectent le bon fonctionnement de l'économie de l'office et la rentabilité de l'ensemble de la filière : 1) l'ampleur et l'évolution des taux de retour ; 2) les délais de paiements le long de la filière, lesquels induisent des dynamiques forts différentes, selon les secteurs, en termes de flux mensuels de liquidité.

L'IMPLACABLE ÉCONOMIE DE L'OFFICE : LE POIDS DES TAUX DE RETOUR

Les taux de retour sont des indicateurs du bon ou du mauvais fonctionnement de l'office ou, plus généralement, du mode de mise à disposition des nouveautés. Le taux de retour des offices pour les livres d'éditeurs québécois de littérature générale pouvait être estimé, en 1998-1999, à pas moins de 53,1 % (voir le Tableau 4.3). Autrement dit, plus de la moitié des livres expédiés d'office étaient retournés par les commerçants qui les avaient reçus. Le taux de retour global des nouveautés, soit l'ensemble des retours de nouveautés sur le nombre total de nouveautés « mouvementées » (ventes plus retours), était de 34,5 %. Ce taux était toutefois moins élevé pour les envois aux librairies, à 33,1 %, que pour les envois en grande diffusion, qui était de 37,4 %. Par rapport à l'ensemble des livres, c'est-à-dire en incluant les ventes de fonds, le taux de retour était évidemment plus faible, à 28,3 %, dont 27,1 % pour les librairies et 30,9 % pour la grande diffusion. À titre de comparaison, soulignons qu'en France, selon *Livres Hebdo*, le taux de retour mensuel se situait entre 25 et 27,5 % en 1998-1999 (Rouet, 2000).

Il n'existe aucune donnée fiable permettant de situer précisément l'évolution de ces taux de retour. Or les professionnels du milieu s'entendent généralement pour affirmer que les taux auraient tendance à croître à long terme. On signale également des poussées périodiques indiquant des moments de déréglage du système de l'office.

Ce qu'il est possible d'évaluer, en revanche, c'est l'impact que peut avoir une variation des taux de retour sur les données financières des entreprises. Nous avons ainsi mesuré, à partir du modèle de flux de trésorerie, l'impact d'une variation de 1 % du taux de retour sur la marge brute des trois principaux secteurs, la marge brute étant ici définie par la différence entre les revenus et les dépenses directement liés aux nouveautés, à l'exclusion donc

Tableau 4.3 Estimation des taux de retour aux distributeurs, livres d'éditeurs québécois de littérature générale, 1998-1999

	Nouveautés et rééditions	Total livres
Taux de retour des offices	53,1 %	—
Taux de retour global	34,5 %	28,3 %
Librairies	33,1 %	27,1 %
Grande diffusion	37,4 %	30,9 %

Source : SODEC, modèle des flux de trésorerie pour les nouveautés et rééditions et enquête sur les distributeurs pour le total livres.

des autres revenus (en particulier les subventions) et des dépenses fixes (frais d'administration et frais financiers à long terme), différence ensuite rapportée aux revenus.

Une baisse du taux de retour global de 1 %[12], si cette baisse était induite par la seule réduction des livres « mouvementés » (baisse des retours, sans hausse des ventes), permettrait une hausse de la marge brute de 0,15 % pour les librairies agréées et de 0,04 % pour les distributeurs. Dans ce cas de figure, puisqu'il n'y a aucune vente supplémentaire, la situation des éditeurs demeure évidemment inchangée. Ce qui, toute chose étant égale par ailleurs, c'est-à-dire en supposant des impacts identiques pour les nouveautés étrangères, représente une hausse respective de 0,07 % et de 0,03 % du taux de profit net avant impôts pour les librairies agréées et les distributeurs.

Si, en revanche, la baisse du taux de retour résultait d'une hausse des ventes, c'est-à-dire d'une baisse des retours, mais à quantité « mouvementée » inchangée, les impacts sur la marge brute seraient alors de 0,14 % pour les librairies agréées, de 0,12 % pour les distributeurs et de 0,9 % pour les éditeurs québécois agréés. L'importance de l'impact sur la marge brute des éditeurs s'explique par le fait que la vente supplémentaire d'un livre déjà en circulation n'entraîne pour ce dernier, comme coût supplémentaire, que le

12. Sur l'ensemble des livres d'éditeurs québécois, soit de 28,3 % à 27,3 %, ce qui implique une baisse du taux de retour des nouveautés de 33,1 % à 32,0 % et, en ce qui concerne le taux de retour sur l'ensemble des livres pour les librairies, une baisse de 27,1 % à 26,2 %. Remarquons également que la relation entre le taux de retour et les marges brutes est symétrique à la hausse comme à la baisse, et presque parfaitement linéaire, c'est-à-dire que l'impact d'une baisse de 2 % du taux de retour est à peu près égal à deux fois l'impact d'une baisse de 1 %.

paiement des droits d'auteurs, toutes les autres dépenses ayant déjà été couvertes. Cette baisse du taux de retour correspondrait, pour ce qui est du profit net avant impôts, à des hausses de 0,07 % pour les librairies agréées, de 0,1 % pour les distributeurs et de 0,55 % pour les éditeurs.

Ces impacts peuvent paraître négligeables, mais il faut les mettre en rapport, d'une part, avec la faiblesse des taux de profit des différents secteurs (comme nous le verrons dans les chapitres suivants) et d'autre part avec la très grande variation du taux de retour susceptible d'être enregistrée sur une période de quelques années, variation qui peut se mesurer en plusieurs points de pourcentage. Ainsi en France, toujours selon les données de *Livres Hebdo* colligées par Rouet (2000), on peut retracer des écarts de plus de 10 points de pourcentage dans les taux de retour trimestriels entre 1991 et 1998. De même, certains distributeurs québécois affirment que les taux de retour auraient grimpé jusqu'à 40 % au début des années 1990.

Dans la situation d'interdépendance mutuelle qui caractérise la filière, on comprendra aisément que le fait de maintenir le taux de retour à une valeur raisonnable, voire de le réduire, contribue de façon essentielle à la rentabilité de tous les secteurs de l'industrie.

LA CHAÎNE DES PAIEMENTS ET LES FLUX DE TRÉSORERIE

Comme nous l'avons mentionné, les délais de paiement qui relient la filière sont très variables. Les achats des bibliothèques aux librairies sont généralement payables dans un délai de 30 jours, alors que les paiements des particuliers sont quasi instantanés. Le délai moyen des paiements des librairies aux distributeurs est de 75 jours, et celui des distributeurs aux éditeurs est de 60 jours, soit un total de 135 jours, en moyenne, après le lancement. Quant au délai de paiement des droits d'auteurs par les éditeurs, la situation varie beaucoup d'un éditeur à l'autre : le paiement peut avoir lieu une ou deux fois par année, à date fixe ou un certain nombre de mois après le lancement du livre, etc.

La forme de la courbe des ventes mensuelles, les avances de fonds à récupérer et les délais de paiements supposent une évolution des flux de trésorerie ainsi que des contraintes et pressions sur la rentabilité fort différentes selon les secteurs (voir la Figure 4.3).

Pour les éditeurs, l'importance des dépenses à assumer avant la première vente (coûts de production, coûts d'impression du premier tirage et versements des à-valoirs aux auteurs) fait en sorte que le flux de trésorerie mensuel cumulé ne devient positif, en moyenne, qu'au neuvième mois après le lancement.

Pour les distributeurs, la tendance est la même, mais est moins prononcée. La récupération des sommes avancées pour le traitement, le conditionnement et l'expédition des livres est plus rapide, le flux cumulé de leur trésorerie devenant positif au sixième mois après le lancement. Ce qui s'explique par le fait que l'ampleur des sommes à récupérer est, relativement parlant, plus réduite que pour les éditeurs.

La dynamique est fort différente pour les librairies. Le flux de trésorerie cumulé est toujours positif, avec une montée dans les trois premiers mois, une descente jusqu'au septième mois, et une quasi stabilité par la suite. Ce que cette dynamique en apparence plus confortable dissimule, toutefois, c'est que les échéances de paiement des nouveautés aux distributeurs arrivent à partir du troisième ou quatrième mois. De ce fait, le flux mensuel de trésorerie devient négatif au quatrième mois, ce qui tire vers le bas le flux cumulé. Les librairies doivent alors retourner les invendus pour en obtenir un crédit et redresser leur trésorerie.

Tout le jeu du libraire est donc de retourner suffisamment d'invendus pour éviter que sa trésorerie ne plonge dans le rouge, mais pas trop, au risque de retourner des livres dont la vie commerciale n'était pas encore terminée, ce qui handicaperait sa trésorerie future. Exercice d'équilibre particulièrement délicat dans les périodes caractérisées par de grands mouvements d'achats, comme la période des fêtes.

Si, à l'évidence, les délais de paiement respectifs expliquent la forme que prennent, pour chaque secteur, les flux de trésorerie mensuels, encore faut-il s'interroger sur la sensibilité de ces flux à une variation des délais de paiement. Ainsi, grâce au modèle de flux de trésorerie, on peut évaluer l'impact d'un allongement du délai de paiement des nouveautés pour les librairies, si on le portait de l'actuelle moyenne de 75 jours à 90 jours[13]. Pour les librairies, une telle mesure pourrait représenter une hausse de 0,06 % de leur marge brute, soit une hausse d'environ 0,03 % de leur profit net avant impôts, en

13. En supposant que l'effet est totalement absorbé par les distributeurs. Nous avons adopté une approche de coût d'opportunité pour estimer l'impact d'une telle mesure. Ainsi, ce que nous avons mesuré, c'est la variation du coût de financement des flux de trésorerie (lorsque celui-ci est négatif) ou de revenu de placement (lorsque celui-ci est positif) pour l'ensemble de la période analysée, c'est-à-dire sur la base des flux de trésorerie mensuels cumulés. Pour ce faire, nous avons utilisé des taux de 8 % et de 3 %, respectivement.

Figure 4.3 Évolution des flux de trésorerie mensuels cumulés, nouveautés des éditeurs québécois (hors secteur scolaire) (en milliers de dollars)

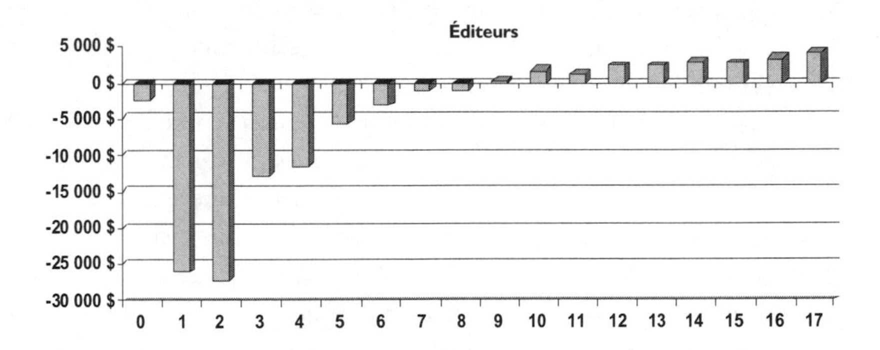

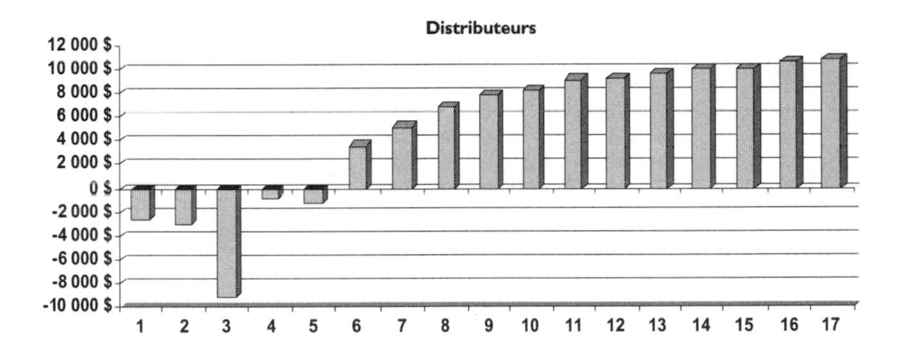

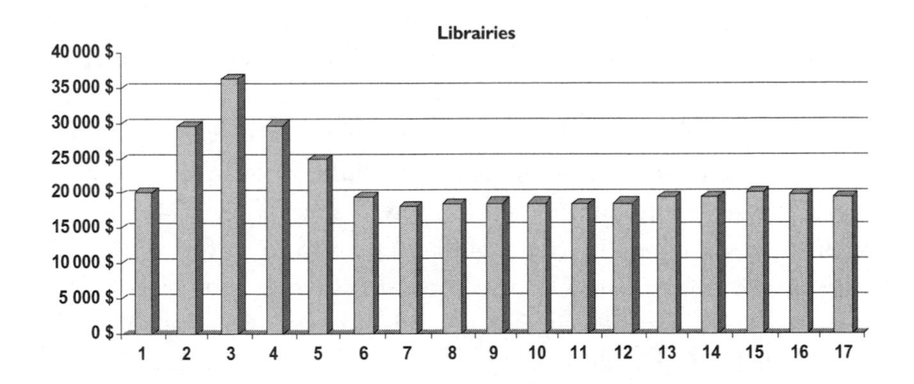

Source : Modèle des flux de trésorerie dans l'industrie du livre, SODEC.

supposant que la mesure s'applique aussi aux nouveautés étrangères. Pour en arriver à un tel résultat, les distributeurs devraient toutefois supporter une baisse de 0,13 % de leur marge brute, soit une baisse d'environ 0,11 % de leur taux de profit net avant impôts. Évidemment, dans la réalité, une partie de ce coût supplémentaire serait transférée aux éditeurs.

Quoi qu'il en soit du partage intersectoriel de ce coût, on notera surtout la relative faiblesse de l'impact qu'aurait une telle mesure sur la situation financière des librairies et l'impact négatif direct sur les autres secteurs. En la matière, il s'agit d'un jeu à somme nulle, où tout gain de l'un ne peut se faire qu'au détriment des autres. L'impact d'une baisse du taux de retour, en revanche, est bénéfique pour tous les secteurs, ce qui en fait un élément d'interaction des acteurs à privilégier au sein de la filière.

4.4 L'impact des nouvelles technologies sur la filière du livre[14]

Numérisation, dématérialisation des contenus, impression sur demande, commerce électronique : il est difficile d'ignorer l'importance des innovations technologiques dans le domaine du livre. Malheureusement, face à ces développements, la prospective et la futurologie — nous serions tenté de dire la science-fiction — prennent trop souvent le dessus sur l'analyse approfondie. Nous n'avons pas l'intention, ici, de présenter et de commenter par le menu détail l'ensemble des nouvelles technologies susceptibles d'affecter le livre, mais plutôt d'aborder la question du point de vue des transformations structurelles que ces technologies pourraient induire sur la filière et ses articulations.

Pour ce faire, il est utile de reprendre cette filière en la schématisant par ses secteurs essentiels : création, production, diffusion/distribution, commerce. Il faut en effet reconnaître que les nouvelles technologies, de par leurs caractéristiques propres, affecteront fort différemment la filière selon les secteurs qu'elles toucheront. On peut aborder cette question en se demandant quel est l'état d'avancement de la numérisation et de la dématérialisation du support le long de la filière.

---

14. En matière de nouvelles technologies, même en limitant la discussion au seul domaine du livre, les références sont pléthoriques, sans pour autant toujours être d'un intérêt certain. Le lecteur pourra tout de même consulter avec profit les références suivantes : Mayfield (2001), Fugère (2000), ministère de la Culture et de la Communication (1999), Zeitchik (1999) et Barbotin (1999).

La filière traditionnelle au sens fort — avec la présence d'un support papier à chacune des étapes — n'est déjà plus, faut-il le souligner, qu'un souvenir. En effet, la numérisation du contenu a depuis longtemps investi la création et l'édition. On considère déjà comme des phénomènes anciens l'utilisation du micro-ordinateur par les auteurs et la publication assistée par ordinateur par les éditeurs. De nos jours, la plupart des auteurs utilisent un traitement de texte et, après l'acceptation de leurs manuscrits, c'est la version numérisée de ce texte qu'ils transmettent à leur éditeur, qui fait alors son travail d'édition (corrections, typographie, mise en page, etc.) directement sur cette version. En revanche, pour le reste de la filière, c'est encore le support papier qui circule[15]. Voyons comment cette situation pourrait être transformée par les nouvelles technologies, en centrant la discussion autour de cinq cas-types.

LA LIBRAIRIE VIRTUELLE

La librairie virtuelle offre un service similaire à celui d'une librairie traditionnelle de « briques et de mortier », mais par le biais d'un site Internet permettant le furetage, la recherche, la lecture de résumés, de commentaires des lecteurs et de suggestions, ainsi que la commande et le paiement en ligne. Les livres achetés, en format papier, sont ensuite expédiés à l'acheteur par la poste.

À cet égard, la « révolution » déclenchée par Amazon.com — le libraire virtuel le plus ancien et le plus médiatisé, qui offre désormais à peu près tout sur son site, ce qui en fait un véritable bazar électronique — est probablement la moins révolutionnaire des nouvelles technologies à bousculer le monde du livre. Cette forme de commerce électronique, où seuls l'échange d'information et la transaction sont virtuels, n'est pas sans importance, mais son impact sur la filière se limite pour l'essentiel au contournement de la librairie traditionnelle. Pour tout le reste de la filière, en effet, le support papier continue à circuler de la même façon, sauf qu'il transite, par la poste, directement du distributeur (ou d'un entrepôt du libraire virtuel, lequel devient alors un grossiste commerçant ou un sous-distributeur non exclusif) jusqu'au consommateur. De plus, au-delà du cas unique d'Amazon, on notera que les principales librairies virtuelles, telles Barnes & Noble aux

15. Attention ici de ne pas confondre informatisation des entreprises et numérisation des contenus. Les distributeurs, par exemple, sont lourdement informatisés, de façon à traiter les importants flux d'informations qui entourent la diffusion et la distribution du livre. Le produit distribué, malgré cette informatisation, demeure cependant un support papier.

États-Unis, Chapter's et Indigo au Canada anglais, Archambault et Renaud-Bray au Québec, sont aussi des libraires traditionnels. Complémentarité est le mot qui s'impose donc.

L'IMPRESSION NUMÉRIQUE SUR DEMANDE

Avec le développement rapide de la technologie en matière d'imprimerie — rapidité et qualité d'impression, réduction de la taille et du coût de l'équipement — il est désormais possible d'envisager l'impression de livres sur demande. Dans une première version, l'idée consiste à expédier directement le contenu numérisé, sous forme électronique, à une imprimante située en librairie. Le client pourrait ainsi commander un livre, fureter en magasin ou prendre un café le temps qu'on l'imprime et, quinze minutes plus tard, le payer et en prendre livraison. On notera la distinction importante entre cette technologie et la précédente : le libraire demeure un intermédiaire essentiel entre le consommateur et l'éditeur, mais c'est le distributeur qui, cette fois, est contourné, puisque la transmission électronique du contenu se fait directement de l'éditeur au libraire.

Dans une seconde version, c'est l'éditeur qui ferait l'acquisition du matériel d'impression sur demande. Il lui serait alors possible de réactiver l'ensemble de son catalogue, en imprimant sur demande, c'est-à-dire en fonction des commandes de la clientèle, les titres épuisés qui ne sont plus disponibles en librairie. La commande pourrait, comme dans la première version, être acheminée directement au libraire en évitant le distributeur, mais on pourrait aussi envisager des commandes directes des consommateurs aux éditeurs.

En dépit de la rapidité de l'évolution technologique, la qualité de l'impression numérique est encore inférieure et son coût unitaire, surtout comparé aux grands tirages, demeure supérieur au procédé offset traditionnel. De plus, l'équipement d'impression lui-même est encore assez coûteux, surtout pour une petite entreprise. Cependant, comme l'impression sur demande permet d'éviter les coûts de transport, de stockage et de manutention, elle pourrait s'avérer fort intéressante pour les titres épuisés dont la demande ne justifie pas de réimpression traditionnelle, pour les livres très volumineux à faible tirage et aux coûts unitaires élevés et même pour les contenus dont la demande pourrait s'exprimer en « morceaux » puisés dans plusieurs titres. On pense ici évidemment au livre scientifique et technique et au livre scolaire, en particulier dans sa composante collégiale et universitaire. Incidemment, cette voie est actuellement explorée avec beaucoup de sérieux par les librairies collégiales et universitaires.

L'ÉDITEUR NUMÉRIQUE

Avec l'éditeur numérique, de type oohoo.com, on va un peu plus loin. Il s'agit tout à la fois d'un éditeur et d'un libraire virtuel : l'éditeur offre directement son produit, ou plutôt son catalogue, sur son site Internet. Le consommateur choisit un titre, le format désiré, papier traditionnel ou version électronique, et fait son paiement électronique. Il reçoit ensuite son livre-papier par la poste, ou encore il télécharge directement la version numérisée sur son ordinateur, libre de l'imprimer ensuite sur son imprimante personnelle. Dans ce dernier cas, il bénéficie bien sûr d'un bon rabais par rapport au prix de la version papier (généralement de 20 à 70 % dans le cas de oohoo.com), mais il doit assumer les frais et la faible qualité de l'impression. Il peut s'agir d'ouvrages disponibles en librairie, d'œuvres du domaine public ou d'inédits.

Évidemment, dans ce cas, une grande partie de la filière est laissée de côté, puisque le contenu du livre se rend directement de l'éditeur au consommateur, sans passer par un distributeur ou un libraire. En revanche, pour la version numérisée la qualité du produit fini laisse évidemment à désirer et, jusqu'à présent, les titres disponibles sont peu nombreux ou se situent à la frange de la production traditionnelle. Le phénomène reste donc marginal, même si la plupart des grands éditeurs tentent actuellement des expériences en ce sens. Les seuls succès notables dans ce cas sont le fait d'écrivains très populaires possédant un lectorat que l'on peut qualifier de captif. On pense évidemment à l'éditeur Simon & Schuster distribuant exclusivement sur Internet une nouvelle de Stephen King.

On peut toutefois penser que cette technologie pourrait s'avérer fort intéressante pour des ouvrages pointus, aux coûts unitaires élevés et pour lesquels la qualité finale d'impression n'est pas très importante (livre scientifique et technique, et même scolaire, évidemment, mais aussi les articles scientifiques), considérant l'impasse financière dans laquelle se trouvent actuellement de nombreuses presses universitaires et revues scientifiques. À cet égard, toutefois, il se dégage actuellement une nette tendance vers la distribution gratuite de ces textes[16], ce qui pourrait contrecarrer le mouvement ou le limiter aux manuels scolaires et à la vente des revues scientifiques aux bibliothèques universitaires, avec impression disponible sur place pour les utilisateurs.

---

16. De plus en plus de chercheurs universitaires rendent disponibles, sur leurs sites personnels, les résultats de leurs recherches, qu'il s'agisse de versions préliminaires d'articles, de

LE LIVRE ÉLECTRONIQUE

Avec le livre électronique, on retrouve la même chaîne que la technologie précédente, soit une liaison directe entre l'éditeur et le consommateur, mais cette fois le support papier est totalement éliminé. On pense évidemment au *eBook*, un terminal de lecture spécialisé sur lequel le consommateur peut télécharger directement un ou plusieurs ouvrages après paiement conséquent, qu'il peut ensuite lire directement sur l'écran de son terminal. On trouve une version plus élaborée de cette technologie dans les projets d'encre électronique, par le biais desquels on cherche à reproduire le plus fidèlement possible le format, la texture et la lisibilité du livre papier.

Soulignons d'abord que le livre virtuel existe déjà depuis plusieurs années, sous la forme, notamment, des encyclopédies sur CD-ROM. Cette expérience permet de bien comprendre le potentiel de cette technologie. Les versions électroniques des encyclopédies sont beaucoup moins chères (les coûts unitaires peuvent être le quart de ceux d'une version papier) et on a assisté à un élargissement substantiel du marché total des encyclopédies. Ce succès des versions électroniques s'explique par le fait que l'on dispose du même contenu accessible par la même logique de renvois et d'hyperliens, mais avec des possibilités et une rapidité de recherche démultipliés, un support moins lourd et moins encombrant, et la possibilité d'une mise à jour régulière du contenu par téléchargement. On peut aisément supposer que tout type de contenu possédant les mêmes caractéristiques, soit un contenu volumineux, des informations de type pratique ou des références, en fait tout ce qui constitue une quelconque forme de base de données, pourrait bénéficier grandement d'une diffusion virtuelle, qu'elle soit sous la forme d'un CD-ROM ou d'un terminal spécialisé.

Pour les autres types d'ouvrages, les choses sont moins évidentes. Le *eBook*, en particulier, lorsqu'on le met en concurrence avec un bon vieux livre de papier, suscite des interrogations sur sa convivialité, sa durabilité (résistance aux chocs, à l'eau, au sable) et sur les éventuels problèmes d'incom-

---

versions finales ou, parfois, de *pre-print*. On ne peut que se réjouir d'une tendance allant dans le sens fondamental de la démarche scientifique, soit la diffusion la plus large possible des résultats de recherche, mais une telle tendance pose le problème du jugement sur la valeur à accorder à ces résultats. Le principe de la revue scientifique, par le biais d'un jugement par des pairs-lecteurs, est justement d'apposer un sceau de qualité et de sérieux sur la recherche diffusée.

patibilité entre formats[17]. À plus long terme, se pose également la question de l'accessibilité des contenus et de leur conservation[18].

À cet égard, force est d'admettre qu'en dépit de son âge vénérable, le livre papier, objet éminemment convivial, maniable, durable et dont tous les formats sont parfaitement compatibles, demeure une « technologie » d'une efficacité redoutable.

L'AUTOÉDITION NUMÉRIQUE

Dans l'autoédition numérique, on retrouve la même logique que pour l'éditeur numérique, soit l'évitement du distributeur et du libraire, mais on pousse cette logique jusqu'à éliminer le dernier maillon industriel de la chaîne, l'éditeur lui-même. Dans un univers où tout contenu devient accessible en tout temps et partout à travers le monde, pourquoi diable s'encombrer d'un éditeur ? Mais si la logique peut être soutenue pour un auteur largement reconnu (on pense encore ici à un Stephen King s'autoéditant sur Internet et vendant son œuvre à la pièce, chapitre par chapitre — du moins jusqu'au constat de l'échec financier de l'opération), elle devient problématique pour un auteur inconnu, surtout si chaque auteur en puissance décide de suivre les traces de Stephen King.

Cette question permet de souligner deux éléments essentiels. D'une part, l'importance du rôle de l'éditeur, ou plutôt de sa fonction, qui est de choisir, de juger et d'authentifier la valeur et la qualité d'un ouvrage, de participer pleinement à la production du contenu final et à sa mise en marché. Ou, de façon plus générale, de la nécessaire présence d'intermédiaires entre les créateurs et les consommateurs pour permettre à ces derniers de faire des choix éclairés. D'autre part, cette question met en relief le problème de la surcharge d'information.

---

17. Faudra-t-il vivre une période d'incertitude concernant le meilleur format à adopter (rappelons-nous l'épisode Beta-VHS), ou encore choisir un format donné, sans être assuré que tous les contenus sont disponibles dans ce format (situation des consoles de jeu), sans même parler du cauchemar que pourrait constituer l'envahissement du monde du livre par la logique informatique, laquelle nous condamnerait à changer de terminal tous les trois ans pour être capable de lire les nouveautés (et enrichir du même coup Intel et Microsoft) ?

18. Des contenus numérisés sous d'anciens formats devenus caduques pourraient devenir éventuellement illisibles, à ranger au rayon des antiquités, à côté de nos vieux 78 tours. De même, que deviennent les bibliothèques personnelles et publiques dans un univers ou chaque acte de lecture deviendrait payant et limité dans le temps ?

Herbert Simon, prix Nobel d'économie, a déjà souligné que la richesse d'information crée une pauvreté de l'attention. Phénomène particulièrement évident avec Internet. Pourtant, la véritable valeur de ce média ne réside pas tant dans la quantité d'informations qu'il rend disponibles que dans l'accessibilité à cette information qu'il permet (Varian, 1998). L'information numérisée peut être organisée, indexée, reliée par des hyper-liens, tout cela beaucoup plus facilement que pour l'information textuelle traditionnelle. Or, pour cette information textuelle, nous avons développé, depuis des siècles, tout un bagage d'outils de classement, d'indexation, de catalogage et d'institutions (éditeurs, critiques, libraires, bibliothèques) qui nous permettent d'y voir clair, qui nous aident à retrouver les informations vraiment utiles ou appropriées. À cet égard, Internet n'en est qu'à ses premiers balbutiements. Il reste beaucoup à faire et le problème de surcharge d'information risque même de s'aggraver avec le temps.

C'est en référence à Thomas Robert Malthus, économiste classique du XIXe siècle qui affirmait que le nombre d'habitants croît de façon géométrique alors que la quantité de nourriture ne croît que de façon linéaire, qu'Ethiel de Sola Pool (1984) parlait déjà, il y a plus de quinze ans, d'une loi malthusienne de l'information. Si l'offre d'information s'accroît de façon exponentielle, la quantité consommée ne s'accroît, dans le meilleur des cas, que de façon linéaire. Ce qui s'explique, évidemment, par les limites de nos capacités mentales et du temps dont nous disposons pour traiter l'information. On peut également avancer l'idée, à la suite de Varian (1998), d'une loi de Gresham de l'information. Thomas Gresham affirmait, au XVIe siècle, que la mauvaise monnaie chasse la bonne. De la même façon, on peut dire que la mauvaise information chasse la bonne. Des informations bon marché et de faible qualité sur Internet peuvent causer de sérieux problèmes aux fournisseurs de contenu de haute qualité[19]. Mais le véritable problème est peut-être que la mauvaise information devrait être vendue à rabais, et la bonne — de qualité, à jour, pertinente et utile — à prix fort. Mais tant que le consommateur ne disposera pas de tous les outils et moyens nécessaires pour faire un choix éclairé en la matière, c'est-à-dire lui permettant de distinguer la bonne de la mauvaise qualité, le problème sera important et risque de tirer vers le

---

19. À ce titre, Varian mentionne l'exemple de Microsoft, qui a littéralement sorti du marché l'Encyclopedia Brittanica, un produit pourtant de qualité nettement supérieure, en offrant Encarta à 49 $ US.

bas, en direction du plus petit commun dénominateur, la qualité d'ensemble des contenus accessibles sur Internet.

4.5 Un potentiel d'élargissement des marchés

Pour conclure, il est évident que la question de l'impact des nouvelles technologies sur la filière est complexe. Pour y voir un peu plus clair, il faut d'abord considérer la pluralité et la diversité des technologies proposées, et ensuite distinguer les secteurs qui sont le plus susceptibles d'être affectés, et la façon dont ils peuvent l'être. Ainsi, l'impact et le potentiel de développement de ces technologies sont fort différents selon le type de numérisation en cause (quel secteur est évité, dans quel but et avec quel avantage) et, aussi, le type de contenu numérisé, la différence étant grande entre un contenu scientifique et technique, par exemple, et un contenu plus strictement littéraire.

S'il est vrai qu'à long terme ces nouvelles technologies contiennent les germes d'une profonde transformation de la filière du livre (qu'il s'agisse de la disparition de certains acteurs, voire de secteurs entiers, ou de l'apparition de nouveaux joueurs jusqu'alors étrangers au domaine), il faut toutefois comprendre qu'elles recèlent également un riche potentiel d'élargissement global du marché. Les librairies en ligne pourraient ainsi fournir un accès élargi au livre pour des clientèles aux besoins précis, ou qui fréquentent peu (ou moins souvent qu'ils ne le désireraient) les librairies traditionnelles. Des segments de marché trop étroits pour être économiquement viables par la diffusion traditionnelle pourraient être dynamisés par l'impression à la demande et l'édition numérique. Par cette même impression à la demande, la diversité des contenus pourrait être solidement élargie, en rendant de nouveau disponibles des titres épuisés dont la faible demande ne justifie pas de réimpression massive. Enfin, tout contenu volumineux, coûteux à produire, confronté à une demande parcellisée ou prenant la forme d'une base de données, pourrait se voir ouvrir une voie royale de diffusion par l'édition ou le livre numériques.

Mais, et c'est un « mais » important, pour l'ensemble de la production à gros volume, la chaîne traditionnelle reste essentielle, et probablement pour longtemps encore, d'autant plus que le volume minimal techniquement rentable tend à se réduire.

À cet égard, tout n'a pas été dit et fait en matière de nouvelles technologies. Un riche potentiel — d'ailleurs beaucoup plus immédiat que tous les cas de figure que nous venons d'évoquer — d'accroissement de l'efficacité à produire, à distribuer et à vendre des livres nombreux et diversifiés, réside dans le partage intersectoriel des informations de base et dans la synchronisation des activités. Bref, dans le développement des échanges de données informatisées entre secteurs. Une meilleure gestion de l'approvisionnement, notamment, peut être mise en place lorsque les intervenants connaissent en temps réel l'inventaire des entreprises avec lesquelles ils font affaire, ce qui est à la base même d'une gestion visant à se rapprocher d'un système à flux tendus. Or seul un tel système est sans doute à même de permettre la gestion de la diversité croissante du livre tout en contenant l'augmentation tendancielle du taux de retour.

Ce qui nécessite un élargissement et un approfondissement de l'informatisation des entreprises. De ce point de vue, il y a encore beaucoup de travail à faire du côté des librairies et des éditeurs, en particulier. Il est également nécessaire d'améliorer l'interconnexion des entreprises et des secteurs, tout comme la compatibilité des systèmes et des pratiques. Pour cela, la concertation intersectorielle est essentielle. La Banque de titres de langue française (BTLF), susceptible, à terme, de recenser l'ensemble des titres francophones disponibles, pourrait constituer un point d'ancrage pour l'ensemble de la filière. Il s'agit d'un outil essentiel, même si ses difficultés d'exploitation, notamment mais non exclusivement sur le plan financier, sont loin d'être réglées. L'État devra probablement continuer pendant un bon moment à soutenir cet organisme et à inciter les entreprises à s'abonner à ses services (SODEC, 2000).

C'est donc bel et bien de complémentarité et de potentiel d'élargissement des marchés qu'il faut parler en matière de nouvelles technologies. Il faut aussi parler de complexification et de raffinement de la filière, du renforcement de son intégration plutôt que de son éclatement. Éléments qui sont tous nécessaires pour répondre à la nécessité de rejoindre de plus en plus de gens aux besoins et aux goûts de plus en plus diversifiés, tout en le faisant de façon plus efficace. À ce titre, le processus de numérisation ne fera pas disparaître les intermédiaires. Tout au plus les cartes seront-elles redistribuées. Car derrière ces intermédiaires se profile le rôle essentiel des métiers, qu'il s'agisse de l'édition, de la diffusion-distribution ou de la vente/mise en contact direct du contenu avec le consommateur.

CHAPITRE 5

L'édition

Dans ce chapitre, nous proposons une lecture économique et financière du secteur de l'édition au Québec. Pour ce faire, nous utiliserons trois principales sources de données, lesquelles nous permettront d'aborder successivement la production de livres, les éditeurs agréés et l'ensemble des éditeurs actifs au Québec.

D'abord, tout éditeur qui publie un document au Québec doit en déposer deux exemplaires à la Bibliothèque nationale du Québec (BNQ) en vertu de la loi. Les informations recueillies lors du dépôt sont compilées par la BNQ, qui produit chaque année un portrait statistique de l'édition au Québec. On y recense, notamment, la production annuelle de livres et de brochures[1], leurs tirages et leurs prix. Toutefois, seules les éditions et rééditions font l'objet d'une compilation, les réimpressions, soit les tirages d'une même édition qui ne comportent pas de modifications au contenu ou à la présentation, n'étant pas soumises au dépôt légal. En 1999, la BNQ recensait 1 536 éditeurs commerciaux, c'est-à-dire individus ou entreprises qui font de l'édition leur activité principale ou qui ont déposé au moins une publication, livre ou brochure. Le nombre de véritables entreprises commer-ciales actives est évidemment beaucoup plus réduit, comme nous le verrons. En terme de production totale de livres au Québec, la BNQ constitue néanmoins la source la plus complète et la plus fiable[2].

---

1. Selon la définition retenue par la BNQ (reprise de l'UNESCO), une brochure est une publication imprimée, non périodique et comptant au moins 5 pages mais pas plus de 48. Un livre compte au moins 49 pages.

2. L'année de dépôt d'un titre à la BNQ et celle de sa publication effective ne correspondent pas toujours, cependant, certains des titres déposés en 1999 ayant pu être publiés en 1998

La Loi sur le développement des entreprises québécoises dans le domaine du livre (loi 51) stipule que toute aide financière gouvernementale ne peut être octroyée qu'à des maisons d'édition titulaires d'un agrément délivré en vertu de la loi. Les titulaires de l'agrément sont tenus de présenter annuellement au ministère de la Culture et des Communications un rapport d'agrément, lequel comprend des informations de base sur leur production et leurs revenus, ainsi que leurs états financiers. L'examen de ces dossiers nous a permis de recenser, pour l'année financière 1998-1999, 113 éditeurs agréés au Québec[3]. La nécessité de détenir un agrément pour avoir accès à l'aide gouvernementale fait en sorte que les éditeurs agréés représentent la majorité des éditeurs commerciaux actifs de propriété québécoise. Et les documents déposés foisonnent d'informations économiques et financières détaillées qui font de ces documents des sources de données riches et de qualité que nous utiliserons abondamment.

Enfin, Statistique Canada mène régulièrement une enquête sur les éditeurs, de façon annuelle jusqu'en 1994-1995 et bisannuelle par la suite. Cette enquête permet de dresser, pour l'ensemble des éditeurs actifs au Québec, un portrait de la production et des principaux postes de revenus et de dépenses, ainsi que la répartition des ventes en fonction des principales catégories de clients. Définissant une maison d'édition par le choix réel d'ouvrages, la présence d'accords contractuels avec les auteurs, la mise en vente par un réseau de distribution et la prise en charge véritable du risque financier, Statistique Canada recensait, en 1998-1999, 216 éditeurs au Québec, en plus de repérer 18 diffuseurs exclusifs[4]. Statistique Canada n'excluant plus de son enquête, depuis 1996-1997, les entreprises qui ont moins de 50 000 $ de recettes, et ayant significativement élargi sa base d'enquête en 1998-1999, ce corpus de données est fort probablement le plus exhaustif que l'on puisse souhaiter, à défaut d'être très détaillé. Nous l'utiliserons donc afin de connaître la population de référence pour l'ensemble des éditeurs commerciaux présents et actifs au Québec.

---

ou en 2000. Mais selon la BNQ, plus de 80 % des titres sont effectivement publiés la même année que leur dépôt.

3. Pour être plus précis, nous avons recensé 113 éditeurs agréés ayant fourni les documents requis, notamment des états financiers de 12 mois dont la clôture s'échelonnait entre le 1er avril 1998 et le 31 mars 1999.

4. Entreprise assurant, de manière exclusive pour un territoire donné, la commercialisation d'un ouvrage.

5.1 L'évolution de la production de livres au Québec

PRODUCTION EN HAUSSE ET BAISSE DES TIRAGES MOYENS

On trouvera au Tableau 5.1 quelques données caractérisant la production de nouveaux livres au Québec entre 1989 et 1999. On peut d'abord constater que l'augmentation du nombre de nouveautés, en dépit d'une légère baisse en 1999, est constante sur l'ensemble de la période, ceux-ci étant passés de 2 757 titres à 3 775, soit une croissance annuelle moyenne de 3,2 %. Le nombre de titres par 100 000 habitants passe ainsi de 40 à 51 entre ces deux années, ce qui est un résultat sensiblement supérieur à celui des États-Unis (20,0), du Canada hors Québec (34,1) et même de la France (47,6)[5].

Tableau 5.1 L'édition commerciale au Québec, principaux indicateurs, 1989-1999

	1989	1992	1995	1996	1997	1998	1999	TCAM[1] 1989-1999
Nombre de titres[2]	2 757	3 014	3 546	3 708	3 796	3 825	3 775	3,2 %
Nbr de titres/ 100 000 habitants	39,8	42,4	49,0	51,0	51,9	52,1	51,4	2,6 %
Tirage total (milliers d'exemplaires)	8 405	12 532	12 098	10 061	10 549	8 889	8 318	-0,001 %
Tirage moyen/titre	3 049	4 158	3 412	2 713	2 779	2 324	2 203	-3,2 %
Prix moyen	26,12 $	26,15 $	25,03 $	23,81 $	23,74 $	25,57 $	25,53 $	-0,002 %
Total, en excluant la catégorie « cuisine et hôtellerie » :								
Nombre de titres[2]	2 684	2 956	3 443	3 617	3 701	3 736	3 702	3,3 %
Tirage total (milliers d'exemplaires)	7 699	10 289	10 215	9 209	10 294	8 586	7 933	0,003 %
Tirage moyen/titre	2 868	3 481	2 967	2 546	2 782	2 298	2 143	-2,9 %

1. Taux de croissance annuel moyen.
2. Nouvelles parutions et rééditions (livres seulement).

Source : Bibliothèque nationale du Québec.

---

5. Fortin (1998) pour les États-Unis, Statistique Canada pour le reste du Canada et Syndicat national de l'édition, in *Mini chiffres clés*, ministère de la Culture et de la Communication, pour la France.

Quant au tirage total[6], il augmente entre 1989 et 1992, mais il chute régulièrement par la suite, glissant à 8,3 millions d'exemplaires en 1999, soit sous le niveau de 1989 (8,4 millions). Le tirage moyen passe de ce fait de 3 049 exemplaires en 1989 à 4 158 en 1992, avant de chuter jusqu'à 2 203 en 1999, ce qui correspond à une baisse de 3,2 % par an en moyenne entre 1989 et 1999, mais de 5,7 % par an entre 1992 et 1999.

Le prix moyen (prix de détail suggéré par l'éditeur) n'affiche pas de tendance claire sur l'ensemble de la période. Signalons toutefois qu'il s'agit d'une moyenne arithmétique, c'est-à-dire une moyenne du prix de chaque titre, non pondérée par leur tirage, et n'incluant pas les réimpressions, lesquelles sont importantes, comme nous le verrons à la section suivante. Cet indicateur est donc peu représentatif de l'évolution du prix de l'ensemble du marché.

Il faut également mentionner que ces données souffrent d'une forte distorsion créée par la catégorie « cuisine et hôtellerie », dont les variations sont majeures et ne trouvent aucun équivalent dans le reste du marché[7]. Comme on peut le voir dans la seconde partie du Tableau 5.1, l'exclusion de cette catégorie aplanit sensiblement la croissance des tirages de 1989 à 1992, de même que la décroissance entre 1992 et 1999. Elle ne modifie toutefois pas le constat général pour l'ensemble de la période : on assiste toujours à une très forte hausse du nombre de titres (3,3 % par année) et à une baisse significative du tirage moyen (-2,9 %).

Signalons que la même tendance, quoiqu'un peu moins accentuée du côté du tirage moyen, est également visible en France. Selon le Syndicat national de l'édition (SNE), le nombre de titres a progressé en moyenne de 3,0 % par année entre 1991 et 1998, tandis que le tirage moyen chutait de 0,4 % par an[8].

Le portrait est évidemment différencié lorsqu'on partage la production en catégories éditoriales, comme on peut le voir au Tableau 5.2. La catégorie

---

6. Rappelons que la BNQ ne recense que les nouvelles éditions et les rééditions, les réimpressions n'étant pas soumises au dépôt légal. Tout au long de cette section, la notion de tirage fait donc référence au premier tirage.

7. Qu'on en juge plutôt : 58 titres et 2,3 millions d'exemplaires en 1992 et 103 titres et 1,9 million d'exemplaires en 1995, contre 73 titres et 385 000 exemplaires en 1999.

8. La production française atteignait tout de même, en 1998, 27 922 nouveautés et rééditions et 22 969 réimpressions, pour un tirage moyen de 8 400 exemplaires. Syndicat national de l'édition, in *Mini chiffres clés*, ministère de la Culture et de la Communication, France.

« langues et littérature » domine largement l'ensemble, avec 40 % du nombre total de titres en 1999, suivie des catégories « philosophie, psychologie et religion », « histoire, géographie et anthropologie », « sciences, médecine et agriculture » et « sciences sociales et politique, droit », lesquelles représentent chacune entre 11 % et 14 % du nombre de nouveautés publiées en 1999. On notera que les plus fortes hausses de production ont touché les catégories « éducation » (7,1 % par année en moyenne depuis 1989), « histoire, géographie et anthropologie » (6,1 %) et « philosophie, psychologie et religion » (4,5 %). Également à noter, la forte poussée, au sein de la catégorie « langue et littérature » (3,6 %), des sous-catégories « roman » et « littérature jeunesse » (respectivement 8,1 % et 6,2 %). Seule la catégorie « bibliographie », numériquement peu importante, et la sous-catégorie « contes et nouvelles » affichent une baisse du nombre de titres publiés, avec respectivement -13,6 % et -0,5 %.

Un autre découpage, que l'on trouvera dans la seconde partie du Tableau 5.2, est également instructif, en ce qu'il permet d'isoler l'ensemble de la production jeunesse (regroupement plus large que la sous-catégorie « littérature jeunesse ») et la production de manuels scolaires de niveaux primaire et secondaire. La production de brochures étant importante et représentative du réel marché dans ces deux secteurs, nous l'avons également incluse. On remarque d'abord, dans l'édition jeunesse, la forte hausse du nombre de titres pour les livres entre 1989 et 1999 (6,8 % par année en moyenne), mais faible pour les brochures (0,7 %). Quant au manuel scolaire, la production de livres est en baisse (-2,2 %), mais seulement depuis 1998, de même que des brochures (-3,1 %), dont la production est, relativement parlant, beaucoup plus faible que dans l'édition jeunesse. Il faut toutefois mentionner que dans ces deux secteurs, comme nous le verrons dans la section suivante, les réimpressions sont plus nombreuses que les nouveautés.

Tout comme pour le nombre de titres, les tirages moyens des nouveautés et des rééditions sont également assez différenciés selon les catégories. Comme on peut le voir au Tableau 5.3, ce sont les catégories « technologie » (-7,7 % par année en moyenne sur l'ensemble de la période), « sciences sociales et politiques, droit », « sciences, médecine et agriculture » (toutes deux à -5,2 %) et « musique et beaux-arts » (-4,8 %) qui sont les plus touchées par le phénomène de la baisse du tirage moyen. Seules les catégories « bibliographie » et « ouvrages généraux », qui comptent peu de titres produits, affichent des tirages en hausse.

Tableau 5.2 Nombre de titres[1] par catégorie, édition commerciale, 1989-1999

	1989	1992	1995	1996	1997	1998	1999	TCAM[2] 89-99
Ouvrages généraux	3	8	13	15	11	5	6	7,2%
Philosophie, psychologie et religion	339	417	455	490	476	477	524	4,5%
Histoire, géogr. et anthropologie	277	309	387	441	428	478	500	6,1%
Sciences sociales et polit., droit	419	485	544	496	448	449	430	0,3%
Éducation	45	64	90	82	74	100	89	7,1%
Musique et beaux-arts	73	61	93	95	83	83	73	0,0%
Langue et littérature	1 058	1 090	1 253	1 287	1 452	1 504	1 511	3,6%
Poésie	155	135	193	150	168	211	217	3,4%
Roman	212	272	315	360	380	433	462	8,1%
Contes, nouvelles	68	57	45	68	70	58	65	-0,5%
Littérature jeunesse	160	228	274	248	317	315	292	6,2%
Sciences, médecine et agriculture	360	461	474	502	571	536	443	2,1%
Technologie	127	104	217	261	233	164	176	3,3%
Bibliographie	56	15	20	39	20	21	13	-13,6%
Total	**2 757**	**3 014**	**3 546**	**3 708**	**3 796**	**3 825**	**3 775**	**3,2%**
Édition jeunesse[3]								
Livres	177	278	348	322	398	358	343	6,8%
Brochures[4]	368	453	473	325	392	407	394	0,7%
Édition de manuels scolaires[5]								
Livres	379	395	387	441	483	461	304	-2,2%
Brochures[4]	135	68	95	160	138	61	99	-3,1%

1. Nouvelles parutions et rééditions.
2. Taux de croissance annuel moyen.
3. Monographies destinées aux jeunes de 15 ans ou moins, hors manuel scolaire (cette catégorie diffère de la « littérature jeunesse », laquelle compte exclusivement des textes littéraires).
4. Moins de 50 pages.
5. Primaire et secondaire.

Source : Bibliothèque nationale du Québec.

Du côté de l'ensemble de l'édition jeunesse, le tirage moyen des livres, après une forte hausse entre 1989 et 1992, affiche une baisse constante par la suite. Quant aux brochures, leur tirage moyen est en hausse de 1989 à 1996, puis chute fortement. Sur l'ensemble de la période, le tirage moyen des livres est en chute, à -0,6 % par année en moyenne, mais celui des brochures affiche tout de même une hausse de 3,7 % par an. Dans un cas comme dans l'autre, les tirages moyens de l'édition jeunesse sont entre deux et trois fois supérieurs à la moyenne de l'édition québécoise. Les manuels scolaires, de leur côté,

Tableau 5.3 Tirage moyen[1] par catégorie, édition commerciale, 1989-1999

	1989	1992	1995	1996	1997	1998	1999	TCAM[2] 89-99
Ouvrages généraux	1 785	5 231	8 631	6 441	18 847	630	20 091	27,4 %
Philosophie, psychologie et religion	3 246	2 704	2 293	2 106	3 034	2 263	2 528	-2,5 %
Histoire, géogr. et anthropologie	1 871	4 174	2 160	1 934	2 477	1 471	1 482	-2,3 %
Sciences sociales et polit., droit	2 289	3 054	1 816	1 533	1 730	1 375	1 341	-5,2 %
Éducation	1 880	1 363	1 634	1 855	1 282	1 890	1 350	-3,3 %
Musique et beaux-arts	2 824	2 082	9 031	3 558	3 310	1 342	1 728	-4,8 %
Langue et littérature	3 161	4 220	3 705	3 138	3 310	2 868	2 523	-2,2 %
Poésie	676	720	513	622	564	557	445	-4,1 %
Roman	2 451	2 338	1 997	1 912	1 886	1 795	2 168	-1,2 %
Contes, nouvelles	1 603	1 012	822	1 027	1 036	880	1 064	-4,0 %
Littérature jeunesse	5 771	11 317	10 239	7 582	8 425	6 068	5 243	-1,0 %
Sciences, médecine et agriculture	3 628	3 100	2 510	3 260	2 501	2 161	2 136	-5,2 %
Technologie	6 465	22 748	10 448	4 118	1 930	3 887	2 909	-7,7 %
Bibliographie	1 050	1 092	1 339	635	1 242	1 604	1 874	6,0 %
Total	**3 049**	**4 158**	**3 412**	**2 713**	**2 779**	**2 324**	**2 203**	**-3,2 %**
Édition jeunesse[3]								
Livres	5 584	10 208	9 874	7 281	8 646	6 463	5 282	0,6 %
Brochures[4]	4 207	5 583	7 615	9 327	6 520	5 685	6 055	3,7 %
Édition de manuels scolaires[5]								
Livres	4 747	4 096	3 836	4 389	3 450	3 960	3 941	-1,8 %
Brochures[4]	3 773	1 864	3 078	4 961	3 511	2 756	4 707	2,2 %

1. Nouvelles parutions et rééditions.
2. Taux de croissance annuel moyen.
3. Monographies destinées aux jeunes de 15 ans ou moins, hors manuel scolaire (cette catégorie diffère de la « littérature jeunesse », laquelle compte exclusivement des textes littéraires).
4. Moins de 50 pages.
5. Primaire et secondaire.

Source : Bibliothèque nationale du Québec.

montrent un tirage moyen en baisse régulière pour les livres (-1,8 % en moyenne par an), tandis que le tirage moyen des brochures, quoique globalement en hausse, montre une évolution en dents de scie. Le tirage moyen des livres scolaires demeure tout de même près de deux fois supérieur au tirage moyen de l'ensemble de l'édition au Québec.

Comme nous l'avons mentionné, l'évaluation du prix moyen — par la Bibliothèque nationale du Québec — souffre de grandes limitations lorsqu'il s'agit d'examiner son évolution au cours des ans. Néanmoins, ces données

Tableau 5.4 Prix moyen[1] des livres par catégorie éditoriale, édition commerciale, 1999

	Nombre de titres	Prix moyen
Ouvrages généraux	6	21,85 $
Philosophie, psychologie et religion	533	20,98 $
Histoire (sciences auxiliaires)	145	68,51 $
Histoire (sauf Amérique)	40	30,14 $
Histoire (Amérique)	52	23,30 $
Histoire (Canada)	146	29,24 $
Géographie, anthropologie	117	22,41 $
Sciences sociales	300	26,95 $
Science politique	29	27,78 $
Droit	102	43,83 $
Éducation	89	29,50 $
Musique	24	30,65 $
Beaux-Arts	49	40,40 $
Langue et littérature	1 511	19,39 $
Langues, linguistique	204	33,84 $
Poésie	217	16,51 $
Théâtre	45	14,86 $
Roman	462	19,25 $
Contes, nouvelles	65	16,69 $
Littérature jeunesse	292	10,16 $
Sciences	257	32,56 $
Médecine	154	26,07 $
Agriculture	32	26,25 $
Technologie	168	24,37 $
Sciences militaires et navales	8	32,84 $
Bibliographie	13	27,10 $
Total	**3 775**	**25,53 $**
Édition jeunesse[2]		
Livres	343	11,17 $
Brochures[3]	394	9,77 $
Édition de manuels scolaires[4]		
Livres	304	36,99 $
Brochures[3]	99	13,55 $

1. Nouvelles parutions et rééditions ; moyenne arithmétique (non pondérée par le tirage).
2. Monographies destinées aux jeunes de 15 ans ou moins, hors manuel scolaire (cette catégorie diffère de la « littérature jeunesse », laquelle compte exclusivement des textes littéraires).
3. Moins de 50 pages.
4. Primaire et secondaire.

Source : Bibliothèque nationale du Québec.

demeurent utiles pour comparer les écarts de prix absolus entre différentes catégories de livres. De plus, les distorsions sont fort probablement amoindries lorsque le prix est évalué pour des groupes de livres relativement homogènes, ce que constituent, au moins en théorie, les catégories éditoriales.

Comme on peut le constater à la lecture du Tableau 5.4 — et comme nous l'avions supposé au chapitre 3 à propos de la segmentation de la production et de la détermination des prix de référence pour chaque segment — les écarts de prix entre catégories sont marqués[9].

Des catégories comme l'histoire, le droit, les beaux-arts, l'éducation et les sciences ou, de manière plus générale, les manuels scolaires, affichent des prix nettement supérieurs à la moyenne. À l'inverse, l'édition jeunesse (qu'il s'agisse de la littérature-jeunesse ou de l'ensemble de la production jeunesse), de même que l'ensemble de la littérature (roman, théâtre, poésie, contes et nouvelles), se vendent à des prix sensiblement inférieurs à la moyenne.

Ces données de la BNQ permettent de facilement démontrer la présence d'écarts de prix entre catégories éditoriales et la relative stabilité de ces écarts dans le temps. En revanche, les indices de prix de Statistique Canada sont beaucoup plus utiles pour examiner l'évolution réelle des prix de l'ensemble du marché.

ÉVOLUTION CONTRASTÉE DES PRIX DE DÉTAIL ET DES PRIX DE GROS

Rappelons qu'en matière de prix du livre, l'indice le plus désagrégé disponible pour le Québec est celui du matériel de lecture et autres imprimés, ce qui comprend tout à la fois les livres et les brochures, les journaux, et les revues et magazines. Pour l'ensemble du Canada, nous disposons d'indices beaucoup plus précis : l'indice des prix à la consommation du livre hors manuel scolaire (IPC)[10], l'indice des prix industriels du livre (IPI, ou prix de gros, c'est-à-dire le prix de vente des distributeurs) et l'indice des prix industriels de l'édition (qui retrace l'évolution des prix pour l'ensemble des activités des éditeurs)[11].

---

9. On trouvera dans ce tableau une liste beaucoup plus désagrégée que dans les tableaux précédents, le mode de calcul du prix moyen de la BNQ ne nous permettant pas d'opérer les agrégations pertinentes.

10. Ceux-ci possèdent leur propre indice de prix, mais depuis 1995 seulement.

11. Rappelons ici que nous avions établi, au chapitre 3, qu'il y a tout lieu de penser que l'évolution des prix du livre au Canada reflète assez bien celle des prix du livre au Québec.

Comme nous l'avions constaté au chapitre 3 — et comme on peut le voir au Tableau 5.5 — le prix relatif du livre, au détail, est en hausse. L'IPC du livre, en effet, à 4,3 % par année, progresse plus rapidement entre 1985 et 1999 que l'IPC de l'ensemble de l'économie (2,8 %). Dans un cas comme dans l'autre, l'inflation s'est sensiblement réduite après 1991. La hausse du prix relatif du livre, lequel est obtenu en soustrayant de l'IPC du livre l'IPC de l'ensemble de l'économie, se réduit également d'une période à l'autre, passant de 2,3 % par année, entre 1985 et 1991, à 0,8 % entre 1991 et 1999.

L'évolution des indices des prix industriels (prix de gros) est fort intéressante. D'une part, on note qu'il y a fort peu d'écart entre l'évolution du prix de gros du livre et celle du prix de gros de l'ensemble du secteur de l'édition ; ce qui souligne, évidemment, la grande part occupée par la vente de livres dans l'activité totale des éditeurs. D'autre part, on notera qu'au contraire de l'IPC, l'inflation du prix de gros du livre est stable, avant comme après 1991. De ce fait, de 1985 à 1991, le prix de détail du livre progresse plus rapidement que le prix de gros (7,0 % par année contre 3,9 %), mais la situation est inversée par la suite, le prix de détail progressant moins rapidement entre 1991 et 1999 (2,3 % par année) que le prix de gros (3,9 %). Comme on peut le voir à la Figure 5.1, les deux courbes de prix (IPC livre et IPI livre) tendent ainsi à s'éloigner l'une de l'autre jusqu'en 1991, puis à se rapprocher après 1991.

Ce que signifie cette évolution contrastée des indices de prix du livre, c'est que les marges avaient tendance à se comprimer en amont (dans le secteur de l'édition) avant 1991 (le prix de gros du livre progressant moins rapidement que le prix de détail), alors qu'elles ont tendance à se comprimer en aval depuis (le prix de détail du livre progressant moins rapidement que le prix de gros).

Que faut-il en conclure ? D'abord, il convient de mentionner que l'on retrouve sensiblement les mêmes tendances à l'étranger (SECOR, 1998). En France, l'indice de prix du livre (hors scolaire) est presque systématiquement supérieur à l'IPC d'ensemble, tout comme en Allemagne et au Royaume-Uni. Il en va un peu différemment aux États-Unis, où la hausse du prix de détail du livre est à peu près identique à celle de l'IPC d'ensemble entre 1985 et 1997 (3,2 % par année en moyenne pour le livre, contre 3,3 % pour l'IPC). En revanche, on retrouve le même mouvement de compression des marges en aval, la croissance des prix de gros ayant été de 4,2 % par année en moyenne entre les mêmes années.

Tableau 5.5 Indices de prix du livre, Canada, 1989-1999 (Taux de croissance annuels)

	Indices de prix à la consommation (IPC)[1]		Indices de prix industriels (IPI)[2]	
	Ensemble de l'économie	Livres, brochures et autres imprimés[3]	Livres, brochures et autres imprimés	Édition
1999	1,7%	2,1%	2,5%	2,5%
1998	0,9%	0,0%	5,0%	4,6%
1997	1,6%	2,9%	2,4%	2,4%
1996	1,6%	2,3%	2,7%	2,6%
1995	2,2%	5,0%	5,1%	4,4%
1994	0,2%	3,1%	6,3%	4,1%
1993	1,8%	1,9%	5,4%	4,2%
1992	1,5%	0,9%	1,9%	3,5%
1991	5,6%	11,5%	2,2%	4,7%
1990	4,8%	5,8%	2,9%	4,1%
1989	5,0%	3,1%	3,7%	3,8%
1988	4,0%	4,6%	4,6%	4,5%
1987	4,4%	10,5%	5,3%	5,3%
1986	4,1%	6,8%	4,8%	4,6%
TCAM[4]				
1985-1999	2,8%	4,3%	3,9%	4,0%
1985-1991	4,7%	7,0%	3,9%	4,5%
1991-1999	1,5%	2,3%	3,9%	3,6%

1. Prix de détail.
2. Prix de gros : prix de vente du distributeur.
3. Hors manuel scolaire.
4. Taux de croissance annuel moyen.

Source : Statistique Canada (CANSIM, matrices 9962, 9957 et 1873).

En l'absence de hausses systématiques du prix des matières premières et des services nécessaires à la production matérielle des livres[12], force nous est de conclure que c'est l'efficacité même du secteur de l'édition qui est en cause dans la forte hausse des prix de gros. Cela s'explique aisément : avec une quantité de nouveautés en hausse et un tirage moyen en baisse, les coûts unitaires moyens s'élèvent forcément. Ce qui, à structure de coûts fixes et

12. Les données américaines sont éclairantes à cet égard : l'indice de prix de l'industrie de l'édition, entre 1989 et 1998, progresse de 4,2 % par an en moyenne, tandis que celui de l'industrie de l'impression de livres ne progresse que de 2,3 %, et celui du papier, de 1,3 %. Dans ce dernier cas, en particulier, à l'exception d'une forte hausse enregistrée en 1995, les prix sont constamment en baisse ou en très faible croissance. L'IPC d'ensemble, quant à lui, s'est élevé de 3,1 % par année, en moyenne, entre 1989 et 1998 (*U.S. Bureau of Labor Statistics*).

Figure 5.1 Indices de prix du livre, Canada, 1985-1999 (Base 1985 = 100[1])

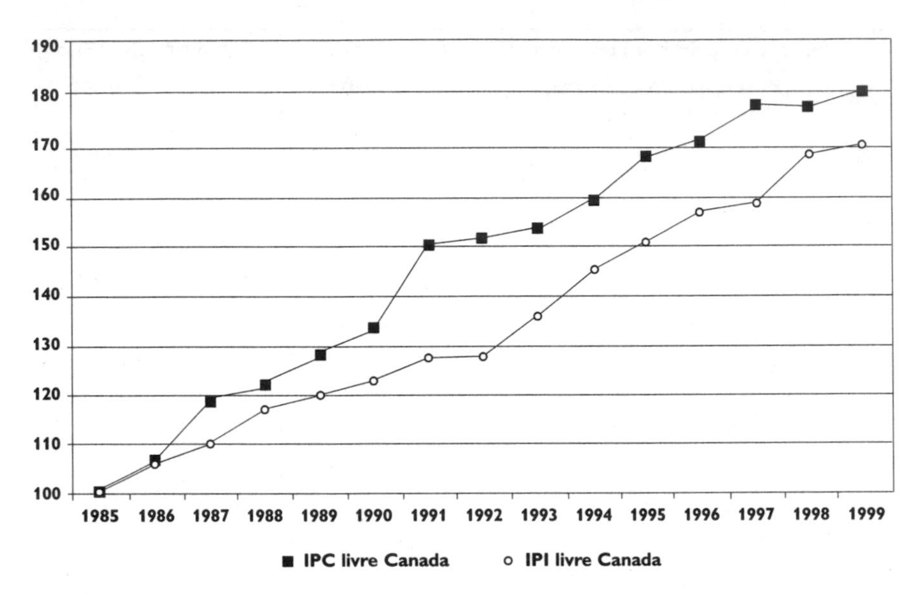

1. L'indice des prix a été ramené d'une base 1992=100 à une base 1985=100 à seule fin de faciliter la lecture.

Source : Statistique Canada (CANSIM, matrices 9957 et 1873).

généraux inchangée, pèse évidemment sur les marges bénéficiaires. La fuite en avant (accroître encore le nombre de nouveautés) et la hausse des prix constituent dès lors les deux voies de sortie les plus évidentes pour un éditeur placé devant ce problème. Toutefois, cette solution individuelle, lorsqu'elle est appliquée par tous, ne fait évidemment qu'aggraver le problème collectif.

Il est plus difficile d'expliquer la dynamique en jeu dans la compression apparente des marges en aval. On pourrait, du moins en partie, l'expliquer par une plus grande efficacité dans la mise en marché des livres (une hausse de productivité)[13] et par la transformation structurelle du commerce au détail. On pense évidemment, dans ce dernier cas, à l'accroissement de la part occupée, depuis le milieu des années 1990, par les commerces fonctionnant avec des marges plus faibles et par les chaînes de librairies. Qu'il s'agisse de l'impact direct des rabais offerts par ceux-ci sur le prix moyen ou des pres-

13. Hypothèse difficile à justifier pour les librairies, dans le contexte d'un nombre grandissant de nouveautés mises en office se partageant des ventes globales en baisse, à quoi s'ajoutent des retours qui seraient en hausse, selon la majorité des intervenants. Néanmoins, comme nous le verrons au chapitre 7, les librairies indépendantes semblent montrer une certaine amélioration de leur efficacité depuis trois ans.

sions concurrentielles incitant les autres commerçants à abaisser également leurs prix, les « guerres de prix » qui en résultent, même si elle se limitent à quelques centaines de titres, se traduisent directement par des pressions à la baisse sur les profits des librairies. Ces dernières n'ont alors d'autres choix que d'augmenter leurs ventes de produits autres que le livre ou de réduire leurs dépenses, au premier plan desquelles se trouvent les charges de main-d'œuvre et les stocks en magasins. Nous reviendrons sur cette question au chapitre 7.

5.2 Les éditeurs agréés au Québec

Dans cette section, nous examinerons en détail la production, les revenus et les dépenses, de même que les principales données financières des éditeurs agréés au Québec, à partir des données présentes dans les rapports d'agrément et les états financiers des entreprises. Ayant compilé et analysé ces données pour l'année financière 1998-1999[14], il nous a semblé utile d'en comparer les résultats, lorsque la chose était possible, avec les compilations du ministère pour les années 1983, 1986, 1989, 1992 et 1995. Nous pourrons ainsi avoir une évaluation assez juste de l'évolution de la production et des principaux postes de revenus des éditeurs agréés depuis 1983. Dans une seconde étape, nous procéderons à une analyse plus fine des états financiers de 1998-1999.

ÉVOLUTION DE LA PRODUCTION ET DES REVENUS

Comme on peut le voir au Tableau 5.6, le nombre d'éditeurs agréés est en forte hausse, étant passé de 70 en 1983 à 113 en 1998. Cette hausse a surtout été marquée lors de deux périodes, soit la seconde moitié des années 1980 et la seconde moitié des années 1990.

---

14. Comme toute étude reposant sur les déclarations volontaires des entreprises, les données n'étaient pas toujours complètes et, en ce qui concerne les états financiers, tous les postes n'étaient pas forcément homogènes, ce qui peut entraîner un certain nombre de biais. Des estimations ont été opérées, dans certains cas, pour combler les données manquantes et obtenir un portrait global. Certaines de ces estimations (données sur la production) furent faites sur une base sectorielle avant d'être additionnées pour former le portrait global. Nous n'avons pas, dans les tableaux présentés dans cette section, systématiquement inclus le nombre de répondants à chacune des entrées, pour ne pas alourdir inutilement la présentation des tableaux. Soulignons cependant que le plus faible taux de réponse à un poste était de 70 % (79 sur 113), ce qui répond à des critères de performance statistique satisfaisants. Pour une population de 113, la taille de l'échantillon requis pour un seuil de confiance de 95 %, neuf fois sur dix, est de 52 éditeurs, soit 46 % du total.

L'évolution du nombre de nouveautés et des tirages totaux et moyens ne causera guère de surprises, les données étant la réplique presque exacte des données de la BNQ. En 1998, la production des éditeurs agréés représentait 74 % de la production québécoise de nouveautés et de rééditions (2 829 titres sur 3 825) et 92 % du tirage total (8,2 millions d'exemplaires sur 8,9 millions)[15]. Quant au tirage moyen, il était de 2 909 pour les éditeurs agréés, contre 2 324 pour l'ensemble du Québec. Les données du Tableau 5.6 incluant cependant les réimpressions, elles nous permettent d'affiner quelque peu notre jugement.

Le nombre de nouveautés et de réimpressions est en accroissement rapide et constant depuis 1983, tandis que le nombre de rééditions est à peu

Tableau 5.6 Production des maisons d'édition agréées au Québec, 1983-1998 (en unités)

	1983	1986	1989	1992	1995	1998
Nombre d'entreprises	70	73	85	93	98	113
Nombre de titres édités						
Nouveautés	1 144	1 359	1 656	1 887	2 217	2 829
Réimpressions	666	1 240	1 418	1 913	2 105	3 292
Rééditions	96	102	113	112	126	120
Total	1 906	2 701	3 187	3 912	4 448	6 242
Tirage						
Nouveautés	4 197 923	4 040 913	5 443 615	6 800 937	7 442 859	8 230 683
Réimpressions	3 021 052	4 470 265	5 253 734	6 802 245	7 880 337	7 064 556
Rééditions	485 820	311 759	347 321	410 861	658 396	292 641
Total	7 704 795	8 822 937	11 044 670	14 014 043	15 981 592	15 587 880
Tirage moyen						
Nouveautés	3 670	2 973	3 287	3 604	3 357	2 909
Réimpressions	4 536	3 605	3 705	3 556	3 744	2 146
Rééditions	5 061	3 056	3 074	3 668	5 225	2 439
Total	4 042	3 267	3 466	3 582	3 593	2 498

Source : Rapports d'agrément ; compilation : 1983 à 1995 : Hardy (1998) ; 1998 : SODEC.

15. Ce dernier pourcentage semble élevé, mais signalons que la concordance temporelle entre ces deux séries de données n'est pas parfaite, puisqu'il s'agit dans un cas de l'année « calendrier » de 1998 et dans l'autre de l'année fiscale 1998-1999 (clôtures des bilans s'échelonnant du 1er avril 1998 au 31 mars 1999).

près stable depuis 1989. Les réimpressions ont toutefois progressé beaucoup plus vite (11,2 % par année en moyenne depuis 1983) que les nouveautés (6,2 % par année), au point de dépasser pour la première fois, en 1998, le nombre de nouveautés, alors qu'en 1983, ces dernières étaient près de deux fois plus nombreuses.

Le tirage total est également en hausse, étant passé de 7,7 millions d'exemplaires en 1983 à 15,6 millions en 1998, mais il progresse faiblement à partir de 1992, et régresse même depuis 1995. De ce fait, les tirages moyens, en chute sensible dans les années 1980, puis à peu près stables entre 1989 et 1995, s'effondrent entre 1995 et 1998, de -4,7 % par année pour les nouveautés (de 3 357 à 2 909) et d'un impressionnant -16,9 % pour les réimpressions (de 3 744 à 2 146).

Bien sûr, le fait que les réimpressions progressent plus rapidement que les nouveautés pourrait démontrer que les ventes de fonds sont en croissance chez les éditeurs. Cette meilleure exploitation des catalogues ne semble toutefois pas être le seul élément en cause. En effet, tout se passe comme si, depuis le milieu des années 1990, les éditeurs agréés produisaient toujours plus de nouveautés, mais avec des premiers tirages plus courts, qu'ils relançaient, lorsque la demande le justifiait, par de plus fréquentes réimpressions, chacune de plus faible tirage. Ce qui, au-delà de la faiblesse apparente de la demande et d'une segmentation accrue du marché, pourrait également être le signe d'un effort, de la part des éditeurs, de mieux contrôler leurs stocks et de se rapprocher le plus possible d'une gestion en flux tendus. À cet égard, les récentes évolutions dans le domaine de l'imprimerie tendent à faciliter ce mouvement, les petits tirages étant plus accessibles et de plus en plus abordables.

En ce qui concerne l'évolution des revenus totaux (Tableau 5.7), on notera qu'ils sont en hausse régulière, de 62 millions de dollars en 1983 à 184 millions en 1998, soit une hausse annuelle moyenne de 7,5 %. Les ventes de livres représentaient une part à peu près stable de ce total, de 75 % à 78 % entre 1992 et 1998 (144 millions en 1998), dont 13-14 % étaient constituées de ventes à l'étranger (24 millions en 1998). Soulignons que les revenus tirés d'autre chose que de la vente de livres provenaient, pour l'essentiel, d'activités liées au domaine du livre (librairie, diffusion et distribution, surtout).

Les subventions à l'édition, dont plus de 80 % proviennent de Patrimoine Canada et du Conseil des arts du Canada, sont globalement en hausse, représentant, selon les années, entre 5,3 % et 9,1 % des revenus totaux des éditeurs agréés (près de 15 millions de dollars en 1998). Si l'aide fédérale est

Tableau 5.7 Revenus des maisons d'édition agréées au Québec, 1983-1998

	1983	1986	1989	1992	1995	1998
En milliers de dollars						
Ventes totales	56 970,9	68 971,3	122 935,3	133 926,3	152 840,1	169 479,6
Ventes de livres	n.d.	n.d.	n.d.	110 726,0	126 752,2	144 070,7
Au Québec	n.d.	n.d.	n.d.	90 663,1	104 782,7	119 935,0
À l'étranger	n.d.	n.d.	n.d.	20 062,9	21 969,5	24 135,7
Autres ventes	n.d.	n.d.	n.d.	23 200,3	26 087,9	25 408.9
Subventions	5 271,6	6 439,3	6 842,5	9 553,3	15 360,1	14 728,6
Québec	450,9	821,5	1 176,7	2 480,7	2 347,4	2 576,6
Canada	4 820,7	5 617,8	5 665,8	7 072,5	13 012,7	12 152,0
Revenu total	62 242,5	75 410,6	129 777,8	143 479,5	168 200,2	184 208,2
Versement droits d'auteurs	4 965,3	6 383,4	10 682,3	10 368,8	12 137,9	15 448,5
En % du revenu total						
Ventes totales	91,5 %	91,5 %	94,7 %	93,3 %	90,9 %	92,0 %
Ventes de livres	n.d.	n.d.	n.d.	77,2 %	75,4 %	78,2 %
Au Québec	n.d.	n.d.	n.d.	63,2 %	62,3 %	65,1 %
À l'étranger	n.d.	n.d.	n.d.	14,0 %	13,1 %	13.1 %
Autres ventes	n.d.	n.d.	n.d.	16,2 %	15,5 %	13,8 %
Subventions	8,5 %	8,5 %	5,3 %	6,7 %	9,1 %	8,0 %
Québec	0,7 %	1,1 %	0,9 %	1,7 %	1,4 %	1,4 %
Canada	7,7 %	7,4 %	4,4 %	4,9 %	7,7 %	6,6 %
Revenu total	100,0 %	100,0 %	100,0 %	100,0 %	100,0 %	100,0 %
Versement droits d'auteurs	8,0 %	8,5 %	8,2 %	7,2 %	7,2 %	8,4 %
En % des ventes de livres	n.d.	n.d.	n.d.	9,4 %	9,6 %	10,7 %

Source : Rapports d'agrément ; compilation : 1983 à 1995 : Hardy (1998) ; 1998 : SODEC.

concentrée en grande partie dans les activités de production, l'intervention du gouvernement du Québec se ramifie pour sa part dans des activités de soutien aux éditeurs pour la promotion et l'exportation, ainsi que dans la diffusion du livre : aide aux librairies agréées, aux salons du livre, aux associations professionnelles. Signalons, par ailleurs, qu'un crédit d'impôt remboursable sur la production a été instauré par le gouvernement du Québec en mars 2000[16]. Le coût de cette mesure a été estimé par la SODEC

16. Le crédit d'impôt est égal à 40 % des dépenses de main-d'œuvre admissibles attribuables à la préparation d'un ouvrage, sans dépasser 20 % des frais de préparation, et il est égal à 30 % des dépenses de main-d'œuvre admissibles attribuables à l'impression (premier tirage), sans dépasser 10 % des frais d'impression. Un plafond de 500 000 $ par ouvrage s'applique pour cette mesure.

à 8,6 millions de dollars, ce qui, en 1998, aurait représenté environ 4,7 % des revenus des éditeurs agréés.

Quant aux versements de droits d'auteurs, ils étaient également à la hausse en valeur absolue (ils ont triplé entre 1983 et 1998), et ils représentent environ 8 % des revenus totaux, soit autour de 10 % de la valeur des ventes de livres. On parle ainsi d'une somme de plus 15 millions de dollars versés aux auteurs par les maisons d'édition agréées du Québec en 1998.

Une hausse des revenus de 7,5 % par année peut sembler impressionnante à première vue, mais encore faut-il pouvoir juger de l'évolution réelle de ces revenus. Or, si cette évolution affiche un plus que respectable 3 % par année entre 1983 et 1998 (en dollars 1992, c'est-à-dire une fois l'inflation retranchée : voir la Figure 5.2), on constate sans grande surprise, considérant le tassement du marché dans la seconde moitié des années 1990, que les revenus réels des éditeurs stagnent depuis 1989. D'ailleurs, depuis 1983, c'est essentiellement entre 1986 et 1989 que s'est déroulée la progression. Les trois années pour lesquelles nous disposons de données concernant les ventes de livres permettent également de conclure que ces ventes stagnent depuis 1992 chez les éditeurs agréés.

Figure 5.2 Évolution réelle des revenus des éditeurs agréés, 1989-1998 (en millions de dollars 1992[1])

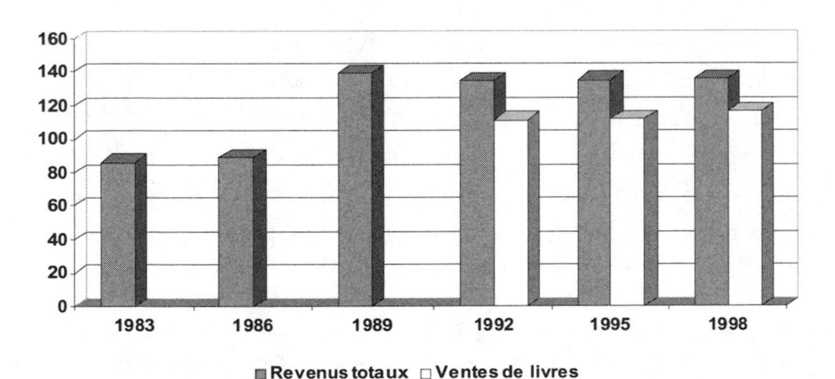

1. Valeurs monétaires déflatées par l'indice des prix industriels de l'édition et l'indice des prix industriels du livre, Canada.

Source : Tableau 5.7 et Statistique Canada (Cansim, matrice 1878) pour les indices de prix.

LES SPÉCIALISATIONS ÉDITORIALES

Les éditeurs agréés ne constituent évidemment pas un tout homogène. Il existe de grandes différences structurelles entre éditeurs spécialisés dans des domaines différents. Quoique ce type d'exercice demeure toujours périlleux en l'absence de données complètes et précises sur les ventes de livres par catégorie et par éditeur, nous proposons un découpage qui, malgré un certain nombre de limites, nous semble assez éclairant.

Le découpage proposé comprend un segment scolaire (produisant pour les niveaux primaire et secondaire, mais également collégial et universitaire), un segment jeunesse (produisant de la littérature et des albums jeunesse) et enfin un segment de littérature générale (produisant de la littérature, des essais et des livres pratiques, ainsi que quelques autres types de livres pas assez nombreux pour justifier la création d'une autre catégorie). En tout état de cause, la « spécialité » à laquelle il est fait référence ici doit être entendue au sens d'une dominance au sein de la production d'ensemble d'un éditeur, et non pas d'une exclusivité[17].

Il est justifié de proposer un tel découpage, considérant qu'il existe des différences marquées d'un segment à l'autre, dans la demande, les coûts de production et d'impression, la gestion de la production et du catalogue ainsi que les modalités de mise en marché. Dans le segment scolaire, on commande le plus souvent les manuscrits, on produit en fonction d'exigences établies par les programmes du ministère de l'Éducation, on doit assumer d'énormes coûts de développement de même qu'un suivi auprès des enseignants, en plus de distribuer le plus souvent sa propre production. De son côté, le segment jeunesse répond à une demande caractérisée par un constant renouvellement de sa population-cible, ce qui étire en quelque sorte la durée de vie potentielle d'un titre, mais sa production comprend souvent une grande part d'illustrations. Quant à la littérature générale, elle est la plus soumise aux diktats du best-seller et de la rotation de plus en plus rapide des

---

17. Le classement fut opéré au meilleur de nos connaissances. Certains cas étaient faciles à régler, lorsque plus de 50 % des revenus d'un éditeur provenaient d'une catégorie précise, ce que l'on pouvait vérifier grâce aux déclarations de ventes de manuels scolaires dans les rapports d'agrément et aux compilations internes à la SODEC sur les ventes brutes par catégories éditoriales, données servant à l'établissement des montants d'aide financière versés aux éditeurs. Les cas plus difficiles furent résolus avec l'aide du responsable du programme d'aide à l'édition à la SODEC, Louis Dubé, et classés selon la dominante apparente de leur production.

titres, en même temps qu'il s'agit du segment où l'individualisation et la légitimité de l'auteur est maximale. Cet ensemble de caractéristiques se traduit, comme nous le verrons, par des portraits statistiques assez typés.

Sur cette base, nous avons recensé 27 éditeurs scolaires, 11 éditeurs jeunesse et 75 éditeurs de littérature générale. Le Tableau 5.8 décrit la répartition de la production entre chacun de ces segments.

Tableau 5.8 Production des maisons d'édition agréées au Québec en fonction de leur spécialisation éditoriale, 1998 (en unités)

	Ensemble des éditeurs agréés	Segment scolaire	Segment jeunesse	Segment littérature générale
Nombre d'entreprises	113	27	11	75
Nombre de titres édités				
Nouveautés	2 829	707	523	1 599
Réimpressions	3 292	1 626	1 019	648
Rééditions	120	35	0	85
Total	6 241	2 368	1 542	2 332
Tirage				
Nouveautés	8 230 683	1 991 162	2 794 960	3 444 561
Réimpressions	7 064 556	3 020 768	2 568 296	1 475 493
Rééditions	292 641	111 948	0	180 693
Total	15 587 880	5 123 878	5 363 256	5 100 747
Tirage moyen				
Nouveautés	2 909	2 816	5 344	2 154
Réimpressions	2 146	1 858	2 520	2 277
Rééditions	2 439	3 199	0	2 126
Total	2 498	2 164	3 478	2 187

Source : Rapports d'agrément ; compilation : SODEC.

Les éditeurs scolaires, quoique beaucoup moins nombreux, ont un niveau de production du même ordre que celui des éditeurs de littérature générale, avec 2 368 titres contre 2 332, suivis un peu plus loin derrière par les éditeurs jeunesse, avec 1 542 titres. En ce qui concerne le tirage total, toutefois, ce sont les éditeurs jeunesse qui dominent légèrement, avec 5,4 millions de livres, contre 5,1 millions pour les deux autres segments. Il est utile de noter que le segment scolaire et le segment jeunesse ont une gestion de la production qui repose sur un nombre de réimpressions deux fois plus grand que celui des nouveautés, alors que la situation est inverse pour la littérature générale, où dominent les nouveautés dans un rapport de trois pour un. Ce qui relève largement de la durée de vie respective des titres des différents segments, plus longue dans les deux premiers cas, selon le cycle des programmes scolaires pour l'un, et le renouvellement constant de la clientèle pour l'autre.

Quant au tirage moyen, celui du segment jeunesse est une fois et demie supérieur à la moyenne, avec 3 478 exemplaires (statistique redevable surtout à l'ampleur des premiers tirages), alors que le tirage moyen tourne autour de 2 200 exemplaires pour les deux autres segments[18]. On remarquera également que, pour les éditeurs de littérature générale, le tirage moyen des réimpressions est du même ordre de grandeur que celui des nouveautés, ce qui pourrait surprendre à prime abord, mais tendrait à confirmer notre hypothèse d'un effort visant à mieux contrôler les stocks en se collant davantage sur la demande.

Les principaux postes de revenus, tel qu'on peut les repérer à partir des données fournies dans les rapports d'agrément, montrent également un portrait bien typé (Tableau 5.9). Le segment scolaire est le plus important, avec 64,6 millions de dollars de ventes de livres, contre 60,3 millions pour le segment de la littérature générale et 19,2 millions pour le segment jeunesse. Ce dernier, toutefois, est celui pour lequel les ventes de livres représentent la plus grande part des revenus totaux, avec 87,4 %, alors que pour la littérature générale, elles n'en représentent que 74 %.

La part des ventes à l'étranger est du même ordre de grandeur dans les trois segments, représentant entre 10 % et 14 % des revenus totaux. Quant à l'aide gouvernementale, si elle représente de 9 % à 10 % du total des revenus pour les segments jeunesse et littérature générale, elle n'en représente que moins de 6 % pour le segment scolaire. Cette différence s'explique par le fait que l'aide de la SODEC exclut d'emblée les livres scolaires.

Enfin, les versements de droits d'auteur prennent beaucoup plus d'importance dans le segment de la littérature générale, où ils représentent 13,6 %

18. La faiblesse du tirage moyen des éditeurs scolaires par rapport aux données de la BNQ sur les manuels scolaires peut s'expliquer, d'une part, par l'inclusion, ici, des éditeurs universitaires, champions des faibles tirages, et d'autre part par le fait que nous recensons l'ensemble de la production de ces éditeurs, qu'il s'agisse de manuels scolaires ou non. Signalons également que trois des principaux éditeurs scolaires au Québec ne sont pas agréés et que nous ne disposons d'aucune information détaillée à leur sujet. Leur inclusion pourrait modifier sensiblement la valeur des données présentées ici.

Tableau 5.9 Revenus des maisons d'édition agréées au Québec en fonction de leur spécialisation éditoriale, 1998

	Ensemble des éditeurs agréés	Segment scolaire	Segment jeunesse	Segment littérature générale
En milliers de dollars				
Ventes totales	169 479,6	76 177,5	20 013,2	73 288,9
Ventes de livres	144 070,7	64 589,2	19 214,4	60 267,1
Au Québec	119 935,0	53 521,6	17 006,2	49 407,2
À l'étranger	24 135,7	11 067,7	2 208,2	10 859,9
Autres ventes	25 408.9	11 588,3	798,8	13 021,8
Subventions	14 728,6	4 587,3	1 976,7	8 164,7
Québec	2 576,6	210,4	580,4	1 785,9
Canada	12 152,0	4 376,9	1 396,3	6 378,8
Revenu total	184 208,2	80 764,8	21 989,9	81 453,6
Versement droits d'auteurs	15 448,5	5 779,4	1 485,4	8 183,6
En % du revenu total				
Ventes totales	92,0 %	94,3 %	91,0 %	90,0 %
Ventes de livres	78,2 %	80,0 %	87,4 %	74,0 %
Au Québec	65,1 %	66,3 %	77,3 %	60,7 %
À l'étranger	13.1 %	13,7 %	10,0 %	13,3 %
Autres ventes	13,8 %	14,3 %	3,6 %	16,0 %
Subventions	8,0 %	5,7 %	9,0 %	10,0 %
Québec	1,4 %	0,3 %	2,6 %	2,2 %
Canada	6,6 %	5,4 %	6,3 %	7,8 %
Revenu total	100,0 %	100,0 %	100,0 %	100,0 %
Versement droits d'auteurs	8,4 %	7,2 %	6,8 %	10,0 %
En % des ventes de livres	10,7 %	8,9 %	7,7 %	13,6 %

Source : Rapports d'agrément ; compilation : SODEC.

des ventes de livres, contre 8,9 % pour le segment scolaire et 7,7 % pour le segment jeunesse. Ces écarts structurels sont bien connus et on retrouve les mêmes dans la plupart des pays. On pourrait aussi y voir, selon Rouet (2000), l'application partielle d'un principe de compensation taux/tirage pour les catégories qui sont à plus fort tirage.

Autre élément qui distingue assez clairement les spécialités : la taille moyenne respective des entreprises de chacun des segments. En 1998-1999, l'éditeur scolaire moyen, de loin le plus imposant, lançait 26 nouveautés et 1 réédition, en plus de 60 réimpressions. Il générait 3,0 millions de dollars de revenus, dont 2,4 millions provenaient de la vente de livres. L'éditeur jeunesse moyen, lui, lançait 48 nouveautés et réimprimait 93 titres, pour un revenu total moyen de 2,0 millions de dollars, dont 1,7 million en ventes de livres. Quant à l'édition de littérature générale, segment où l'on retrouve de nombreuses petites entreprises, elle montrait des chiffres beaucoup plus modestes : 21 nouveautés, 9 réimpressions et 1 réédition, en moyenne, lesquelles généraient 1,1 million de dollars de revenus, dont 0,8 million en ventes de livres.

Ces données permettent également de porter un jugement sur le niveau de concentration des éditeurs agréés, même si les données à cet égard sont incomplètes, puisqu'elles ne concernent qu'une portion de l'ensemble des éditeurs au Québec (voir le Tableau 5.10). En tenant compte des participations et des propriétés multiples, il est possible de conclure que les trois principaux éditeurs représentaient 25 % des ventes de livres de l'ensemble des éditeurs agréés et les dix principaux 54 %, ce qui n'est pas excessivement élevé. La concurrence demeure donc relativement aiguë chez les éditeurs. En fait, le niveau de concentration se rapproche de la situation américaine (respectivement 24 % et 61 % en 1993), mais apparaît moins forte qu'en France (47 % et 65 % en 1998).

Tableau 5.10 Niveaux de concentration dans le segment de l'édition : Québec, États-Unis, France (part dans les ventes totales de livres)

	3 principaux éditeurs	10 principaux éditeurs
Québec[1] (1998)	25 %	54 %
États-Unis (1993)	24 %	61 %
France (1998)	47 %	65 %

1. Éditeurs agréés seulement.
Source : Sodec ; Fortin (1998) pour les États-Unis et *Livre Hebdo*, nº 353, 15 octobre 1999 pour la France.

LA DYNAMIQUE DU RECOUVREMENT DES INVESTISSEMENTS : LA DIFFICILE ATTEINTE DU POINT MORT

Pour l'édition de littérature générale et jeunesse, il est possible d'évaluer, à l'aide du modèle de flux de trésorerie, les principaux coûts et revenus unitaires liés à la production des nouveautés. On trouvera, au Tableau 5.11, la présentation de ces données, par titre, par unités imprimées et par unités vendues. Ce qui représente, dans ce dernier cas, le coût réel et final des opérations, en tenant compte des invendus. Ces indicateurs sont fort utiles en ce qu'ils permettent d'évaluer l'investissement initial moyen qu'un éditeur doit assumer pour lancer un titre, et le nombre d'exemplaires qu'il doit vendre pour récupérer cet investissement.

Ainsi, en moyenne, pour lancer un livre de littérature générale, un éditeur devra avancer 12 360 $, ce qui comprend 280 $ en à-valoirs versés aux auteurs, 2 530 $ en coûts de production (ensemble des frais de préparation à l'impression) et 9 550 $ en frais d'impression du premier tirage de 2 909 exemplaires. À 7,43 $ de recettes nettes par exemplaire vendu, soit 9,40 $ de recettes brutes moins 1,97 $ de droits d'auteurs, il lui faudra donc vendre 1 664 exemplaires pour couvrir la somme avancée. Cependant, il lui faudra vendre 383 exemplaires de plus pour couvrir ses frais de promotion et de financement (2 847 $ par titre) et environ 750 autres exemplaires pour couvrir ses frais d'administration[19]. Ce qui fait un grand total de 2 797 exemplaires à

Tableau 5.11 Coûts et revenus unitaires, éditeurs agréés (hors scolaire)

	Par titre	Par copie imprimée	Par copie vendue
Coûts unitaires			
À-valoir	280 $	0,07 $	0,11 $
Coûts de production	2 530 $	0,66 $	1,03 $
Coûts d'impression	11 435 $	2,97 $	4,64 $
premier tirage	9 550 $	3,28 $	—
réimpressions	4 668 $	1,92 $	—
Droits d'auteurs[1]	4 801 $	1,26 $	1,97 $
Promotion	2 681 $	0,70 $	1,09 $
Financement	166 $	0,04 $	0,07 $
Revenus unitaires			
Revenu total	22 916 $	—	9,40 $
Distributeurs	21 743 $	—	9,63 $
Ventes directes	1 173 $	—	6,42 $

1. Les versements de droits d'auteurs ont été ajustés pour tenir compte des paiements ultérieurs à la période de recensement des flux du modèle.

Source : Modèle des flux de trésorerie dans l'industrie du livre, SODEC.

19. Sur la base d'environ 5 580 $ de frais d'administration par titre édité, comme on peut l'évaluer à partir des données des Tableaux 5.8 et 5.12.

vendre (soit 96 % du premier tirage) avant de dégager un premier sou de profit, alors que les ventes moyennes sont de 2 437 exemplaires.

Bien sûr, l'aide publique accordée aux éditeurs a pour effet d'abaisser ce point mort. À 3 802 $ d'aide publique par titre édité en moyenne, le point mort s'abaisse de 512 exemplaires, à 2 285, soit tout juste sous le nombre d'exemplaires vendus. De là à conclure que l'aide gouvernementale est essentielle au maintien de la rentabilité du secteur, il n'y a qu'un pas à franchir. Ajoutons que dans le cas de figure où serait obtenu un crédit d'impôt représentant 20 % du coût de préparation et 10 % des frais d'impression du premier tirage (soit au total 1 517 $), le point mort s'abaisserait encore de 204 exemplaires, ce qui nous amènerait à 2 081 exemplaires.

Bien sûr, dans le cas du crédit d'impôt, en particulier, rien ne garantit que l'aide obtenue soit utilisée totalement à l'abaissement du point mort, opération qui revient, pour l'éditeur, à réduire son risque. Selon la situation financière de l'entreprise, ses objectifs culturels et économiques, sa spécialisation et sa structure de coûts, d'autres paramètres pourraient aussi être ajustés. Par exemple, un éditeur pourrait utiliser son crédit d'impôt pour abaisser le prix de vente, en espérant atteindre plus facilement le point mort initial. Il pourrait également hausser ses coûts de production, soit par un travail d'édition plus imposant, soit par la production de livres de plus grande envergure, soit par une plus grande quantité de livres imprimés lors du premier tirage (ceux-ci étant admissibles au crédit d'impôt, au contraire des réimpressions), ou tout simplement par la production d'un plus grand nombre de titres. L'implantation du crédit d'impôt est trop récente pour qu'il soit possible de repérer les pratiques ou stratégies prédominantes. Elles varient forcément d'un éditeur à l'autre et un même éditeur peut utiliser une stratégie mixte, par exemple abaisser le prix du livre d'un premier auteur et hausser le premier tirage du livre d'un auteur reconnu.

Il est toutefois important de mentionner que si certains des comportements des éditeurs face à ce crédit d'impôt s'avéraient grandement bénéfiques pour le dynamisme de l'ensemble du marché (baisse des prix et production de types de livres jusqu'alors non envisagés parce que trop chers à produire, notamment), d'autres seraient plus problématiques. Par exemple, une hausse du tirage initial irait à l'encontre de la tendance actuelle des éditeurs à gérer leurs stocks au plus serré, tandis qu'une hausse du nombre de titres produits ne ferait qu'aggraver le problème de la baisse des ventes moyennes par titre. À cet égard, l'analyse des premières années d'opération du crédit d'impôt sera fort utile.

ANALYSE FINANCIÈRE DES ENTREPRISES

La compilation et l'examen des états financiers de même que la construction de quelques ratios permettent de raffiner le portrait de la situation financière des éditeurs agréés au Québec.

Nous ne reviendrons pas sur les postes de revenus, dont nous avons abondamment discuté dans les pages précédentes, et qui présentent ici un portrait presque identique, en dépit de légères différences s'expliquant par des imputations parfois différentes dans les états financiers. En revanche, il est intéressant d'examiner le détail des dépenses (voir le Tableau 5.12). Un poste central est celui du coût des marchandises vendues, qui représente les dépenses de production et d'impression, les versements de droits d'auteurs et la variation des stocks. Pour l'ensemble des éditeurs, ce coût s'établit, en

Tableau 5.12 État des revenus et des dépenses, maisons d'édition agréées, 1998 (en milliers de dollars et en % des revenus totaux)

	Ensemble des éditeurs agréés	Segment scolaire	Segment jeunesse	Segment littérature générale
Nombre d'entreprises	113	27	11	75
Revenus totaux (en '000 $)	184 208,2	80 764,8	21 989,9	81 453,6
Revenus totaux	100,0 %	100,0 %	100,0 %	100,0 %
Ventes de livres	82,5 %	83,7 %	90,4 %	79,0 %
Subventions	7,8 %	5,7 %	8,5 %	9,6 %
Autres revenus	9,8 %	10,5 %	1,0 %	11,4 %
Dépenses totales	95,1 %	92,2 %	99,4 %	96,9 %
Coût marchandises vendues	52,5 %	50,6 %	60,8 %	52,1 %
Stocks, début	22,5 %	26,8 %	16,9 %	17,7 %
Production, impression	43,1 %	43,5 %	47,7 %	40,7 %
Droits d'auteurs	10,4 %	8,8 %	12,8 %	11,9 %
Stocks, fin	23,5 %	28,5 %	16,5 %	18,1 %
Frais de mise en marché	18,9 %	16,2 %	18,6 %	21,7 %
Publicité	2,9 %	3,8 %	1,6 %	2,5 %
Frais d'administration	22,4 %	24,3 %	18,5 %	21,6 %
Frais financiers	1,2 %	1,0 %	1,5 %	1,3 %
Marge bénéficiaire nette	4,9 %	7,9 %	0,6 %	3,1 %
Entreprises affichant un profit	84	24	7	53
Entreprises affichant une perte	29	3	4	22

Source : Rapports annuels des entreprises, compilation SODEC.

moyenne, à 52,5 % de la valeur des revenus totaux, dont 43,1 % pour les coûts de production et d'impression et 10,4 % pour les versements de droits d'auteur. Les frais de mise en marché représentent 18,9 % des revenus, dont 2,9 % pour la publicité.

Cette dernière valeur accordée à la publicité peut paraître assez faible, mais elle ne s'écarte pas beaucoup de ce qu'on retrouve en France, où les dépenses de publicité absorberaient entre 3 % et 5 % des revenus des éditeurs, selon Rouet (2000). Enfin, les frais d'administration représentent 22,4 % des revenus et les frais financiers, 1,2 %. Le taux de profit, mesuré par le rapport entre le bénéfice net avant impôt et les revenus totaux, est de 4,9 % pour l'ensemble des éditeurs. À ce moment-là, 84 entreprises déclaraient des profits (74,3 % du total) et 29 des pertes (25,7 % du total).

En ce qui concerne les spécialisations éditoriales, les éditeurs scolaires se démarquent surtout par des frais de mise en marché plus faibles en termes relatifs, représentant 16,2 % de leurs revenus, mais de façon surprenante, des frais de publicité plus élevés, à 3,8 % du total. Leurs frais d'administration sont aussi plus lourds (24,3 % des revenus), de même que le taux de profit, à 7,9 %. De plus, 89 % des entreprises (24 sur 27) du segment affichent des profits. Pour ce qui est de l'édition jeunesse, elle se caractérise surtout par un coût des marchandises vendues plus élevé (60,8 % des revenus) surtout à cause de l'importance du poste production et impression (47,7 %), des frais de publicité (1,6 %) et des frais d'administration (18,5 %) plus faibles que la moyenne. Le taux de profit était très faible, à 0,9 % en moyenne, seulement 64 % des entreprises (7 sur 11) déclarant des profits. Quant au segment de la littérature générale, il se caractérise surtout par une plus faible part des coûts de production et d'impression (40,7 % des revenus) et des frais de mise en marché proportionnellement plus élevés (21,7 %) que la moyenne. Le taux de profit du segment était également sous la moyenne, à 3,1 %, mais près de 71 % des entreprises déclaraient des profits (53 sur 75).

L'examen du bilan (Tableau 5.13) est également instructif. On notera d'abord que, pour l'ensemble des éditeurs, et ce tant du côté de l'actif que du passif, c'est nettement le court terme qui prédomine : 75,9 % de l'actif est à court terme, contre 49,5 % pour le passif. Cela souligne évidemment le fait que l'édition n'est pas une activité très lourde en immobilisations, mais résulte aussi de la petite taille des entreprises. Les stocks constituent, à 33,8 %, le principal poste de l'actif, suivi des comptes clients (17,9 %). La part des immobilisations est assez faible, à 9,6 % du total. Du côté du passif, les

Tableau 5.13 Bilan financier des maisons d'édition agréées, 1998 (en milliers de dollars et en % de l'actif total)

	Ensemble des éditeurs agréés	Segment scolaire	Segment jeunesse	Segment littérature générale
Nombre d'entreprises	113	27	11	75
Actif total	136 423,3	57 678,2	14 068,5	64 676,6
Actif à court terme	75,9 %	80,1 %	86,4 %	69,9 %
encaisse	9,6 %	9,1 %	8,1 %	10,4 %
comptes clients	17,9 %	16,8 %	27,5 %	16,9 %
stocks	33,8 %	38,3 %	43,5 %	27,7 %
autres	14,5 %	15,9 %	7,3 %	14,9 %
frais payés d'avance	1,8 %	2,5 %	1,9 %	1,0 %
Actif à long terme	24,1 %	19,9 %	13,6 %	30,1 %
immobilisations	9,6 %	9,4 %	9,9 %	9,6 %
autres	14,6 %	10,5 %	3,7 %	20,5 %
Passif à court terme	49,5 %	45,3 %	73,5 %	48,0 %
emprunts bancaires	12,6 %	5,5 %	21,0 %	17,1 %
comptes fournisseurs	26,7 %	29,4 %	43,8 %	20,6 %
avances	1,5 %	2,5 %	0,6 %	0,8 %
subventions	0,3 %	0,0 %	0,8 %	0,4 %
portion dette long terme	1,8 %	1,2 %	1,7 %	2,3 %
autres	6,6 %	6,6 %	5,8 %	6,7 %
Passif à long terme	12,4 %	12,5 %	11,9 %	12,3 %
dette à long terme	8,1 %	6,4 %	9,6 %	9,2 %
autres	4,3 %	6,1 %	2,3 %	3,1 %
Passif total	61,8 %	57,8 %	85,5 %	60,3 %
Avoir des actionnaires	38,2 %	42,2 %	14,5 %	39,7 %
capital-actions	10,0 %	13,2 %	8,9 %	7,4 %
bénéfices non répartis	26,6 %	29,0 %	5,7 %	29,0 %

Source : Rapports annuels des entreprises, compilation SODEC.

comptes fournisseurs (26,7 %) constituent le poste le plus important ; la dette de long terme, à 8,1 %, est relativement peu élevée, tandis que l'avoir des actionnaires, à 38,2 %, représente une part substantielle de l'ensemble.

Comparativement à la moyenne de l'ensemble des éditeurs, les éditeurs scolaires se caractérisent par une part un peu plus grande des stocks et un peu plus faible des actifs de long terme ; une part un peu plus faible des emprunts bancaires et un peu plus élevée de l'avoir des actionnaires. Cependant, les valeurs s'écartent peu de la moyenne dans l'ensemble. Le segment jeunesse, en revanche, montre des écarts plus marqués, la part des actifs à court terme, en particulier, étant sensiblement plus élevée que la moyenne, surtout pour les comptes clients et les stocks. Il en va de même, du côté du passif, pour les emprunts bancaires, les comptes fournisseurs et la dette à long terme ; la part de l'avoir des actionnaires, par contre, est très faible. Quant au segment de la littérature générale, il montre des stocks plus bas et un actif de long terme plus élevé que la moyenne ; du côté du passif, les emprunts bancaires sont plus élevés et les comptes fournisseurs le sont moins. Les autres valeurs s'écartent peu de la moyenne.

Pour évaluer plus précisément la solidité financière des entreprises, nous avons calculé un ensemble de ratios de liquidité, de gestion, d'endettement, et d'exploitation et de rentabilité[20]. Le Tableau 5.14 présente la valeur de ces ratios pour les éditeurs agréés au Québec, dans les trois spécialisations, et aussi, afin de mieux les mettre en perspective, pour un ensemble de « petits » éditeurs américains, tels que mesurés par la firme Robert Morris and Associates (1999)[21]. Cette possibilité de comparer ces ratios avec ceux d'entreprises similaires, sans pour autant en faire des normes à atteindre, compte d'autant plus qu'en général, la valeur de ce type de ratios dépend largement des segments industriels et de la taille des entreprises.

Les ratios du Tableau 5.14 indiquent d'abord que la liquidité, c'est-à-dire la capacité qu'a une entreprise d'honorer ses engagements à court terme, est assez bonne. Le ratio du fonds de roulement et celui de l'indice de liquidité de l'ensemble des éditeurs, respectivement à 1,9 et 1,0, se situent exactement aux niveaux traditionnellement considérés comme souhaitables. Ils sont même légèrement supérieurs à la valeur des mêmes ratios pour leurs équivalents américains. Le segment scolaire montre marginalement de meilleurs ratios, et le segment jeunesse des ratios un peu plus faibles.

Les comptes à recevoir « tournent » en moyenne 7,1 fois par année, ce qui leur donne un âge moyen de 49 jours, une valeur meilleure que celle des éditeurs américains, qui est à 62 jours. Cet âge moyen est particulièrement

20. On trouvera, en annexe 3, une présentation des termes et ratios financiers utilisés.

21. Compilation reposant sur des données fournies par des institutions bancaires. Elles n'ont évidemment pas valeur d'absolu et souffrent peut-être d'un certain nombre de biais statistiques, mais cet échantillon, de par sa taille substantielle (125 éditeurs), est sans doute assez représentatif de l'ensemble des petits éditeurs américains. À 25,9 millions de dollars US de revenus, en moyenne, il s'agit bien sûr d'entreprises de plus grande taille que les entreprises québécoises ; face aux géants de l'édition américaine, toutefois, il s'agit de très petites entreprises qui se retrouvent probablement face à des contraintes de marché assez similaires à celles des éditeurs québécois, et même sans doute plus sévères.

Tableau 5.14 Principaux ratios financiers des maisons d'édition agréées, 1998 (médianes)

	Ensemble des éditeurs agréés	Segment scolaire	Segment jeunesse	Segment littérature générale	Petits éditeurs américains
Nombre d'entreprises	113	27	11	75	125
Ratios de liquidité					
Fonds de roulement	1,9	2,1	1,7	1,8	1,6
Indice de liquidité	1,0	1,0	0,9	1,0	0,9
Ratios de gestion					
Rotation comptes à recevoir	7,1	10,3	6,0	6,5	5,9
Liquidité comptes à recevoir (en jours)	49	36	57	54	62
Rotation des stocks	1,9	1,4	1,9	2,0	2,6
Liquidité des stocks (en jours)	197	257	196	183	140
Rotation comptes à payer	3,1	2,6	4,5	3,2	6,8
Liquidité comptes à payer (en jours)	115	139	82	111	54
Ventes sur fonds roulement	2,9	3,1	3,5	2,6	6,1
Couverture des stocks	0,7	0,8	0,8	0,7	n.d.
Rotation des immobilisations	30,7	21,7	43,9	31,6	24,7
Rotation de l'actif	1,4	1,3	1,5	1,4	1,6
Ratios d'endettement					
Immobilisations sur avoir	0,1	0,1	0,1	0,1	0,3
Passif à l'avoir	1,1	1,0	3,3	0,9	1,7
Passif à court terme à l'avoir	0,8	0,7	2,0	0,7	1,1
Ratios d'exploitation et de rentabilité (valeurs moyennes)					
Marge d'exploitation brute	47,5 %	49,4 %	39,2 %	47,9 %	51,5 %
Marge bénéficiaire nette	4,9 %	7,9 %	0,6 %	3,1 %	1,4 %
Taux de rendement de l'actif	6,6 %	11,0 %	1,0 %	3,9 %	1,9 %
Taux de rendement de l'avoir	17,3 %	26,1 %	6,6 %	9,8 %	4,9 %

Source : Rapports annuels des entreprises, compilation SODEC et Robert Morris Associates pour les éditeurs américains.

bon chez les éditeurs scolaires, à 36 jours. Cette valeur se dégage surtout en comparaison de l'âge moyen des comptes à payer qui est de 115 jours, soit plus de deux fois le ratio des petits éditeurs américains. Il est sensiblement plus élevé chez les éditeurs scolaires, et sensiblement plus bas pour les éditeurs jeunesse. La valeur de ces ratios pourrait montrer que les éditeurs québécois ont des relations commerciales nettement plus à leur avantage que leur pendants américains, en amont comme en aval, c'est-à-dire avec les imprimeurs et relieurs d'un côté et avec les diffuseurs/distributeurs de l'autre.

En revanche, les stocks tournent beaucoup moins vite au Québec, leur âge moyen étant de 197 jours, contre 140 pour les Américains. Cet âge est nettement plus élevé pour les éditeurs scolaires, à 257 jours, ce qui peut facilement s'expliquer par les caractéristiques de leur marché. Comme nous l'avions pressenti, la gestion des stocks est bel et bien un élément critique pour les éditeurs. Les systèmes de commercialisation au Québec et aux États-Unis sont toutefois fort différents, reposant surtout sur l'office pour le premier, et sur les prénotés pour le second, ce qui rend difficiles les comparaisons en la matière. À 2,9, le ratio des ventes sur le fonds de roulement qui mesure l'efficacité avec laquelle ce fonds est utilisé est plus de deux fois inférieur à l'équivalent américain. On pourrait conclure à une utilisation sous-optimale du fonds de roulement, du moins de façon relative, car là encore, la différence des systèmes de commercialisation pourrait affecter la valeur des ratios. Par contre, les immobilisations sont utilisées de façon plus optimale par les éditeurs québécois, le ratio de rotation des immobilisations étant plus élevé, tout particulièrement chez les éditeurs jeunesse.

Du côté des ratios d'endettement, à la notable exception des éditeurs jeunesse dont l'endettement est nettement plus élevé, à court comme à long terme, les indicateurs montrent une situation relativement saine pour l'ensemble des éditeurs, le risque financier demeurant selon toute apparence relativement limité, même en le comparant aux valeurs américaines.

Enfin, en dépit d'une marge d'exploitation brute (revenus moins coût des marchandises vendues) plus faible que celle des petits éditeurs américains (47,5 % contre 51,5 %), les éditeurs québécois montrent — encore une fois à l'exception des éditeurs jeunesse — des taux de profits nettement supérieurs, qu'ils soient mesurés par rapport aux ventes, à l'actif ou à l'avoir. Les éditeurs québécois doivent composer avec des coûts unitaires moyens plus élevés que leurs confrères américains, ce qui résulte directement de l'amortissement des coûts de production sur des tirages plus faibles, conséquence d'un marché nettement plus exigu. En revanche, ils semblent plus efficaces que leurs voisins du Sud dans la mise en marché et le contrôle de leurs frais d'administration.

Les éditeurs québécois affichent donc une situation financière relativement solide, qu'il s'agisse de leur liquidité, de leur gestion (à l'exception de la gestion des stocks et du fonds de roulement), de leur endettement et de leur rentabilité. Seuls les éditeurs jeunesse occupent une position un peu plus précaire.

Quelques bémols, toutefois, à ce tableau : la marge bénéficiaire des éditeurs québécois est peut-être supérieure à celle des petits éditeurs américains, mais les subventions jouent un rôle essentiel dans le maintien de cette marge. À 4,9 %, elle demeure peu élevée pour ce type d'activité qui nécessite continuellement des avances de fonds afin de lancer la production, sommes qu'elles ne commencent à récupérer que 9 ou 10 mois après le lancement d'un livre, comme nous l'avons vu au chapitre 4. De plus, le faible résultat des éditeurs américains en 1998 semble atypique par rapport à la tendance des dernières années[22]. Enfin, ce que ne dit pas non plus ce portrait financier en apparence satisfaisant, c'est la tendance. Et celle-ci est plutôt inquiétante. Selon les données historiques de Statistique Canada, cette marge a été coupée de moitié par rapport à ce qu'elle était à la fin des années 1980, comme nous le verrons à la section suivante. Nous retrouvons là, nous semble-t-il, les pleins effets des tendances lourdes évoquées précédemment, soit la hausse du nombre de titres lancés et la baisse des ventes moyennes par titre.

Il est évidemment tentant, surtout lorsqu'on dispose d'un ensemble statistique de cette taille, de tenter de dépasser le stade purement descriptif et d'avancer des éléments explicatifs un peu plus précis de la rentabilité des entreprises. À savoir : peut-on repérer des éléments structurels ou financiers qui distinguent les entreprises profitables de celles qui ne le sont pas ? On peut reformuler cette question en s'interrogeant sur les principaux facteurs en corrélation avec la rentabilité des éditeurs. Bien sûr, une corrélation indique seulement que deux variables évoluent de façon similaire, ce qui n'implique pas nécessairement une relation de causalité. Toutefois, il est évident qu'une forte corrélation constitue un indice pouvant s'avérer éclairant.

Nous avons donc évalué les coefficients de corrélation de la marge bénéficiaire avec un ensemble de variables qui nous apparaissaient potentiellement déterminantes (taille de l'entreprise, part des ventes de livres, des subventions, des exportations et des stocks dans le chiffre d'affaires), de même qu'avec les principaux ratios financiers. Comme on peut le voir au Tableau 5.15, les résultats sont malheureusement peu concluants. Seulement deux variables montrent une corrélation significative avec le taux de profit, soit la part des subventions et celle des stocks dans le chiffre d'affaires. Ce qui renforce nos conclusions précédentes sur l'importance de ces deux facteurs, mais nous éclaire

22. La marge bénéficiaire évolue entre 4,2 % et 5,3 % entre 1994 et 1997, avant de chuter à 1,4 % en 1998, selon les données de Robert Morris Associates (1999).

Tableau 5.15 Déterminants du taux de profit des éditeurs agréés : corrélation entre la marge bénéficiaire nette et quelques autres variables

Variable en corrélation avec la marge bénéficiaire	Nombre d'observations	Coefficient de corrélation	Statistique de Student
Revenu total	113	0,10	1,01
Ventes de livres/chiffre d'affaires	113	-0,13	1,43
Subventions/chiffre d'affaires	113	0,36	4,11*
Exportations/chiffre d'affaires	113	0,05	0,57
Stocks/chiffre d'affaires	108	-0,46	5,33*
Indice de liquidité	111	0,07	0,72
Rotation des comptes à recevoir	107	0,04	0,36
Rotation des stocks	107	0,05	0,48
Rotation des comptes à payer	109	-0,03	-0,34
Couverture des stocks	107	-0,02	-0,25
Passif à avoir	110	0,01	0,12
Passif de court terme à avoir	110	0,02	0,21

* Significatif à un niveau de confiance de 99 %.

Source : SODEC.

fort peu sur ce qui distingue vraiment l'éditeur efficace de celui qui ne l'est pas.

Que faut-il en conclure ? Ce qu'aurait sans doute déjà conclu un éditeur : que l'efficacité et la rentabilité dépendent, dans une très large mesure, d'éléments foncièrement qualitatifs et difficilement mesurables. En somme, s'il demeure évident qu'une bonne gestion, l'obtention de subventions et le contrôle serré des stocks constituent autant d'éléments essentiels à la rentabilité d'un éditeur, il est tout aussi essentiel pour ce dernier d'être capable de faire les bons choix en ce qui concerne les manuscrits à publier et la façon de les commercialiser, tout comme d'en évaluer les risques. Le « flair », le dynamisme, la personnalité de l'éditeur et sa notoriété, voire son image de marque, sont fort probablement des facteurs aussi déterminants pour expliquer les résultats de chaque entreprise que les froids ratios évaluant la qualité de la gestion financière.

5.3 L'ensemble des éditeurs au Québec

Dans cette courte section, nous tenterons moins d'analyser en profondeur l'évolution et les caractéristiques de l'ensemble des éditeurs et diffuseurs exclusifs du Québec que de compléter les données déjà compilées pour les éditeurs agréés, tout en essayant de situer plus précisément la place occupée par ceux-ci dans le paysage éditorial québécois.

ÉVOLUTION DE LA PRODUCTION

Comme on pourra le constater à la lecture du Tableau 5.16, les tendances historiques évoquées dans les sections précédentes se confirment largement, puisque depuis 1987-1988, on repère une hausse continue du nombre d'éditeurs recensés par Statistique Canada[23], du nombre de nouveautés et du nombre de réimpressions. Statistique Canada compile toutefois une donnée

Tableau 5.16 Production des éditeurs et diffuseurs exclusifs du Québec, 1988-1998

	88-89	89-90	90-91	91-92*	92-93	93-94	94-95	96-97*	98-99*
Nombre d'entreprises									
Maisons d'édition	109	113	116	119	123	121	125	170	216
Diffuseurs exclusifs	20	20	19	18	14	13	14	16	18
Ouvrages édités[1]	**2 126**	**2 583**	**2 376**	**2 599**	**3 094**	**3 239**	**3 421**	**3 688**	**4 135**
Manuels scolaires	638	840	676	677	769	894	1 036	1 148	1 115
Livres jeunesse	n.d.	n.d.	n.d.	n.d.	n.d.	n.d.	n.d.	648	787
Littérature générale	1 088	1 418	1 293	1 462	1 873	1 853	1 842	1 324	1 519
Autres	400	325	407	460	452	492	543	568	714
Ouvrages réimprimés[1]	**1 879**	**2 098**	**2 268**	**2 180**	**2 871**	**3 002**	**3 209**	**3 345**	**3 831**
Manuels scolaires	1 069	1 231	1 337	1 128	1 501	1 467	1 690	1 861	2 012
Livres jeunesse	n.d.	n.d.	n.d.	n.d.	n.d.	n.d.	n.d.	479	630
Littérature générale	656	712	765	858	1 191	1 401	1 279	775	902
Autres	154	155	166	194	179	134	240	230	287
Ouvrages au catalogue[1]	**19 815**	**20 821**	**20 938**	**23 513**	**24 159**	**28 688**	**31 129**	**35 688**	**41 882**
Manuels scolaires	6 469	6 929	7 321	8 192	8 111	8 954	10 045	11 158	13 515
Livres jeunesse	n.d.	n.d.	n.d.	n.d.	n.d.	n.d.	n.d.	3 883	4 417
Littérature générale	10 339	11 066	10 588	12 138	12 719	15 973	16 787	15 470	17 349
Autres	3 007	2 826	3 029	3 183	3 370	3 761	4 297	5 177	6 601

1. Maisons d'édition seulement.
* Changements méthodologiques ou élargissement de la base d'enquête ; on ne peut donc faire, de façon stricte, une analyse d'évolution de tendance à partir de ces données.
Source : Statistique Canada, cat. 87-210/87F0004XPB.

23. Le saut opéré en 1996-1997 dans le nombre d'éditeurs s'explique surtout par l'abandon, à partir de cette année-là, du critère d'un revenu minimum de 50 000 $; quant au saut de 1998-1999, il s'explique par un élargissement de la base de recensement. On ne peut donc, à strictement parler, faire d'analyse de tendance à partir de ces données sans les ajuster. Toutefois, les distorsions sont minimes en fait de revenus, puisque les changements méthodologiques se sont traduits par l'inclusion de petites entreprises.

supplémentaire, fort intéressante, soit la quantité d'ouvrages en catalogue, c'est-à-dire les ouvrages disponibles sans réimpression. Celle-ci augmente également, passant de 17 153 en 1987-1988 à 41 882 en 1998-1999. Entre ces deux mêmes années, le catalogue moyen passe ainsi de 182 à 194 titres en dépit de la hausse du nombre d'éditeurs. Cela constitue une progression substantielle, considérant que l'élargissement de la base de recensement implique forcément l'inclusion de plus petites entreprises, dont le catalogue est bien sûr plus réduit que la moyenne.

On peut ainsi, en croisant ces données avec celles compilées pour les éditeurs agréés, au Tableau 5.6, estimer que les éditeurs agréés représentaient, en 1998-1999, environ 52,3 % du nombre d'éditeurs, mais 78,3 % de la production de livres au Québec (71,3 % des nouveautés et rééditions, et 85,9 % des réimpressions). Proportion plus que significative, par conséquent, mais qui indique tout de même qu'un grand nombre d'éditeurs québécois ne sont pas agréés, que ce soit par manque d'intérêt ou du fait d'une participation étrangère à leur capital[24].

ÉVOLUTION DES REVENUS ET DÉPENSES DES ÉDITEURS AU QUÉBEC

Statistique Canada compile les revenus totaux des éditeurs et des diffuseurs, et les partage entre ventes au Canada, ventes étrangères et autres revenus (voir le Tableau 5.17). Les ventes au Canada sont ensuite partagées entre ventes des éditeurs et ventes des diffuseurs exclusifs (entreprises qui assurent, de manière exclusive pour un territoire donné, la commercialisation d'ouvrages le plus souvent étrangers), ces ventes étant à leur tour subdivisées en ouvrages scolaires (incluant le collégial et l'universitaire), ouvrages jeunesse (depuis 1996-1997 seulement), ouvrages de littérature générale et « autres ouvrages » (livres de références, ouvrages professionnels et techniques, livres « savants », etc.). Pour cette dernière subdivision, il s'agit de la répartition des ventes par catégories de livres, et non pas des ventes des éditeurs spécialisés dans chacun de ces domaines, au contraire de ce que nous avons présenté à la section précédente.

En 1998-1999, les éditeurs et diffuseurs exclusifs du Québec avaient des revenus totaux de 512 millions de dollars, lesquels se répartissaient comme suit : 408 millions de ventes au Canada, 62 millions d'exportations et 42 millions d'autres revenus. Signalons que la hausse des exportations est marquée

24. Rappelons que l'obtention de l'agrément nécessite une propriété québécoise à 100 %.

de 1988 à 1993, celles-ci passant de 2,6 % des revenus totaux à 16,7 %, mais qu'elles sont en légère régression depuis, leur part ayant glissé à 12 % en 1998. Du côté des ventes au Canada, les ventes des éditeurs représentaient 239 millions de dollars en 1998, et les ventes des diffuseurs exclusifs, 169 millions, soit respectivement 59 % et 41 % des revenus totaux.

Tableau 5.17 Revenus et dépenses des éditeurs et diffuseurs exclusifs du Québec, 1988-1998 (en milliers de dollars)

	88-89	89-90	90-91	91-92*	92-93	93-94	94-95	96-97*	98-99*
Revenus totaux	**289 631**	**330 082**	**354 428**	**361 511**	**393 766**	**457 084**	**487 630**	**467 248**	**511 936**
Ventes au Canada	270 446	304 461	325 938	326 031	338 609	362 634	390 341	377 550	407 993
Propres ouvrages[1]	161 009	189 720	199 494	202 450	222 433	237 815	246 101	234 416	239 263
Manuels scolaires	73 957	76 796	82 021	83 035	92 512	92 534	97 467	96 858	110 773
Livres jeunesse	n.d.	n.d.	n.d.	n.d.	n.d.	n.d.	n.d.	33 083	29 495
Littérature gén.	37 133	50 252	36 672	44 053	49 656	57 780	57 591	37 348	44 569
Autres	49 919	62 672	80 801	75 362	80 266	87 501	91 052	67 127	54 426
Diffusion exclusive	109 437	114 741	126 444	123 581	116 176	124 819	144 240	143 134	168 730
Manuels scolaires	7 044	6 561	7 814	6 445	5 399	4 370	5 990	5 745	4 531
Livres jeunesse	n.d.	n.d.	n.d.	n.d.	n.d.	n.d.	n.d.	19 699	41 604
Littérature gén.	72 327	81 517	97 167	94 673	86 762	92 823	98 186	81 542	79 418
Autres	30 067	26 663	21 463	22 463	24 015	27 626	40 064	36 148	43 176
Export. et ventes étrangères	7 643	9 289	10 860	20 925	38 361	76 132	72 919	65 320	62 098
Autres revenus	11 542	16 332	17 630	14 555	16 796	18 318	24 370	24 378	41 845
Dépenses totales	**262 469**	**301 796**	**320 785**	**334 079**	**372 303**	**421 935**	**442 394**	**444 672**	**495 716**
Coût des ventes	n.d.	n.d.	n.d.	191 491	213 710	257 147	268 026	259 720	286 013
Frais d'exploitation	n.d.	n.d.	n.d.	142 588	158 593	164 788	174 368	184 952	209 703
Marge bénéf. avant impôt	**27 162**	**28 286**	**33 643**	**27 432**	**21 463**	**35 150**	**45 236**	**22 576**	**16 219**
En % des recettes	9,4 %	8,6 %	9,5 %	7,6 %	5,5 %	7,7 %	9,3 %	4,8 %	3,2 %
Main-d'œuvre									
Employés plein temps	1 458	1 511	1 488	1 545	1 550	1 597	1 604	1 730	1 930
Employés temps partiel	n.d.	n.d.	n.d.	n.d.	n.d.	n.d.	244	319	284
Frais de personnel	47 186	48 614	52 891	57 394	66 304	72 608	70 507	74 213	86 720

1. Maisons d'édition seulement.

* Changements méthodologiques ou élargissement de la base d'enquête ; on ne peut donc faire, de façon stricte, d'analyse d'évolution de tendance à partir de ces données sans les ajuster.

Source : Statistique Canada, cat. 87-210/87F0004XPB.

Ce que nous indique la répartition des ventes par types d'ouvrages au sein de ces deux catégories, c'est que les éditeurs dominent largement les ventes d'ouvrages scolaires et légèrement les ventes de titres jeunesse et « autres », tandis que la diffusion exclusive domine les ventes de littérature générale. Dans ce dernier cas, évidemment, cela reflète la prédominance des grands éditeurs littéraires français, qui sont présents au Québec à titre de diffuseurs exclusifs.

On remarquera également la tendance très nette à la baisse du taux de profit des éditeurs. La marge bénéficiaire, qui était autour de 9 % entre 1988 et 1990, chute à 4,8 % en 1996 et à 3,2 % en 1998.

Sans grande surprise, l'édition s'affiche comme un segment relativement intensif en main-d'œuvre. Statistique Canada repérait ainsi, en 1998-1999, 1 930 employés à temps plein et 284 employés à temps partiel pour l'ensemble des éditeurs et diffuseurs du Québec. Les frais de personnel s'élevaient à plus de 86 millions de dollars en 1998, soit 17,5 % des dépenses totales des entreprises.

Enfin, l'évolution réelle des revenus, après ajustements des données pour tenir compte des changements méthodologiques, confirme la stagnation des ventes de livres. Comme on peut le voir à la Figure 5.3, les ventes canadiennes des éditeurs et diffuseurs exclusifs québécois, exprimées en dollars de 1992, stagnent clairement depuis 1990 et sont en baisse depuis 1996. En ce qui concerne les ventes, par les éditeurs, de leurs propres ouvrages, elles chutent même depuis 1994. Avec un nombre croissant de titres, cela se traduit évidemment par des ventes moyennes par titre en chute.

On peut éclairer la question de la baisse des ventes moyennes et des taux de profit par l'examen du coût des ventes. Statistique Canada compile en effet cet indicateur, mais depuis 1991 seulement (voir le Tableau 5.17). En proportion des revenus, le coût des ventes s'établissait à 53 % en 1991, pourcentage qui avait légèrement grimpé en 1998, atteignant 55,9 %, valeur légèrement supérieure à celle du coût des marchandises vendues pour les éditeurs agréés, établie à 52,5 % au Tableau 5.12.

Avec l'aide de cet indicateur et de nos estimations sur le prix de vente et les quantités vendues, il est possible d'évaluer le coût unitaire moyen, de 1991 à 1998, pour l'ensemble des éditeurs québécois. Comme on peut le voir au Tableau 5.18, ce coût unitaire est en hausse constante, étant passé de 6,37 $ en 1991 à 8,89 $ en 1998[25], ce qui correspond à un croissance annuelle moyenne de 4,9 %.

---

25. Le même calcul pour les éditeurs agréés (à partir du Tableau 5.12) nous permet d'estimer à 8,35 $ le coût unitaire moyen en 1998, un ordre de grandeur comparable. Quant au modèle de flux de trésorerie, il permet d'estimer le coût unitaire (par unité vendue) à 7,75 $ en 1998 (voir le Tableau 5.11). Considérant que les coûts unitaires dans le segment scolaire (non inclus dans notre analyse de flux de trésorerie) sont forcément plus élevés, les deux valeurs semblent également comparables.

Figure 5.3 Estimation de l'évolution des revenus réels de l'ensemble des éditeurs et diffuseurs exclusifs au Québec, 1988-1996 (en millions de dollars 1992[1])

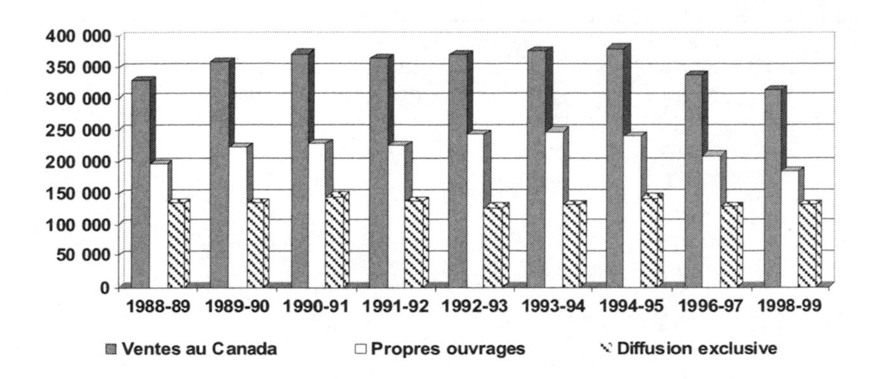

1. Valeurs monétaires déflatées par l'indice des prix industriels, industrie de l'édition, Canada. Les revenus et les ventes de livres ont été ajustés pour tenir compte des changements méthodologiques dans les enquêtes de Statistique Canada.

Source : Tableau 5.17 et Statistique Canada (Cansim, matrices 9957 et 1878) pour les indices de prix.

Cette hausse du coût unitaire moyen est redevable au double effet de la hausse du nombre de titres et de la baisse des ventes moyennes par titre. Elle est également la principale cause de la hausse plus rapide de l'indice des prix industriels du livre (4,1 % par an entre 1991 et 1998) que des autres indices de prix (2,3 % par an pour l'IPC livre et 1,4 % pour l'IPC de l'ensemble de l'économie). Enfin elle explique aussi, dans une large mesure, la baisse marquée de la marge bénéficiaire des éditeurs depuis le début des années 1990.

Pour terminer, il est utile de mettre en rapport les revenus des éditeurs agréés avec ceux de l'ensemble des éditeurs du Québec. À cet égard, on peut estimer que les ventes de livres au Québec par les éditeurs agréés, ajustées pour les mettre sur une base comparable avec les données de Statistique Canada, c'est-à-dire en retranchant leurs ventes étrangères et en ajoutant la marge des distributeurs lorsqu'elle n'était pas déjà incluse, étaient d'environ 142,3 millions de dollars en 1998-1999. Ce qui représente 59,5 % des ventes totales des éditeurs au Québec, établies par Statistique Canada à 239,3 millions de dollars, ou 34,9 % de l'ensemble des ventes de livres (incluant celles des diffuseurs exclusifs, en majorité de propriété étrangère). Quant aux exportations des éditeurs agréés, à 24,1 millions de dollars, elles représentaient 38,8 % de l'ensemble des exportations des éditeurs québécois, qui sont de 62,1 millions.

Tableau 5.18 Estimation des coûts unitaires moyens, 1991-1998, ensemble des éditeurs québécois

	Ventes au Canada ('000 $)	Prix moyen[1] ($)	Quantité vendue[2] ('000)	Coût des ventes[3] ('000 $)	Coût unitaire[4] ($)
1998	407 993	15,91	25 644	228 068	8,89
1996	377 550	14,80	25 505	209 918	8,23
1994	390 341	13,71	28 461	214 688	7,54
1993	362 634	12,90	28 103	203 800	7,25
1992	338 609	12,25	27 653	183 865	6,65
1991	326 031	12,02	27 133	172 796	6,37

1. Prix de vente du distributeur, établi à partir de notre estimation du prix de détail de 23,06 $ en 1998 (chapitre 3), et en appliquant à ce prix l'indice de prix industriel du livre pour déterminer le prix des autres années.
2. Ventes au Canada, divisées par le prix moyen.
3. Ventes au Canada, multipliées par le coût des ventes (en %) de chaque année.
4. Coût des ventes, divisé par la quantité vendue.

Source : Tableau 5.17, et Statistique Canada (Cansim, matrice 1873), pour l'indice de prix.

La part des éditeurs agréés dans l'ensemble des revenus des éditeurs, à 59,5 %, est donc inférieure à leur part dans la production, que nous avions estimée à 78,3 %, et elle est encore plus faible en ce qui concerne les exportations. Cela s'explique principalement par le fait que quelques gros éditeurs, exportant une grande partie de leur production, ne sont pas agréés. Ainsi, en fonction de données internes à la SODEC et de communications privées, nous avons pu retracer huit éditeurs majeurs, dont cinq éditeurs scolaires et trois de littérature générale, qui n'étaient pas agréés et dont les revenus totaux sur le marché intérieur étaient d'environ 80 millions de dollars, à quoi s'ajoutaient probablement de 30 à 40 millions de dollars de ventes à l'étranger. Si on ajoute ces données à celles des éditeurs agréés, on peut alors expliquer plus de 90 % des ventes et la quasi totalité des exportations recensées par Statistique Canada pour l'ensemble des éditeurs au Québec. Si les éditeurs agréés représentent donc bien une part significative de l'édition au Québec, il n'en demeure pas moins que quelques entreprises, non agréées et ne possédant pas nécessairement une grande visibilité, génèrent des ventes et des exportations considérables.

Quant à la part de marché des éditeurs québécois sur le marché intérieur du Québec, elle est difficile à établir précisément. Si, d'emblée, on exclut des ventes totales celles des diffuseurs exclusifs (puisqu'il ne s'agit précisément pas d'éditeurs), et qu'on retranche, des ventes des éditeurs, les ventes redevables à des entreprises de propriété étrangère (totale ou partielle) pour lesquelles nous disposons d'informations ou d'évaluations, on peut estimer cette part de marché à environ 43 %, dont 60 % dans le segment scolaire et 35 % dans le segment de la littérature générale et jeunesse. Une telle part de marché pourra paraître faible, par exemple en regard de la position des éditeurs français sur leur propre marché, qui est d'environ 90 %. Toutefois, elle est plutôt remarquable lorsqu'on considère qu'elle était évaluée à environ 20 % au début des années 1980 et qu'elle est nettement supérieure à ce que l'on retrouve dans d'autres secteurs culturels au Québec, notamment dans la production de disque, où cette part était de 23 % en 1997 (Ménard, 1998) et dans la production cinématographique, avec une part de 6,5 % en 1999 (ISQ, 2000).

Conclusion

Le Québec produit beaucoup de livres, qu'on évalue cette production dans l'absolu ou qu'on la compare à celle d'autres marchés. Depuis les années 1980, le nombre d'éditeurs, le nombre de nouveautés et, plus encore, le nombre de titres réimprimés augmente régulièrement. Depuis le milieu des années 1990, toutefois, le tirage total est stagnant et le tirage moyen est en baisse marquée.

Ces tendances démontrent sans aucun doute la vitalité indéniable de la créativité au Québec, de même que le dynamisme de l'édition québécoise, qui a su mettre en marché cette créativité. Toutefois, il est évident que le double mouvement de la hausse du nombre de titres et de la baisse des tirages moyens se traduit par de très fortes pressions sur les coûts unitaires moyens et, par conséquent, sur les marges bénéficiaires, et cela en dépit des efforts que font les éditeurs pour gérer au plus serré les stocks en réduisant les tirages initiaux et en augmentant la fréquence des réimpressions de façon à se coller plus étroitement à l'évolution de la demande. D'où la tentation d'une fuite en avant, soit en augmentant encore davantage le nombre de titres, soit en haussant les prix, ou encore les deux. L'analyse des indices de prix nous indique ainsi que le prix de détail du livre, depuis 1985, progresse plus rapidement que l'indice général des prix à la consommation, tandis que le prix de gros progresse plus vite, depuis 1991, que celui du prix du livre au détail. Ce mouvement souligne d'un côté l'impact sur les prix de la hausse du coût unitaire moyen des éditeurs et, de l'autre (du moins en partie), l'impact des transformations structurelles dans les canaux de distribution du livre, où l'on note une sensible progression des commerces qui offrent des rabais substantiels à leurs clients.

La situation financière des éditeurs agréés est, dans l'ensemble, relativement saine et solide. La stagnation des revenus et, surtout, la baisse marquée du taux de profit depuis une dizaine d'années augurent toutefois mal pour l'avenir si les tendances repérées se maintiennent. Dans l'ensemble, les éditeurs scolaires, de taille plus imposante et confrontés à un marché fort particulier, s'en tirent encore assez bien. Toutefois, la situation est plus difficile pour le segment des éditeurs de littérature générale, dont la plus grande part est composée d'entreprises de petite taille, et, surtout, pour les éditeurs jeunesse. Ce dernier segment, en effet, bien que s'étant développé rapidement au cours de la dernière décennie, montre actuellement la situation financière la plus fragile parmi les éditeurs.

Les éditeurs agréés représentent une part importante de l'activité éditoriale au Québec, avec environ les trois quarts de la production en nombre de titres au Québec, 35 % de l'ensemble des ventes de livres et 40 % des exportations totales. Dans l'ensemble, la part de marché des éditeurs de propriété québécoise (agréés ou non), en proportion des ventes de livres sur le marché intérieur québécois, peut être estimée à environ 43 %, un résultat remarquable dans le contexte québécois.

CHAPITRE 6

La diffusion et la distribution

La diffusion et la distribution occupent une place centrale dans la filière du livre. Ces deux activités complémentaires permettent d'assurer l'acheminement de l'information sur les livres et les livres eux-mêmes vers de nombreux points de vente éparpillés sur un immense territoire. Les diffuseurs obtiennent des éditeurs l'autorisation d'agir comme leurs représentants exclusifs pour la commercialisation de leurs ouvrages. Quant aux distributeurs, ils sont responsables de l'aspect logistique des opérations, c'est-à-dire le traitement et l'expédition des livres, la facturation et la remontée des recettes vers l'amont. Dans la plupart des cas au Québec, les distributeurs agissent également à titre de diffuseurs.

Le bon fonctionnement du secteur est évidemment essentiel à la réussite de l'ensemble de la filière. Cependant la lourdeur relative des investissements nécessaires à la distribution (entrepôts et systèmes informatiques, principalement) et l'envergure des ressources humaines liées à l'activité de diffusion (équipe de représentants) impliquent la présence de barrières à l'entrée ou, si l'on préfère, elles exigent une taille minimale pour la rentabilité des opérations[1]. Ces barrières à l'entrée, la présence d'économies d'échelle et l'étroitesse du marché québécois expliquent que peu d'éditeurs se diffusent ou se distribuent eux-mêmes. Ces facteurs expliquent aussi qu'il y ait peu de joueurs dans le secteur de la diffusion-distribution en comparaison des secteurs amont (édition) et aval (commerce de détail).

1. Argument valide pour un « généraliste ». Pour certains segments étroits ou spécialisés du marché, de petites structures de distribution peuvent s'avérer efficaces et rentables.

En dépit de son importance économique tout autant qu'opérationnelle, ce secteur est souvent occulté et mal connu, voire ignoré. Ainsi, il n'y a jamais eu d'enquête complète effectuée sur la distribution de livres au Québec, si bien que l'on dispose de fort peu de données statistiques à ce sujet. C'est pourquoi la SODEC, pour répondre aux besoins exprimés par les membres du Comité sur les pratiques commerciales dans le domaine du livre (SODEC, 2000) concernant la compréhension des enjeux de la distribution de livres au Québec, a mené une enquête primaire sur les distributeurs, ainsi que sur les modes d'opération et les résultats financiers des entreprises concernées. Par ailleurs, l'étude sur les flux de trésorerie dans l'industrie du livre a permis de dégager de précieuses informations sur le fonctionnement du secteur, notamment sur les coûts et les revenus unitaires d'opération, l'importance des offices et des retours dans l'ensemble des flux réels et financiers, etc. Enfin, la répartition des ventes par catégories de clients, aux prix des distributeurs, telle que recensée par Statistique Canada dans son enquête sur l'édition, permettra de mettre en perspective certains de nos résultats. Ce sont ces trois sources d'informations qui seront utilisées dans le cadre du présent chapitre. La première section présente la méthodologie de l'enquête menée auprès des distributeurs, la seconde examine les principales données concernant les opérations des distributeurs et la troisième, finalement, procède à une analyse financière des entreprises.

6.1 Méthodologie de l'enquête sur les distributeurs

La SODEC a, dans un premier temps, identifié 48 distributeurs-diffuseurs susceptibles de mener une réelle activité de distribution[2]. En dépit de trois rappels, seulement 19 des 48 questionnaires envoyés nous ont été retournés, soit un taux de réponse de 39,6 %. Les questionnaires n'étaient cependant pas tous complets, certaines entreprises ayant répondu à la section sur l'activité des entreprises, mais pas à la section sur les données financières, et vice-versa. Ainsi, les données de 15 entreprises se sont avérées suffisamment complètes et homogènes pour être utilisées pour l'analyse de l'activité des distributeurs

---

2. L'objectif premier de l'enquête était d'examiner l'activité de distribution, de telle sorte que les activités de diffusion ne furent incluses que lorsque celles-ci étaient intégrées à la distribution au sein d'une même entreprise, ou lorsque la prise en compte des données de diffuseurs exclusifs autonomes était nécessaire pour compléter les informations sur les distributeurs autonomes.

Tableau 6.1 Représentativité de l'enquête sur la distribution en fonction de la répartition des ventes de livre par segments de clientèle, 1998-1999 (en milliers de dollars)

	Échantillon de distributeurs au Québec (enquête SODEC)	Ensemble des distributeurs (Statistique Canada)	Échantillon, en % du total
Nombre d'entreprises	15	n.c.	—
Réseau librairies	96 963	192 254	50,4 %
Réseau grande diffusion	32 675	66 183	49,4 %
Grands magasins	17 380	36 919	47,1 %
Clubs-entrepôts, rabais	10 897	23 678	46,0 %
Autres détaillants	4 398	5 586	78,7 %
Institutions d'enseignement	6 231	73 751	8,4 %
Primaires et secondaires	4 521	66 365	6,8 %
Postsecondaires	1 709	7 386	23,1 %
Autres	3 263	6 313	51,7 %
Total des ventes	**139 132**	**338 501**	**41,1 %**

Source : Enquête sur les distributeurs, SODEC et Statistique Canada, cat. 87-210/87F0004XPB.

(section 6.2) et en ce qui concerne l'analyse financière du secteur (section 6.3), les données de 16 entreprises ont pu être utilisées. Le taux de réponse pour ces deux sections est donc, respectivement, de 31,3 % et de 33,3 %, ce qui ne répond pas, malheureusement, aux critères de pertinence statistique usuels.

Comme on peut le voir au Tableau 6.1, la mise en rapport des ventes par segments de clientèles des distributeurs qui ont répondu à l'enquête avec les données globales pour le Québec, telles que l'on peut les estimer à partir de l'enquête de Statistique Canada, montre un portrait assez différencié. Si les ventes des distributeurs de notre enquête représentent 41 % des ventes totales[3], en revanche la représentativité est supérieure en ce qui concerne les ventes aux librairies (50 %) et les ventes au réseau de grande diffusion (49 %). Elle est cependant assez faible pour les ventes aux établissements d'enseignement (8 % de l'ensemble, mais 23 % pour les seuls établissements postsecondaires). En fait, aucun des principaux éditeurs-distributeurs scolaires présents au Québec, dont le mode de fonctionnement est atypique par

3. Devant l'impossibilité de repérer de façon précise la destination finale des ventes des grossistes, nous avons préféré exclure cette catégorie des résultats.

rapport aux autres distributeurs (production et distribution largement déterminées par les exigences du ministère de l'Éducation, distribution directe aux établissements d'enseignement, forte composante en service, etc.), n'a répondu à l'enquête.

S'il faut donc manipuler avec précaution les résultats de l'enquête, les entreprises qui ont répondu à l'enquête représentent tout de même une part substantielle du marché. De plus, pour les ventes aux particuliers, et plus précisément pour les canaux de distribution par où transitent principalement les offices et les retours, la représentativité de notre échantillon est nettement plus satisfaisante, représentant 50 % des ventes de ces segments. Et l'échantillon est assez homogène, les entreprises retenues ayant un mode de fonctionnement très similaire (distribution de livres de littérature générale, mise en marché reposant sur l'office) et distribuant presque exclusivement, comme nous le verrons dans la prochaine section, des ouvrages en langue française.

6.2 La distribution de livres au Québec

L'enquête de la SODEC permet de qualifier de manière relativement précise la façon dont les distributeurs qui ont répondu à l'enquête mènent leurs activités au Québec. Comme on peut le voir au Tableau 6.2, en 1998-1999, les 15 distributeurs de notre échantillon distribuaient les livres de 306 éditeurs québécois, tous francophones, 8 éditeurs canadiens (également francophones) et 449 éditeurs étrangers (dont seulement trois offraient des ouvrages en d'autres langues que le français), pour un grand total de 766 éditeurs distribués.

Tableau 6.2 Nombre d'éditeurs distribués par les distributeurs, 1998-1999

	Langue principale des ouvrages édités			
	Français	**Anglais**	**Autre**	**Total**
Éditeurs québécois	306	0	0	306
Éditeurs canadiens (hors Québec)	8	0	0	8
Éditeurs étrangers	449	1	2	452
Total	**763**	**1**	**2**	**766**

Note : Compilation des données de 15 distributeurs.
Source : Enquête sur les distributeurs, SODEC.

En complétant ces données avec l'aide des questionnaires non retenus de notre enquête et des informations comprises dans l'annuaire 1999-2000 de *Livre d'ici*, on peut estimer le total d'éditeurs distribués par les 48 distributeurs de notre univers initial à environ 650 éditeurs québécois[4] et 4 200 éditeurs canadiens et étrangers.

En 1998-1999, le nombre total de titres commercialisés (c'est-à-dire disponibles en inventaire), selon les déclarations des distributeurs ayant répondu à l'enquête, était d'environ 120 000, dont seulement 20 091 (16,8 % du total) provenaient d'éditeurs québécois (voir le Tableau 6.3). Quant aux nouveautés lancées sur le marché, on en recensait pas moins de 19 363, dont 2 589 (13,3 %) étaient des titres d'éditeurs québécois. Les nouveautés québécoises lancées par ces 15 distributeurs représentent ainsi 67,7 % du nombre de nouveautés recensées par la BNQ en 1998. En supposant que cette proportion soit également valide pour les titres étrangers, on peut estimer qu'en plus des 3 825 nouveautés québécoises, environ 25 000 nouveaux titres étrangers ont envahi le marché québécois en 1998, c'est-à-dire un grand total allant de 25 000 à 30 000 nouveaux titres. Ces distributeurs commercialisaient également 708 revues et périodiques (dont 220 nouveautés) et 1 447 CD-ROM (dont 244 nouveautés), des quantités relativement restreintes si on les compare à l'ensemble de ces deux marchés.

Tableau 6.3 Nombre de titres commercialisés par les distributeurs, 1998-1999

Catégorie	Nombre total de titres commercialisés	En % du nbr. total de titres de la catégorie	Nombre de nouveautés commercialisées	En % du nbr. total de titres de la catégorie
Total livres	119 937	100,0 %	19 363	100,0 %
Éditeurs québécois	20 091	16,8 %	2 589	13,4 %
Éditeurs canadiens (hors Québec)	428	0,4 %	45	0,2 %
Éditeurs étrangers	99 418	82,9 %	16 729	86,4 %
Total revues et périodiques	708	100,0 %	220	100,0 %
Total CD-ROM	1 447	100,0 %	244	100,0 %

Note : Compilation des données de 15 distributeurs.
Source : Enquête sur les distributeurs, SODEC.

4. Rappelons encore une fois que cela ne signifie pas qu'il existe 650 éditeurs actifs (c'est-à-dire ayant une production régulière de plus d'un auteur) au Québec, mais uniquement que des livres édités par 650 éditeurs québécois, y compris un certain nombre de comptes d'auteur, sont disponibles chez les distributeurs.

Tableau 6.4 Estimation des taux de retour moyens des livres vendus par les distributeurs, 1998-1999

	Librairies	**Grande diffusion**	**Total**
Ensemble des éditeurs	29,6 %	34,4 %	30,8 %
Éditeurs québécois	27,1 %[1]	30,9 %[1]	28,3 %
Éditeurs canadiens (hors Québec) et étrangers	n.d.	n.d.	32,6 %

1. Répartition estimée à l'aide du modèle de flux de trésorerie dans l'industrie du livre.

Note : Compilation des données de 15 distributeurs ; moyennes pondérées par les ventes de chaque distributeur.

Source : Enquête sur les distributeurs, SODEC.

Qu'il s'agisse du nombre de titres disponibles ou des nouveautés, la part de marché des éditeurs québécois est assez faible, en dépit d'une production en hausse constante depuis de nombreuses années. Il n'est donc pas exagéré de dire que chaque année le marché québécois est littéralement inondé par les livres étrangers.

L'enquête nous permet également d'estimer le taux de retour moyen des livres expédiés par les distributeurs (nombre de livres retournés sur le total des livres « mouvementés », soit la somme des ventes et des retours). Le taux de retour moyen global s'établissait, toujours en 1998-1999, à 30,8 %, dont 29,6 % pour les librairies et 34,4 % pour le réseau de grande diffusion (voir le Tableau 6.4). Le taux global de retour était sensiblement inférieur pour les livres d'éditeurs québécois (28,3 %) que pour ceux des éditeurs canadiens et étrangers (32,6 %). Enfin, à l'aide des données obtenues par le biais du modèle de flux de trésorerie dans l'industrie du livre, on peut estimer que le taux de retour associé aux éditeurs québécois, de 28,3 % dans l'ensemble, s'établissait à 27,1 % dans le cas des librairies et à 30,9 % dans celui du réseau de grande diffusion.

Ce que signifient concrètement ces données sur les taux de retour, c'est qu'un distributeur québécois, pour vendre 100 livres, doit en moyenne en manipuler 145. Pour les ventes en librairie, c'est 142, et pour les ventes dans le réseau de la grande diffusion, 152. Considérant les coûts de traitement, de manipulation, d'emballage et d'expédition des livres, on comprendra aisément que le taux de profit de ces entreprises puisse être grandement affecté par l'évolution du taux de retour. Comme nous avons pu l'estimer par le modèle de flux de trésorerie dans l'industrie du livre, présenté au chapitre 4, une variation de 1 % du taux de retour global (à la hausse comme à la baisse), lorsque celle-ci résulte d'une variation des ventes nettes, se traduit, pour les distributeurs, par une hausse/baisse de leur marge brute de 0,12 %[5], ce qui correspond, toute chose étant égale par ailleurs, à une variation de 0,1 % de leur profit net avant impôts.

Bien qu'il soit difficile de juger de manière absolue de l'efficacité des distributeurs à partir du seul taux de retour, on doit tout de même mentionner que, considérant les caractéristiques du marché québécois (étroitesse du marché, vaste étendue du territoire, prépondérance de la production étrangère), un taux de retour de 31 %, à peine supérieur de quelques points à celui que l'on retrouve en France (où il se situe autour de 27-28 %), par exemple, semble démontrer une efficacité certaine du système. Ce qui est plus inquiétant, toutefois, tant du point de vue de la rentabilité des distributeurs que d'éventuelles rationalisations qui pourraient s'avérer nécessaires, c'est l'évolution de ce taux de retour. À cet égard, nous ne disposons pas, comme nous l'avons déjà mentionné, de données historiques précises. Mais la plupart des commentaires des intervenants du milieu convergent vers un double constat : une tendance claire à la hausse du taux de retour sur le long terme, entrecoupée de fortes variations à court terme qui reflètent les dérèglements périodiques du système de l'office et qui sont généralement suivies par des reprises en main de la part des distributeurs (resserrement des conditions d'envois et de crédit, réexamen des grilles et des envois d'office, analyse plus fine des données, etc.). Ainsi, selon l'un des principaux distributeurs québécois, le taux de retour global aurait doublé en quinze ans, passant de 15 % à 30 %, avec des pointes ayant pu atteindre 40 % au début des années 1990. Selon les commentaires d'un autre grand distributeur, un an après l'enquête, à l'automne 2000, le taux de retour aurait grimpé de quelques points de pourcentage.

Si l'on examine la répartition des recettes de distribution, telle qu'elle est présentée au Tableau 6.5, on constate que les ventes de livres prédominent nettement, avec 92 % des ventes totales, suivies par les ventes de papeterie (7 %), tandis que les ventes de CD-ROM, de jeux et de cassettes vidéo, et de revues et périodiques sont très marginales. La remise moyenne octroyée par

5. Définie ici comme la différence entre les revenus et les coûts liés à la distribution, donc sans prendre en compte les dépenses publicitaires, les frais financiers et les frais administratifs.

Tableau 6.5 Répartition des ventes nettes de distribution par types de produits et d'éditeurs distribués, 1998-1999 (en milliers de dollars)

Types de produits	Éditeurs québécois	Part de marché	Éditeurs canadiens et étrangers	Part de marché	Total	Remise moyenne[1]
Livres	49 540,0	35,6 %	89 592,3	64,4 %	139 132,3	37,8 %
Revues et périodiques	37,2	39,3 %	57,5	60,7 %	94,7	38,2 %
CD-ROM	261,0	30,8 %	586,8	69,2 %	847,8	34,1 %
Papeterie	—	—	—	—	11 079,8	—
Jeux et cassettes vidéo	—	—	—	—	651,1	34,9 %
Ventes nettes totales	**—**	**—**	**—**	**—**	**151 805,7**	**—**

1. Moyennes pondérées par les ventes de chaque distributeur.
Note : Compilation des données de 15 distributeurs.
Source : Enquête sur les distributeurs, SODEC.

les distributeurs est de 37,8 % pour les livres, alors que pour les autres produits, elle varie entre 34 et 38 %.

La répartition des ventes, selon l'origine des éditeurs distribués, permet d'évaluer la part de marché des éditeurs québécois à 35,6 % dans le livre (principalement non scolaire), ce qui corrobore notre estimation de 35 % établie au chapitre 5 par une autre méthode. La part de marché des éditeurs québécois est un peu supérieure dans les revues et les périodiques (39,3 %) et inférieure dans le CD-ROM (30,8 %), mais pour ces deux cas, les ventes sont relativement marginales, à la fois pour les distributeurs et pour l'ensemble de ces marchés.

Si on met en rapport la part des éditeurs québécois dans le nombre de titres commercialisés (16,8 %) et dans les nouveautés (13,3 %) avec leur part de marché dans les ventes (35,6 %), on constate qu'en dépit du fait que le marché québécois est inondé par les livres étrangers, les ventes moyennes par titres des éditeurs québécois sont deux fois et demi supérieures à celles des titres étrangers. Et si l'on ajoute à cet élément le taux de retour inférieur des premiers (28,3 % contre 32,6 %), il semble qu'il existe une bonne adéquation entre l'offre québécoise et la demande ; de même peut-on conclure que les distributeurs diffusent et distribuent avec une efficacité certaine les livres québécois sur le marché local.

La répartition des ventes nettes de livres par types de points de vente (Tableau 6.6) montre sans aucune ambiguïté la très nette prédominance du réseau des librairies, lequel représente 70,9 % des ventes des distributeurs au

Québec, contre 23,5 % pour le réseau de grande diffusion. Dans ce dernier cas, les grands magasins représentaient 12,3 % des ventes totales, les magasins-clubs 8,2 % et les autres points de vente (tabagies, pharmacies, etc.), 3,0 %.

Les ventes aux institutions d'enseignement (3,9 %) et celles de la catégorie « autres » (ventes directes, boutiques, exportations, etc., totalisant 1,7 %) étaient relativement marginales. Les ventes dans le reste du Canada représentent, quant à elles, 6 % des ventes totales des distributeurs. Par rapport à la répartition du marché au Québec, ces ventes sont proportionnellement moins nombreuses dans les librairies et davantage dans les institutions d'enseignement.

Tableau 6.6 Répartition des ventes nettes de livres distribués, par points de vente et destination, 1998-1999 (en milliers de dollars)

Points de vente	Au Québec	En % du total	Ailleurs au Canada	En % du total	Total	En % du total	Remise moyenne[1]
Réseau librairies	92 688,2	70,9 %	4 275,0	51,3 %	96 963,2	69,7 %	39,5 %
Réseau grande diffusion	30 705,5	23,5 %	1 969,7	23,6 %	32 675,2	23,5 %	33,6 %
magasins de grande surface	16 069,8	12,3 %	1 310,5	15,7 %	17 380,4	12,5 %	31,4 %
clubs-entrepôts	10 731,6	8,2 %	165,1	2,0 %	10 896,7	7,8 %	35,2 %
tabagies, pharmacies, etc.	3 904,1	3,0 %	494,1	5,9 %	4 398,2	3,2 %	34,6 %
Institutions d'enseignement	5 134,6	3,9 %	1 096,0	13,1 %	6 230,6	4,5 %	18,0 %
primaire et secondaire	3 451,9	2,6 %	1 069,6	12,8 %	4 521,5	3,2 %	10,5 %
post-secondaire	1 682,7	1,3 %	26,4	0,3 %	1 709,2	1,2 %	37,8 %
Autres[2]	2 269,2	1,7 %	994,1	11,9 %	3 263,3	2,3 %	43,3 %
Total	**130 797,5**	**100,0 %**	**8 334,8**	**100,0 %**	**139 132,3**	**100,0 %**	**37,8 %**

1. Moyennes pondérées par les ventes.
2. Ventes directes, boutiques, exportations, etc.

Note : Compilation des données de 15 distributeurs.

Source : Enquête sur les distributeurs, SODEC.

Enfin, on notera que les remises accordées par les distributeurs étaient, en moyenne, de 39,5 % pour les librairies, de 33,6 % pour la grande diffusion (dont 35,2 % pour les clubs-entrepôts de type Price-Costco) et de 18 % pour les institutions d'enseignement (10,5 % pour le primaire et secondaire et 37,8 % pour le post-secondaire).

L'examen de la répartition détaillée des coûts associés directement à la distribution des livres, tels que nous avons pu les repérer dans le cadre de l'étude sur les flux de trésorerie, éclaire bien l'ampleur des coûts associés à la manipulation d'un grand nombre de livres (rappelons qu'il faut manipuler 145 livres pour en vendre 100). On trouvera, au Tableau 6.7, la présentation des différents coûts et revenus unitaires, d'une part en fonction du nombre approprié d'unités pour chaque opération et, d'autre part, en fonction du nombre d'unités vendues (ce qui représente le coût réel final de l'opération, en tenant compte des invendus).

Le coût d'achat des livres à l'éditeur représente évidemment le plus gros poste, à 9,63 $ l'exemplaire en moyenne (soit 74,4 % du total des coûts de distribution). Le coût de traitement des livres reçus (réception, saisie des données sur le système informatique, gestion des stocks et entreposage) est de 0,27 $ par exemplaire reçu. Le coût de conditionnement, lorsque pertinent (pose d'un bandeau pour un auteur à succès ou gagnant d'un prix littéraire,

Tableau 6.7 Coûts et revenus unitaires, distribution de nouveautés d'éditeurs québécois (hors scolaire), 1998-1999

	Par unité appropriée à l'opération	Par unité Vendue
Coûts unitaires		
Coûts d'achat des livres aux éditeurs	9,63 $	9,63 $
Coût de traitement des livres	0,27 $	0,42 $
Coût de conditionnement	0,21 $	0,34 $
Pour les librairies	0,18 $	0,29 $
Pour la grande diffusion	0,29 $	0,48 $
Frais des envois	0,09 $	0,14 $
Pour les librairies	0,08 $	0,12 $
Pour la grande diffusion	0,11 $	0,18 $
Coût de traitement des retours	0,16 $	0,09 $
Pour les librairies	0,15 $	0,07 $
Pour la grande diffusion	0,19 $	0,12 $
Total	—	9,63 $
Revenus unitaires		
Vente en librairies	12,47 $	12,47 $
Vente en grande diffusion	14,02 $	14,02 $
Total	**12,94 $**	**12,94 $**

Note : Moyennes pondérées par les ventes de chaque distributeur.

Source : Modèle de flux de trésorerie, SODEC.

pelliculage et étiquetage dans le cas de la grande diffusion) est en moyenne de 0,21 $ et les frais d'envois (emballage et transport), de 0,09 $. Enfin, le coût de traitement des retours (réception des marchandises, saisie informatique des données, entreposage) s'élève à 0,16 $ par exemplaire reçu[6].

Comme on le notera, les coûts unitaires de conditionnement, d'envois et de traitement des retours sont sensiblement plus élevés lorsqu'il s'agit de livres destinés à la grande diffusion, les opérations étant dans ce cas plus lourdes. Ce qui explique également que le prix de cession du distributeur au commerçant est plus élevé pour les titres destinés à la grande diffusion (14,02 $ en moyenne) que lorsqu'ils sont destinés aux librairies (12,47 $), écart de prix qui n'est que le revers, bien sûr, des écarts entre les remises accordées à ces deux types de commerces, tels que repérés au Tableau 6.6.

Évidemment, lorsqu'on rapporte ces coûts aux quantités vendues, le coût d'achat unitaire demeure identique (seuls les livres vendus par les commerçants étant payés aux éditeurs, puisque ces derniers demeurent propriétaires des livres). Les coûts de traitement, de conditionnement et d'envois s'élèvent substantiellement (le nombre de livres manipulés étant supérieur au nombre de livres vendus), tandis que le coût de traitement des retours s'abaisse (chaque livre n'étant évidemment pas retourné). Au total, en termes d'unités vendues, la marge brute (revenu unitaire total moins coût unitaire total) est ainsi de 2,31 $ pour les nouveautés des éditeurs québécois, ce qui représente 17,9 % des revenus[7].

Le caractère industriel, ou quasi-industriel, du secteur de la distribution rend possible le calcul précis de nombreux indicateurs permettant à ces entreprises de gérer au plus serré, c'est-à-dire de calculer et donc de facturer les coûts de chaque service ou prestation, et d'établir des critères de rentabilité. C'est le seul secteur de la filière où l'on peut véritablement quantifier, mesurer et prévoir, préalables obligés à tout effort de rationalisation. Or toute tendance à la rationalisation, considérant les contraintes de taille

6. Rappelons que le coût de transport des expéditions est aux frais du distributeur, et celui des retours aux frais du détaillant.

7. Le lecteur curieux pourrait être tenté de comparer la marge brute respective des livres vendus aux librairies et au réseau de grande diffusion. Toutefois, les données présentées au Tableau 6.7 ne permettent pas un tel calcul, puisque les paniers de titres vendus aux uns et aux autres (et donc le prix d'achat moyen respectif de ces paniers) ne sont pas identiques. Le calcul du prix moyen de ces paniers d'achats nécessiterait malheureusement de longs et laborieux calculs, que nous n'étions pas en mesure d'effectuer dans le cadre de cette étude.

critiques et la présence d'économies d'échelle inhérentes à ce type d'activité, favorise évidemment la concentration des entreprises.

C'est donc sans grande surprise que l'on constatera que le niveau de concentration dans le secteur de la distribution est nettement plus élevé que dans le secteur de l'édition et, comme nous le verrons au chapitre suivant, que celui des librairies. Le Tableau 6.8 présente les parts occupées par les principaux distributeurs dans le total des ventes aux librairies, au réseau de grande diffusion et au total de ces deux canaux de distribution. Les trois principaux distributeurs regroupaient ainsi 36,1 % des ventes totales, les cinq principaux 47 %, et les dix principaux (il s'agit d'une estimation dans ce cas), 54 %. On notera que la concentration est légèrement plus élevée pour les ventes dans le réseau de grande diffusion que pour les ventes dans le réseau de librairies.

Toutefois, considérant que, pour l'essentiel, nos distributeurs ne sont présents que sur le marché du livre francophone, il ne s'agit peut-être pas de l'indicateur le plus pertinent. Avec l'aide des données de l'enquête de Statistique Canada, on peut estimer la part du livre francophone, au Québec, à environ 75 % de tout le marché québécois (une part légèrement inférieure à celle des habitants dont la langue maternelle ou la langue d'usage à la maison est le français, deux indicateurs qui sont légèrement supérieurs à 80 %, ce qui s'explique évidemment par le fait que les francophones achètent également des livres en anglais). Sur cette base, les taux de concentration des trois, cinq et dix principaux distributeurs seraient alors de 49 %, 63 % et 73 %. Un niveau de concentration que l'on peut qualifier d'assez élevé, même s'il demeure sensiblement inférieur à celui que l'on retrouve en France, où les six principaux groupes contrôlent environ 80 % de la distribution du livre (Chaumard, 1998). Un niveau également inférieur à celui que l'on retrouve

Tableau 6.8 Concentration dans le secteur de la distribution au Québec, ventes en librairies et dans le réseau de grande diffusion, 1998-1999 (part dans les ventes totales de livres)

	3 principaux distributeurs	**5 principaux distributeurs**	**10 principaux distributeurs**
Réseau librairie	36 %	46 %	53 %
Réseau grande diffusion	37 %	49 %	56 %
Total	**36 %**	**47 %**	**54 %**

Source : Enquête sur les distributeurs, SODEC et Statistique Canada, cat. 87-210/87F0004XPB, pour les ventes totales.

aux États-Unis, où Ingram accapare à lui seul 55 % du marché de la distribution, et au Canada anglais, où Pegasus, filiale de Chapter's, n'en accapare pas moins de 75 % (Arthur Donner Associates, 2000).

6.3 Analyse financière

On trouvera, au Tableau 6.9, la compilation des informations financières concernant l'état des revenus et dépenses de 16 entreprises de distribution en 1998-1999. Les recettes de distribution représentent 65,8 % des 364,8 millions de dollars de revenus totaux de ces entreprises, et les recettes de diffusion, 24,7 %. Les autres activités (édition et librairie, notamment), de même que les subventions (attribuées pour les activités autres que la distribution et la

Tableau 6.9 État des revenus et des dépenses, distributeurs-diffuseurs, 1998-1999

	En milliers de dollars	En % des revenus totaux
Nombre d'entreprises	16	—
Revenus totaux	364 839,9	100,0 %
Ventes totales	351 042,6	96,2 %
Distribution	239 952,5	65,8 %
Diffusion	89 972,1	24,7 %
Édition	6 104,0	1,7 %
Librairie	2 495,4	0,7 %
Autre	12 518,6	3,4 %
Subventions	3 170,8	0,9 %
Autres revenus	10 626,4	2,9 %
Dépenses totales	356 247,3	97,6 %
Coût des marchandises vendues	282 657,0	77,5 %
Frais de vente	49 543,8	13,6 %
Frais d'administration	22 707,1	6,2 %
Frais financiers	1 339,4	0,4 %
Marge bénéficiaire brute	81 182,8	22,5 %
Marge bénéficiaire nette	8 592,6	2,4 %
Nbr. entreprises affichant un profit	14	—
Nbr. entreprises affichant une perte	2	—
Employés temps plein	691	—
Employés temps partiel	234	—
Salaires totaux	22 690,1	6,2 %

Source : Enquête sur les distributeurs, SODEC.

diffusion) sont marginales. On parle donc pour ces entreprises d'un haut degré de spécialisation dans la distribution et la diffusion.

Du côté des dépenses, considérant le type d'activité dominante, c'est sans surprise que l'on note la très forte part du poste coût des marchandises vendues (77,5 % des revenus totaux). Les frais de vente représentent 13,6 % des revenus, les frais d'administration 6,2 % et les frais financiers, un faible 0,4 %. La marge brute (revenus moins coût des marchandises vendues) est à 22,5 % des revenus et le bénéfice net avant impôts, à 2,4 %, et 14 des 16 entreprises ont affiché un profit. Cette marge de profit peut sembler assez faible, mais on doit mentionner que les marges nettes sont rarement élevées dans le domaine de la distribution.

Les entreprises répondantes employaient 691 employés à temps plein et 234 à temps partiel. Malgré l'importance apparente de ces données (soit 43 employés à temps plein et 14 employés à temps partiel, en moyenne, par entreprise), lesquelles sont redevables à la grande taille des entreprises concernées (près de 23 millions de dollars de revenus en moyenne), le secteur demeure relativement peu intensif en main-d'œuvre. Ainsi, les 22,7 millions de dollars versés en salaire ne représentaient que 6,2 % des revenus (le même ratio était de 17,5 % dans le cas des éditeurs).

Le bilan présenté au Tableau 6.10 est relativement succinct, ce qui s'explique par la volonté affichée, lors de la préparation du questionnaire de l'enquête, d'alléger le plus possible celui-ci, de façon à favoriser un plus fort taux de réponse. Quoique moins détaillé que les compilations opérées pour les éditeurs et les librairies, ce bilan nous permet tout de même de tirer quelques conclusions d'intérêt.

D'abord, le court terme est prédominant dans le bilan, et ce tant du côté de l'actif (81,1 % du total de l'actif) que du passif (70,4 % du total). Quoique l'on ne dispose pas de valeurs exactes pour l'ensemble de l'échantillon, on sait que ce sont respectivement les comptes à recevoir et les comptes à payer qui prédominent dans ce court terme[8].

En ce qui concerne les actifs de long terme, on remarquera que les immobilisations représentent 6,1 % de l'actif total. Du côté du passif, la dette de long terme est très peu élevée, à 1,6 % du passif total, alors que l'avoir des

---

8. Sur la base de données internes à la SODEC concernant une importante entreprise de distribution, la part des comptes à recevoir dans l'actif de court terme total est d'environ 65 %, tout comme celle des comptes à payer dans le passif de court terme.

Tableau 6.10 Bilan financier des distributeurs-diffuseurs, 1998-1999

	En milliers de dollars	En % des revenus totaux
Nombre d'entreprises	16	—
Actif à court terme	126 928,9	81,1 %
encaisse	4 694,6	3,0 %
stocks	36 265,8	23,2 %
autres	85 968,4	54,9 %
Actif à long terme	29 659,2	18,9 %
immobilisations	9 546,6	6,1 %
autres	20 112,6	12,8 %
Actif total	**156 588,0**	**100,0 %**
Passif à court terme	110 170,7	70,4 %
Passif à long terme	3 043,3	1,9 %
dette à long terme	2 559,6	1,6 %
autres	483,7	0,3 %
Passif total	113 214,1	72,3 %
Avoir des actionnaires	43 373,8	27,7 %
capital-actions	3 085,3	2,0 %
bénéf. non répartis	40 288,5	25,7 %
Passif et avoir total	**156 587,9**	**100,0 %**

Source : Enquête sur les distributeurs, SODEC.

actionnaires l'est plutôt, à 27,7 %, ce qui dénote clairement que la rentabilité fut régulièrement au rendez-vous dans le passé.

Tout comme dans le cas des éditeurs, et afin d'évaluer plus précisément la solidité financière des entreprises, nous avons calculé un ensemble de ratios de liquidité, de gestion, d'endettement, et d'exploitation et de rentabilité[9]. Nous présentons également les mêmes ratios pour un échantillon de petits distributeurs américains, compilés par Robert Morris Associates (1999), de façon à mettre ces ratios en perspective (voir le Tableau 6.11)[10].

La capacité des entreprises à honorer leurs engagements à court terme est assez bonne, si on en juge par la valeur des ratios de liquidité. Le ratio du fonds de roulement peut sembler un peu faible, à 1,2, si on le compare à la valeur traditionnellement considérée comme souhaitable (2,0), mais on

9. Voir, en Annexe 3, la présentation des termes et ratios financiers utilisés.

10. Au contraire de la situation dans l'édition, la taille de ces « petits » distributeurs (chiffre d'affaires moyen de 41,8 millions de dollars américains) est assez comparable à celle des entreprises de notre échantillon (22,8 millions de dollars).

remarquera qu'il est à peine inférieur au ratio des distributeurs américains (1,3). Quant à l'indice de liquidité, il est à 1,0, valeur généralement considérée comme souhaitable.

Nous ne disposons pas d'informations suffisamment détaillées pour évaluer précisément la rotation et la liquidité des comptes à recevoir et à payer. Il est toutefois possible d'en déterminer la valeur approximative par le biais des ratios des principaux secteurs fournisseurs et clients, soit les éditeurs et les librairies[11]. Ainsi, la liquidité des comptes à payer des librairies étant de 80 jours (comme nous le verrons au chapitre 7), on peut retenir cette valeur comme représentant, à quelques jours près, la liquidité des comptes à recevoir des distributeurs. De même, la liquidité des comptes à recevoir des éditeurs étant de 49 jours (valeur établie au chapitre 5), cet indicateur représente probablement assez bien la liquidité des comptes à payer des distributeurs. Mis en rapport avec les mêmes ratios pour les petits distributeurs américains (respectivement 38 et 70 jours), cela nous indique une différence structurelle fondamentale entre les deux groupes, laquelle se traduit, selon toute évidence, par une situation beaucoup moins favorable pour les distributeurs québécois que pour leurs équivalents américains.

L'écart est également important pour le ratio des ventes sur le fonds de roulement (3,3 pour les distributeurs québécois, contre 17,4 pour les distributeurs américains), ce qui semble indiquer une moindre efficacité des premiers dans l'utilisation de leur fonds de roulement. La rotation des immobilisations et celle de l'actif, en revanche, montrent peu d'écarts.

Tout comme dans le cas des éditeurs, il est possible que les modes de commercialisation des nouveautés des uns et des autres, foncièrement différents, de même que le fait qu'une partie non négligeable de l'activité des distributeurs québécois relève de la diffusion (alors qu'aux États-Unis cette activité est du ressort des éditeurs), expliquent en partie le gros écart de certains ratios. Toutefois, cet écart pourrait également indiquer que la domination des distributeurs sur la filière du livre est moins nette au Québec qu'aux États-Unis, ce qui se traduit évidemment pas des conditions commerciales qui leur sont moins favorables.

---

11. Cette approximation est valide à tout le moins pour les entreprises américaines : la liquidité des comptes à recevoir des distributeurs est de 38 jours (contre 41 jours pour la liquidité des comptes à payer des librairies), et la liquidité de leurs comptes à payer est de 70 jours (contre 62 jours pour la liquidité des comptes à recevoir des éditeurs) (Robert Morris Associates, 1999).

Tableau 6.11 Principaux ratios financiers des distributeurs-diffuseurs, 1998-1999 (médianes)

	Distributeurs-diffuseurs québécois	Petits distributeurs américains
Nombre d'entreprises	16	48
Ratios de liquidité		
Fonds de roulement	1,2	1,3
Indice de liquidité	1,0	0,8
Ratios de gestion		
Rotation comptes à recevoir	n.d.	9,5
Liquidité comptes à recevoir (en jours)	*80*[1]	38
Rotation des stocks[2]	2,0	4,8
Liquidité des stocks (en jours)[2]	183	76
Rotation comptes à payer	n.d.	5,2
Liquidité comptes à payer (en jours)	*49*[3]	70
Ventes sur fonds de roulement	3,3	17,4
Couverture des stocks[2]	1,1	n.d.
Rotation des immobilisations	27,9	31,7
Rotation de l'actif	2,1	2,2
Ratios d'endettement		
Immobilisations sur avoir	0,3	0,7
Passif à l'avoir	3,5	2,7
Passif à court terme à l'avoir	0,6	2,1
Ratios d'exploitation et de rentabilité (valeurs moyennes)		
Marge d'exploitation brute	22,5 %	33,3 %
Marge bénéficiaire nette	2,4 %	3,6 %
Taux de rendement de l'actif	5,5 %	4,7 %
Taux de rendement de l'avoir	19,8 %	17,9 %

1. Valeur estimée à partir de la liquidité des comptes à payer des librairies (chapitre 7).
2. Pour les sept entreprises qui possèdent leurs stocks ; pour les autres entreprises, les stocks sont en consignation.
3. Valeur estimée à partir de la liquidité des comptes à recevoir des éditeurs (chapitre 5).

Source : Enquête sur les distributeurs, SODEC, et Robert Morris & Associates (1999) pour les distributeurs américains.

Du côté des ratios d'endettement, on note peu d'écarts significatifs, les ratios démontrant un endettement assez réduit, dans un cas comme dans l'autre. Le ratio des immobilisations et du passif à court terme sur l'avoir est un peu plus faible chez les distributeurs québécois, tandis que celui du passif à l'avoir est légèrement plus élevé que chez les distributeurs américains.

Enfin, en ce qui concerne les ratios d'exploitation et de rentabilité, on notera d'abord que les marges brutes (22,5 %) et nettes (2,4 %) des distributeurs québécois ne représentent que les deux tiers des marges de leurs équivalentes américaines. Ce qui indique la présence de coûts unitaires plus élevés, résultat direct d'un marché aux dimensions nettement plus réduites, mais aussi, sans doute, d'un mode de commercialisation (l'office) qui, dans le contexte d'un plus grand nombre de nouveautés par habitant au Québec qu'aux États-Unis, s'avère lourd à soutenir.

En revanche, les taux de rendement de l'actif et de l'avoir des distributeurs québécois, respectivement à 5,5 % et à 19,8 % — des valeurs généralement considérées comme satisfaisantes pour les actionnaires de n'importe quel type d'entreprise — sont légèrement supérieurs à ceux des distributeurs américains.

Conclusion

Le secteur de la diffusion-distribution comporte des joueurs économiquement importants, qui sont peu nombreux et qui forment, de ce fait, un groupe relativement concentré, mais en grande majorité composé d'entreprises de propriété québécoise.

Chaque année, ces entreprises diffusent et distribuent, au Québec (leurs expéditions hors Québec et, plus encore, hors Canada, sont minimes), un nombre impressionnant de titres, près de 30 000 nouveautés québécoises et étrangères. Cela nécessite un appareillage logistique et informationnel puissant et complexe si l'on tient compte du nombre de fournisseurs (près de 5 000 éditeurs distribués en tout) et du nombre de points de vente (les plus gros distributeurs desservent de 3 000 à 4 500 points de vente).

Les diffuseurs-distributeurs québécois affichent une efficacité certaine dans leurs opérations. Le marché est bien desservi et le taux de retour des livres, tel que mesuré par l'enquête de la SODEC sur le secteur, est à 31 %, ce qui est supérieur de quelques points seulement à celui de la France, un pays où, au contraire du Québec, les entreprises locales contrôlent massivement leur propre marché. La situation financière des entreprises enquêtées est généralement assez bonne, tant du point de vue de la liquidité et de la gestion que de l'exploitation et de la rentabilité. Toutefois, les pratiques commerciales en vigueur leur sont moins favorables et leur efficacité semble moindre que celle de leurs équivalentes américaines. Les principales raisons qui permettent d'expliquer cette moindre performance sont 1) la présence de coûts unitaires plus élevés, résultat d'un mode de mise en marché (l'office) qui favorise une plus grande diversité et disponibilité des produits, mais qui impose aussi des contraintes plus élevées, 2) la taille réduite du marché québécois et sa faible densité en population, de même que 3) un nombre de nouveautés par habitant plus élevé qu'aux États-Unis.

Il faut également noter que la maîtrise du marché, dans le secteur, exige des savoir-faire qui se fondent largement sur des compétences techniques (informatique et distributique, en particulier) et sur la capacité de compiler, d'analyser et d'interpréter les données de vente. Or ces savoir-faire sont en partie étrangers aux autres secteurs de la filière du livre[12], et la logique qui préside au fonctionnement du secteur, comme nous l'avons déjà mentionné, est largement de type industriel, beaucoup plus que dans les autres secteurs. De la capacité de mesurer, quantifier et prévoir — d'analyser rationnellement les données de vente, ainsi que l'ensemble des flux réels et financiers — découle la capacité, pour les distributeurs, de rationaliser toujours plus leurs opérations, et de pousser encore davantage la logique industrielle de leur activité.

Cette rationalisation s'impose lorsque le système de commercialisation (l'office) se dérègle, dérèglements qui se cristallisent dans l'élévation du taux de retour et, à terme, dans la baisse du taux de profit. Si de telles périodes de dérèglements sont propices à des vagues de rationalisation, il n'en demeure pas moins que, même hors de telles périodes, l'augmentation continue des flux constitue une pression constante sur le secteur. Cette augmentation résulte en bonne partie de la croissance du nombre de titres, elle-même redevable à la dynamique propre au secteur de l'édition. Or d'autres tendances sont également en jeu[13].

On reconnaît deux tendances qui, par leur action conjointe, tendent à émietter les commandes et à réduire la taille des colis expédiés, sans que ne diminue pour autant les flux globaux de livres à distribuer : d'une part, le raffinement croissant des mises en place (accroissement du nombre de

12. Il est à cet égard éclairant de constater que la rotation du personnel dans le secteur est fréquemment de nature horizontale (personnel en provenance d'entreprises de distribution autres que du domaine du livre), signe assez clair d'une certaine « déconnexion » du métier avec le produit distribué : en dépit de l'ampleur particulière du nombre de nouveautés à distribuer et des taux de retour dans le livre, les règles, enjeux et difficultés de la distribution sont similaires, qu'il s'agisse de distribuer des livres, de la quincaillerie ou de l'alimentation.

13. L'argument qui suit s'inspire largement de Rouet, 2000.

prénotés, évolution des grilles d'office, plus grande précision des envois, etc.), et d'autre part le fonctionnement des librairies, dont la gestion est de plus en plus caractérisée par le maintien de stocks minimaux et des opérations en flux tendus, là aussi résultat d'une informatisation croissante. Pour la distribution, ces tendances induisent une pression tendancielle à la hausse des coûts unitaires et à la complexification de l'activité logistique, ce qui implique une exigence constante de résultats croissants.

Or dans le contexte d'une taille critique minimale nécessaire au bon fonctionnement et de la présence d'économies d'échelle, cette pression tendancielle à la rationalisation des activités constitue un puissant incitatif à une concentration accrue des entreprises. Le secteur, nous l'avons noté, est déjà relativement concentré. Moins qu'en France, toutefois, mais rien n'indique que cette concentration ne puisse s'accroître dans un avenir proche[14]. Ce qui pourrait entraîner un certain nombre de distorsions de marché, tant du côté des éditeurs que des librairies, comme on peut déjà le percevoir à l'examen de la situation aux États-Unis et, dans une moindre mesure, en France.

Une plus grande concentration pourrait d'abord peser lourdement sur le secteur de l'édition. En effet, un ouvrage disposant d'une forte mise en place est, et sera toujours, plus rentable et plus facile à distribuer qu'un ensemble de plusieurs livres aux ventes plus réduites et plus aléatoires. Advenant une concentration accrue de la diffusion-distribution, cette contrainte de rentabilité, c'est-à-dire la concentration des activités sur les seuls titres à fortes mises en place, risque fort de s'imposer davantage. Or elle s'oppose clairement au mouvement d'effervescence productive et innovatrice de l'édition, qui pousse le secteur à sans cesse produire davantage de titres, de même qu'elle s'oppose à la stratégie de compensation des faibles ventes par quelques ventes plus élevées dans la construction des catalogues des éditeurs. Les objectifs de rentabilité des distributeurs pourraient ainsi rendre plus aléatoires la diffusion et la distribution des plus petits éditeurs ou des ouvrages plus difficiles, s'ils en venaient, par exemple, à refuser de distribuer les ouvrages qui ne répondent pas à certains critères minimaux de vente[15]. Ils pourraient donc en venir à dicter leur politique et leur logique de commercialisation aux

---

14. À cet égard, l'expansion tous azimuts d'une entreprise comme Quebecor laisse penser que le mouvement est loin d'être terminé et tend même à couvrir l'ensemble des secteurs de la culture et des communications.

15. En France, par exemple, selon Chaumard (1998), à moins de 250 exemplaires vendus, Hachette ne distribue plus un titre.

éditeurs, en excluant les plus petits (lesquels seraient alors forcés de se rabattre sur de petites structures forcément moins efficaces) ou en les forçant, plus ou moins consciemment, à ajuster leur production de façon à répondre à ces exigences. Ce qui, dans un cas comme l'autre, constituerait un puissant frein à la diversité et à l'innovation dans la production.

À l'autre bout de la filière, la situation pourrait également être difficile pour les librairies (secteur où l'on retrouve aussi, d'ailleurs, des poussées de concentration), en particulier pour les petites librairies indépendantes. Celles qui ne peuvent commander que de petites quantités pourraient se trouver isolées et mal desservies par des distributeurs dont les seuils de rentabilité et les exigences s'élèveraient. Ces petites librairies pourraient même, à terme, être traitées sur le même pied que les multiples points de vente non spécialisés, sur un mode qui se rapprocherait du *rack-jobbing*.

La concentration des entreprises dans le secteur de la diffusion-distribution constitue donc un enjeu majeur pour la filière du livre. Qu'il s'agisse des éditeurs ou des librairies, c'est la diversité de la production culturelle et sa diffusion élargie qui pourraient être pénalisées par une diffusion et une distribution trop concentrée. Situation qui se complique du fait que quatre des cinq principales entreprises de distribution ont également des intérêts financiers, directs ou indirects, dans des maisons d'édition, et deux d'entre elles ont aussi des intérêts dans des chaînes de librairies.

Le diffuseur-distributeur constitue donc bien un intermédiaire dont on ne peut se passer et vis-à-vis duquel les attentes sont fortes, tant de la part des éditeurs que des librairies. Ce qui explique que le secteur constitue le point de convergence des insatisfactions des uns et des autres, et aussi le lieu où s'allument les premiers clignotants d'alerte indiquant les dysfonctionnements du marché. Les bons résultats du secteur — incluant sa capacité à prendre en compte autant la diversité de la production que celle des points de vente — s'avèrent ainsi essentiels aux bons résultats de l'ensemble de la filière.

CHAPITRE 7

Les librairies agréées

La multiplicité des points de vente répond à l'exigence d'atteindre le plus large public possible. L'élargissement et le raffinement des canaux de distribution et de vente du livre constituent ainsi des tendances lourdes dans l'histoire de l'industrie du livre au Québec.

De ce fait on retrouve, en plus des librairies, une multitude de commerces actifs dans la vente de livres, qu'il s'agisse de magasins à grande surface (grands magasins traditionnels, clubs-entrepôts ou magasins de rabais), de petits points de vente (tabagies, kiosques à journaux, pharmacies, etc.) ou de commerces spécialisés offrant un rayon de livres adapté à leur spécialisation (jardinage, quincaillerie, alimentation naturelle, jouets, etc.). La vente directe complète ce portrait des ventes de livres au consommateur, qu'elle soit réalisée par le biais des clubs de livre, par correspondance et courtage, ou par des éditeurs et distributeurs dont ce n'est pas, à l'exception des éditeurs scolaires, la vocation première.

Bien sûr, en dépit du foisonnement des canaux de vente, les librairies occupent une place privilégiée dans cette constellation : ce sont les seuls commerçants spécialisés dans le livre et, de ce fait, les seuls à être pleinement intégrés dans la filière. Comme nous l'avons mentionné au chapitre 3, les librairies représentaient, en 1998-1999, 56 % des ventes de livres aux particuliers (lesquelles représentaient près de 73 % des ventes totales de livres) et 44 % des ventes aux institutions. Une part nettement plus grande, rappelons-le, que leurs équivalentes françaises ou américaines sur leurs propres marchés.

Pourtant, pour la filière du livre, l'importance de la librairie transcende son seul poids économique. Parce que ce commerce est spécialisé, c'est le seul qui, dans le domaine, offre un vaste assortiment d'ouvrages et un véritable service à la clientèle, qui comprend tout à la fois une fonction de conseil, de recherche bibliographique et de commande des titres recherchés. Il n'en demeure pas moins des disparités importantes entre librairies, selon leur taille, leur appartenance à un réseau, leur caractère généraliste ou spécialisé, et leur situation géographique.

Le présent chapitre porte sur l'ensemble de ces questions. Nous y analyserons en profondeur la situation des librairies agréées. Ce choix est évidemment restrictif. On estime généralement entre 400 et 450 le nombre de librairies au Québec, dont 218, en 1998, étaient agréées. La décision de se limiter à cet élément du secteur repose sur des considérations pratiques (la disponibilité de données), mais aussi sur des considérations analytiques : l'agrément, du fait des normes à respecter (concernant l'ampleur et la diversité de l'assortiment, la réception d'offices d'au moins 25 éditeurs québécois et la possession d'outils bibliographiques, notamment), authentifie, en quelque sorte, le « professionnalisme » de son détenteur[1].

Nous utiliserons trois principales sources de données. D'abord, les titulaires de l'agrément sont tenus de présenter annuellement au ministère de la Culture et des Communications un rapport d'agrément, lequel comprend des informations de base sur leurs activités, ainsi que leurs états financiers. Les informations économiques et financières contenues dans ces documents en font une source de données riche et de qualité que nous utiliserons abondamment, y compris les compilations de certaines informations effectuées généralement tous les trois ans par le ministère depuis 1983. Par ailleurs, une enquête sur les librairies, commandée en 1997 par la SODEC à la firme Études Économiques Conseil, de même que l'étude de la SODEC sur les flux de trésorerie dans l'industrie du livre, fourniront des points de comparaison ponctuels, mais détaillés, ainsi que de précieuses informations sur le fonctionnement concret du secteur.

La première section de ce chapitre présente les principales caractéristiques de l'évolution des librairies agréées depuis le début des années 1980.

---

1. Assertion qui doit être acceptée dans un sens général. La vérification du respect des normes de l'agrément n'est peut-être pas toujours aussi serrée que l'on pourrait le souhaiter, faute de personnel suffisant affecté à cette tâche par le ministère de la Culture et des Communications. De même, la nécessité d'être de propriété québécoise à 100 % pour obtenir l'agrément exclut des entreprises étrangères dont on ne peut douter du professionnalisme (Chapter's, Indigo, Gallimard). Il n'en demeure pas moins que la possibilité de vendre aux institutions constitue un puissant incitatif, pour une librairie sérieuse, à s'agréer.

La seconde présente les principales caractéristiques économiques et financières des librairies. Dans la troisième, enfin, nous examinons la répartition régionale des librairies agréées.

7.1 Les librairies agréées depuis 1983

Le ministère de la Culture et des Communications compile périodiquement, depuis 1983, un certain nombre d'informations générales sur les librairies agréées recensées dans les rapports d'agrément. En complétant ces données par nos propres compilations pour l'année 1998-1999, on obtient un portrait assez révélateur de l'évolution historique du secteur au cours des 15 dernières années.

Comme on peut le constater au Tableau 7.1, le nombre de librairies agréées est passé de 168 en 1983, à 218 en 1998, une augmentation appréciable. La plus grande part de cette augmentation a eu lieu entre 1986 et 1992, toutefois.

Quant aux revenus totaux des librairies agréées, ils ont affiché une solide croissance sur l'ensemble de la période, passant de 123 millions de dollars en 1983 à 532 millions en 1998, ce qui correspond à une croissance annuelle moyenne de 10,3 %. Une progression remarquable, surtout lorsqu'on considère la stagnation et le repli du marché du livre au cours des années 1990 (voir le chapitre 3). Comme on le remarquera, cependant, la croissance des revenus autres que la vente de livres, à 13,1 % par année en moyenne, est nettement supérieure à celle des ventes de livres, qui n'est que de 8,1 % par année. Ainsi, alors que les ventes de livres représentaient, jusqu'en 1996, environ les deux tiers des revenus totaux des librairies agréées, cette proportion glisse sous les 50 % en 1998. Enfin, si on s'en tient aux seules ventes de livres, la croissance des ventes aux particuliers, à 8,7 % par année sur l'ensemble de la période, est sensiblement supérieure à celle des ventes aux institutions, dont la progression moyenne est de 6,7 %. De ce fait, si les ventes aux particuliers représentaient plus de 65 % des ventes de livres jusqu'en 1992, cette proportion grimpe à plus de 72 % à partir de 1996.

On peut avancer un certain nombre de facteurs pour expliquer ces tendances. D'abord, la hausse du nombre d'agréments octroyés. Cette hausse reflète, fort probablement, l'ouverture d'un grand nombre de librairies depuis une vingtaine d'années, dans le contexte d'un marché qui était, dans les années 1980, en solide croissance[2]. La tendance est tout autre dans les années 1990, toutefois : les ventes totales sont stagnantes et la part de l'ensemble des librairies, dans ces ventes, est à peu près stable, évoluant entre 50 et 53 % du total (Tableau 3.3, au chapitre 3). En croisant ces données avec celles du Tableau 7.1, on peut conclure que la part des ventes de livres des librairies agréées dans les ventes de livres de l'ensemble des librairies (agréées ou non) passe, entre 1992 et 1998, de 59 % à 82 %. Ainsi, dans les années 1990, le nombre de titulaires de l'agrément augmente peu, mais on assiste à un transfert massif des ventes des « autres » librairies vers celles qui sont agréées.

Tableau 7.1 Évolution des revenus des librairies agréées au Québec, 1983-1998

	1983	**1986**	**1989**	**1992**	**1996**	**1998**	**TCAM[1] 1983-1998**
Nbr. de librairies agréées	168	172	189	211	210	218	1,8 %
En milliers de dollars							
Revenus totaux	123 125	151 089	219 861	262 639	342 539	532 181	10,3 %
Ventes de livres	79 684	99 422	147 214	177 286	213 147	256 685	8,1 %
Particuliers	52 895	67 621	95 985	118 585	155 112	185 801	8,7 %
Institutions	26 790	31 800	51 229	58 701	58 035	70 884	6,7 %
Autres revenus	43 441	51 668	72 647	85 353	129 391	276 477	13,1 %
En % du revenu total							
Revenus totaux	100,0 %	100,0 %	100,0 %	100,0 %	100,0 %	100,0 %	—
Ventes de livres	64,7 %	65,8 %	67,0 %	67,5 %	62,2 %	48,2 %	—
Particuliers[2]	66,4 %	68,0 %	65,2 %	66,9 %	72,8 %	72,4 %	—
Institutions[2]	33,6 %	32,0 %	34,8 %	33,1 %	27,2 %	27,6 %	—
Autres revenus	35,3 %	34,2 %	33,0 %	32,5 %	37,8 %	52,0 %	—

1. Taux de croissance annuel moyen.
2. En pourcentage des ventes de livres.

Source : Rapports d'agrément et états financiers ; compilation : 1983 à 1996 : Vachon (1998) ; 1998 : SODEC.

Ensuite, les revenus « autres » augmentent beaucoup plus que les revenus tirés de la vente de livres, ce qui dénote une grande diversification des activités. À cet égard, l'inclusion, en 1998, d'un réseau de librairies récemment formé et vendant beaucoup d'autres choses que des livres explique dans une large mesure l'évolution notable de cette variable.

2. Quoique les données à cet égard soient fort imprécises, on peut estimer que le nombre de librairies au Québec est passé, grossièrement, de 250 à 450 entre 1977 et 1998, alors que le nombre de librairies agréées, entre les deux mêmes années, passait de 137 à 218.

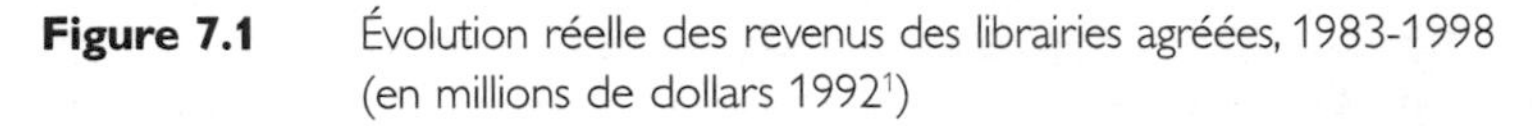

Figure 7.1 Évolution réelle des revenus des librairies agréées, 1983-1998 (en millions de dollars 1992[1])

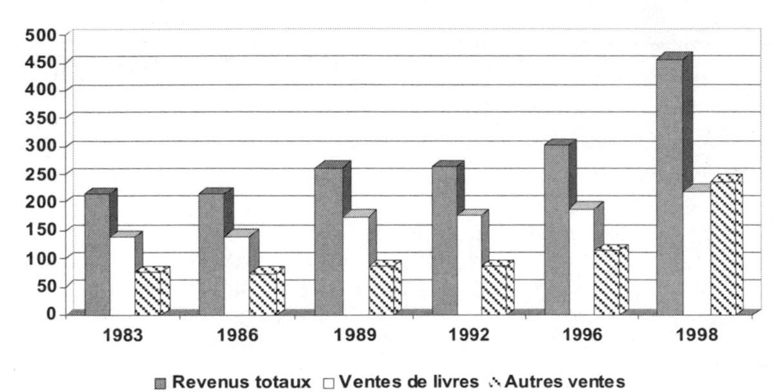

1. Valeurs monétaires déflatées par l'indice de prix de détail du livre, Canada (indice de 1983 estimé par l'auteur).

Source : Tableau 7.1 et Statistique Canada (Cansim, matrice 9957) pour l'indice de prix.

Enfin, dernier élément à considérer, l'inflation, qui était relativement soutenue tout au long des années 1980, tend à gonfler artificiellement la croissance de la valeur des ventes. On trouvera à la Figure 7.1 un graphique présentant l'évolution des revenus depuis 1983, une fois retranchée l'inflation. Comme on peut le voir, la plus grande part de la hausse des revenus totaux s'affiche entre 1996 et 1998. Les ventes de livres sont également en hausse, mais beaucoup moins que les ventes d'autres produits. Même une fois retranchée l'inflation, les tendances demeurent donc assez nettes. En termes réels, les ventes de livres par les librairies agréées augmentent tout de même de 3,2 % par année entre 1983 et 1998, une progression plus soutenue que l'ensemble des ventes de livres.

Le type de librairie représente un autre élément important dans la structuration du secteur. Depuis 1983, il est possible de distinguer l'évolution des revenus des librairies en fonction du nombre de succursales qu'elles regroupent. Comme on peut le voir au Tableau 7.2, le nombre de librairies à succursale unique augmente relativement peu, étant passé de 137 à 146 entre 1983 et 1998, tandis que le nombre de librairies à succursales multiples passe de 31 à 72 entre les deux mêmes années[3].

---

3. Précisons que c'est le nombre de succursales que l'on mesure ici, et non pas le nombre de bannières. Cette distinction entre succursales uniques et multiples n'est pas la meilleure

Tableau 7.2 Évolution des revenus des librairies agréées au Québec, en fonction du type, 1983-1998

	1983	1986	1989	1992	1996	1998	TCAM[1] 1983-1998
Succursales uniques	137	146	138	159	147	146	0,4%
En milliers de dollars							
Revenus totaux	103 185	131 789	173 882	211 138	227 655	293 214	7,2%
Ventes de livres	64 579	83 328	111 060	136 472	141 701	161 580	6,3%
Particuliers	42 019	57 004	74 273	93 039	100 817	116 345	7,0%
Institutions	22 560	26 325	36 787	43 433	40 884	47 872	5,1%
Autres revenus	38 606	48 461	62 821	74 666	85 954	131 634	8,5%
En % du revenu total							
Revenus totaux	100,0%	100,0%	100,0%	100,0%	100,0%	100,0%	—
Ventes de livres	62,6%	63,2%	63,9%	64,6%	62,2%	55,1%	—
Particuliers[2]	65,1%	68,4%	66,9%	68,2%	71,1%	72,0%	—
Institutions[2]	34,9%	31,6%	33,1%	31,8%	28,9%	29,6%	—
Autres revenus	37,4%	36,8%	36,1%	35,4%	37,8%	44,9%	—
Succursales multiples	31	26	51	52	63	72	5,8%
En milliers de dollars							
Revenus totaux	19 941	19 301	45 979	51 501	114 884	238 967	18,0%
Ventes de livres	15 106	16 093	36 154	40 814	71 446	95 105	13,1%
Particuliers	10 876	10 618	21 711	25 546	54 295	69 455	13,2%
Institutions	4 230	5 476	14 443	15 269	17 152	23 012	12,0%
Autres revenus	4 835	3 207	9 826	10 686	43 438	144 843	25,4%
En % du revenu total							
Revenus totaux	100,0%	100,0%	100,0%	100,0%	100,0%	100,0%	—
Ventes de livres	75,8%	83,4%	78,6%	79,3%	62,2%	39,8%	—
Particuliers[2]	72,0%	66,0%	60,1%	62,6%	76,0%	73,0%	—
Institutions[2]	28,0%	34,0%	39,9%	37,4%	24,0%	24,2%	—
Autres revenus	24,2%	16,6%	21,4%	20,7%	37,8%	60,6%	—

1. Taux de croissance annuel moyen.
2. En pourcentage des ventes de livres.

Source : Rapports d'agrément et états financiers ; compilation : 1983 à 1996 : Vachon (1998) ; 1998 : SODEC.

mesure permettant de différencier les librairies dites « indépendantes » des librairies en réseaux. Il s'agit cependant de la seule distinction que permettent les données compilées par le ministère de la Culture et des Communications depuis 1983. Nous évaluons plus précisément cette question des librairies indépendantes et en réseau dans la section suivante.

Les revenus totaux des librairies à succursale unique représentaient 55,1 % de l'ensemble des revenus des librairies agréées en 1998, et leurs ventes de livres, 62,9 % du total des ventes de livres. Quoique ces librairies à succursale unique dominent le secteur tout au long de la période, la dynamique est nettement en faveur des librairies à succursales multiples. Les revenus totaux du premier groupe n'ont progressé que de 7,2 % par année, en moyenne, entre 1983 et 1998, contre pas moins de 18,0 % par année pour le second. Qu'il s'agisse de ventes aux particuliers ou aux institutions, la croissance annuelle moyenne des ventes de livres des librairies à succursales multiples est environ le double de celle des librairies à succursale unique ; et le triple en ce qui concerne les revenus provenant de produits autres que le livre.

On peut donc parler, dans le secteur, d'une tendance lourde qui favorise à long terme la formation de librairies à plusieurs succursales. Chez ces dernières, la spécialisation dans le livre est moins marquée et elle a baissé de façon significative entre 1996 et 1998, la part des ventes de livres étant passée de 62,2 % à 39,8 % des revenus totaux. Cette diversification dans les autres produits que le livre n'est toutefois pas le seul fait des librairies à succursales multiples. En effet, même pour les librairies à succursale unique, la part des ventes de livres dans l'ensemble des revenus, à peu près stable entre 62 % et 65 % de 1983 à 1996, chute à 55,1 % en 1998. Il semble donc que la diversification des activités soit un élément majeur depuis 1996, quel que soit le type de librairie. On retrouverait là, en quelque sorte, une tendance remontant au XIXe siècle et qui consistait, pour les librairies, à offrir des produits de consommation complémentaires au livre ou s'adressant à des besoins bien identifiés de la clientèle qui fréquentait leurs commerces. Selon l'enquête menée auprès des librairies en 1997 (SODEC, 1997), les principaux produits autres que le livre vendus par les librairies étaient la papeterie (15,8 % du chiffre d'affaires total), les objets religieux, les jeux et les jouets (2,4 %), les disques, cassettes et vidéocassettes (1,6 %), les CD-ROM (1,0 %), les revues et les périodiques (0,8 %), les affiches, les reproductions et les cadeaux (0,6 %) et l'ameublement de bureau (0,4 %).

7.2 Analyse économique et financière des entreprises

LES FORMES DE REGROUPEMENT

Il existe donc un élément primordial qui structure le secteur des librairies agréées : l'appartenance, ou non, à un regroupement. À cet égard, comme nous l'avons mentionné, la distinction entre librairies à succursales multiples et à succursale unique n'est pas la plus pertinente. D'une part, c'est la notion de librairie indépendante — et son opposition implicite à la librairie faisant partie d'un réseau — qui est le plus souvent utilisée par les acteurs du milieu. D'autre part, d'un point de vue analytique, il est assez clair que la possession de deux succursales ne donne pas forcément au propriétaire les pouvoirs et les avantages que l'on associe habituellement à un réseau (pouvoir d'achat accru auprès des fournisseurs, économies d'échelles dans la gestion et le traitement des commandes, etc.). Quant à savoir à partir de combien de succursales, exactement, ces effets entrent en jeu, la question est loin d'être simple. Pour y répondre, il faudrait à tout le moins tenir compte d'autres facteurs que le seul nombre de succursales ; le chiffre d'affaires, en particulier, s'avère sans doute assez déterminant. Nous nous rabattrons donc, ici, sur une définition conventionnelle qui, à défaut de reposer sur un sol analytique solide, a l'avantage d'éviter trop de confusion. Nous considérerons comme faisant partie d'un réseau toutes les librairies ayant quatre succursales ou plus[4].

Il faut également tenir compte d'une autre particularité du secteur, soit la présence de librairies scolaires et universitaires. Pas totalement assimilables à des librairies indépendantes, ni vraiment membres d'un réseau au sens strict, ces librairies peuvent être très de grande taille et professionnelles, et elles sont souvent agréées. La plupart d'entre elles forment des coopératives. Elles desservent un marché particulier, leur clientèle étant largement composée d'étudiants, et la demande qui leur est adressée est fortement déterminée par les besoins pédagogiques des institutions où elles sont situées.

Si, aux quelques données de base fournies par les rapports d'agrément, on ajoute celles des états financiers des entreprises, on peut tracer un portrait économique et financier assez précis des librairies agréées en fonction de leur forme de regroupement[5].

---

4. Nous reprenons ainsi la proposition de l'Association des libraires du Québec (ALQ), qui est de définir une librairie indépendante comme étant composée de 3 succursales au maximum et dont le propriétaire-artisan est impliqué dans la gestion de l'entreprise.

5. Comme toute étude reposant sur les déclarations volontaires des entreprises, les données n'étaient pas toujours complètes et, en ce qui concerne les états financiers, tous les postes

On notera d'abord (voir le Tableau 7.3) que sur les 218 librairies agréées identifiées en 1998-1999, 160 (soit 73,4 % du total) pouvaient être qualifiées de librairies indépendantes, 39 (17,9 %) faisaient partie d'un réseau et 19 (8,7 %) étaient des librairies scolaires ou universitaires. Notons qu'un certain nombre de librairies dites indépendantes possédaient plus d'une succursale, soit 13 librairies totalisant 33 succursales.

Le nombre de titres détenus en magasin était en moyenne, pour l'ensemble des librairies, de 2 448 titres québécois et 7 214 titres étrangers. Les librairies membres d'un réseau possédaient un assortiment nettement plus substantiel (respectivement 3 329 et 10 687) que les librairies indépendantes (2 342 et 6 678) et, plus encore, que les librairies scolaires et universitaires (1 535 et 4 608). Ce qui ne signifie pas que ces dernières sont plus petites, mais plutôt que la demande qui leur adressée se caractérise par un moins grand nombre de titres et des ventes par titre plus élevées que pour les autres librairies.

En fonction des revenus totaux, les librairies indépendantes accaparaient 41,9 % du total, contre 35,6 % pour les librairies en réseau et 22,4 % pour les librairies scolaires et universitaires. La taille moyenne de chaque type de regroupement, en termes de revenu total par succursale, était respectivement de 1,4 million de dollars, 4,9 millions et 6,3 millions. La succursale d'une librairie indépendante est donc nettement plus petite, en moyenne, que les autres, ce qui ne surprendra évidemment personne.

La répartition des ventes permet de repérer quelques traits distinctifs. La part des ventes de livres, à 54-57 % des revenus totaux, est nettement plus grande pour les librairies indépendantes et scolaires/universitaires que pour les librairies en réseau (35 % seulement). La part des ventes aux institutions est également beaucoup plus grande pour les librairies indépendantes (20 % du total) que pour les autres (à peine 8 %). Dans tous les cas, les subventions sont minimes[6].

---

n'étaient pas forcément homogènes, ce qui peut entraîner un certain nombre de biais. Des estimations ont été opérées pour combler les données manquantes et obtenir un portrait global. Nous n'avons pas, dans les tableaux présentés dans ce chapitre, inclus le nombre de répondants à chacune des entrées, afin de ne pas alourdir inutilement la présentation des tableaux. Soulignons cependant que le plus faible taux de réponse à un poste était de 75,1 % (soit 133 répondants sur 177, nombre maximal de réponses possible, considérant la présence d'états consolidés regroupant les données de plusieurs succursales), ce qui répond à des critères de pertinence statistique satisfaisants. Pour une population de 177, en effet, la taille de l'échantillon requis pour un seuil de confiance de 95 %, neuf fois sur dix, est de 63 librairies, soit 36 % du total.

6. Seule la SODEC offre un programme d'aide aux librairies agréées, visant la promotion, la modernisation, l'informatisation, la consolidation et l'aide au transport de livres. L'aide totale

Tableau 7.3 État des revenus et des dépenses des librairies agréées en fonction de leur forme de regroupement, 1998-1999 (en milliers de dollars et en % des revenus totaux)

	Ensemble des librairies agréées	indépendantes[1]	en réseau[2]	scolaires et universitaires
Nombre d'entreprises	218	160	39	19
Nombre de titres québécois	2 448	2 342	3 329	1 535
Nombre de titres étrangers	7 214	6 678	10 687	4 608
Revenus totaux	**532 180,6**	**223 147,0**	**189 617,3**	**119 416,3**
Ventes de livres	48,2 %	56,9 %	34,8 %	53,5 %
Particuliers	34,9 %	36,6 %	26,3 %	45,4 %
Institutions	13,3 %	20,3 %	8,4 %	8,1 %
Subventions	0,03 %	0,08 %	0,0 %	0,0 %
Autres revenus	51,9 %	43,1 %	65,7 %	46,5 %
Dépenses totales	**98,7 %**	**97,8 %**	**99,0 %**	**100,0 %**
Coût des marchandises vendues	70,8 %	67,6 %	69,6 %	78,8 %
Stocks, début	19,6 %	23,0 %	23,1 %	7,7 %
Achats	69,7 %	67,9 %	66,0 %	78,7 %
Stocks, fin	18,4 %	23,3 %	19,6 %	7,6 %
Frais de vente	10,4 %	12,1 %	10,9 %	6,5 %
Publicité	1,0 %	0,8 %	0,1 %	2,7 %
Frais d'administration	15,9 %	17,0 %	15,8 %	14,0 %
Frais financiers	1,6 %	1,1 %	2,7 %	0,6 %
Marge bénéficiaire nette	**1,3 %**	**2,2 %**	**1,0 %**	**0,0 %**

1. Ayant moins de quatre succursales.
2. Ayant quatre succursales ou plus.

Source : Rapports d'agrément et rapports annuels des entreprises, compilation SODEC.

Du côté des dépenses, le coût des marchandises vendues, mesuré en pourcentage des revenus, est évidemment le principal poste, à 70,8 % pour l'ensemble des librairies. Il est encore plus gros pour les librairies universitaires, à 78,8 %, ce qui s'explique par les remises plus réduites sur les manuels et les livres scientifiques et techniques (30 %, parfois à peine 20 %). Les frais

versée atteignait près de 1 million de dollars en 1998-1999, première année du programme, et 1,5 million en 1999-2000. L'implantation récente du programme et les décalages entre les dates de clôture des rapports financiers des uns et des autres expliquent que les sommes repérées au Tableau 7.3 soient si faibles.

de vente représentent 10,4 % des revenus (seulement 6,5 % pour les librairies scolaires et universitaires), dont 1 %, à peine, consiste en publicité. Cependant, on découvre avec surprise que la publicité représente 2,7 % des revenus pour les librairies scolaires et universitaires. Quant aux frais d'administration, ils s'établissent à 15,9 % des revenus (ils sont un peu plus élevés pour les librairies indépendantes, à 17 %), tandis que les frais financiers sont relativement élevés, à 1,6 % (surtout pour les librairies membres d'un réseau, à 2,7 %).

Enfin, le taux de profit avant impôt, mesuré en pourcentage des revenus, s'établit à 1,3 %. Il est de 2,2 % pour les librairies indépendantes, 1,0 % pour les librairies membres d'un réseau et de 0 % pour les librairies scolaires et universitaires. Ce taux de profit peut sembler assez faible, mais les marges sont rarement élevées dans le commerce de détail. Aux États-Unis, selon Robert Morris Associates (1999), le taux de profit d'un échantillon de 85 petites librairies était de 2,3 %, tandis qu'en France, une enquête portant sur 47 librairies « de premier niveau » estimait à seulement 0,5 % le taux de profit en 1992 (Bipe Conseil, 1993). Mentionnons également que l'enquête de 1997 sur les librairies au Québec (SODEC, 1997) estimait le taux de profit à 1,6 % en 1993-1994, à 1,5 % en 1994-1995 et à 0,8 % en 1995-1996. La rentabilité se serait donc sérieusement redressée depuis le creux de 1995-1996, sans pour autant retrouver tout à fait le niveau de 1993 et 1994, et encore moins atteindre le niveau des petites librairies américaines.

Le bilan présenté au Tableau 7.4 est nettement dominé par le court terme, lequel représente 66 % de l'actif et 50 % du passif. Les stocks constituent le principal poste, à 44 % de l'actif, suivi des comptes clients (15 %), tandis que les immobilisations représentent 16 % du total. Du côté du passif, les comptes fournisseurs (34 % du total du passif et de l'avoir) constituent le plus gros compte. La dette à long terme n'est pas négligeable, à 24 % du total, tandis que l'avoir des actionnaires (21 % seulement) pourrait être plus élevé.

Par rapport à la moyenne de l'ensemble des librairies agréées, les différentes formes de regroupement affichent des particularités assez nettes. L'actif des librairies indépendantes est davantage composé d'actifs de court terme, le poste des comptes fournisseurs est un peu plus faible et, surtout, la dette à long terme est beaucoup moins élevée, tandis que l'avoir des actionnaires, au contraire, est nettement plus gros. L'actif des librairies membres d'un réseau est davantage composé d'actifs de long terme, tandis que du côté du passif, les comptes fournisseurs sont un peu moins gros, la dette de long terme est

Tableau 7.4 Bilan financier des librairies agréées en fonction de leur forme de regroupement, 1998-1999 (en milliers de dollars et en % de l'actif total)

	Ensemble des librairies agréées	indépendantes[1]	en réseau[2]	scolaires et universitaires
Nombre d'entreprises	218	160	39	19
Actif total	233 007,0	102 513,6	105 293,0	25 200,4
Actif à court terme	65,9 %	73,9 %	57,2 %	69,8 %
encaisse	4,3 %	5,2 %	1,3 %	12,8 %
comptes clients	14,8 %	17,7 %	12,8 %	11,4 %
stocks	44,0 %	46,5 %	41,9 %	42,2 %
autres	2,9 %	4,5 %	1,2 %	3,4 %
frais payés d'avance	0,8 %	1,0 %	0,5 %	1,3 %
autres	2,0 %	3,5 %	0,6 %	2,2 %
Actif à long terme	34,1 %	26,1 %	42,8 %	30,2 %
immobilisations	16,0 %	14,9 %	14,9 %	25,3 %
autres	18,1 %	11,2 %	27,9 %	4,9 %
Passif à court terme	50,0 %	47,6 %	51,7 %	53,1 %
emprunts bancaires	7,6 %	12,4 %	2,7 %	7,9 %
comptes fournisseurs	34,3 %	29,7 %	38,9 %	33,8 %
avances	1,0 %	1,1 %	1,1 %	0,0 %
subventions	0,0 %	0,0 %	0,0 %	0,0 %
portion dette long terme	3,2 %	2,5 %	2,9 %	7,7 %
autres	4,0 %	1,9 %	6,0 %	3,8 %
Passif à long terme	28,5 %	14,1 %	45,7 %	15,5 %
dette à long terme	24,2 %	10,0 %	40,1 %	15,5 %
autres	4,3 %	4,1 %	5,6 %	0,0 %
Passif total	78,6 %	61,7 %	97,4 %	68,6 %
Avoir des actionnaires	21,4 %	38,3 %	2,6 %	31,4 %
capital-actions	7,7 %	5,4 %	4,0 %	32,5 %
bénéfices non répartis	13,6 %	32,7 %	-1,5 %	-1,1 %

1. Ayant moins de quatre succursales.
2. Ayant quatre succursales ou plus.

Source : Rapports annuels des entreprises, compilation SODEC.

imposante (représentant 40 % du total du passif et de l'avoir) alors que l'avoir des actionnaires est minime (les bénéfices non répartis sont mêmes négatifs). On connaît, dans ce dernier cas, les difficultés financières vécues par certains réseaux au cours des dernières années (Champigny, Garneau et Renaud-Bray, avant leur fusion en 1999). Enfin, les librairies scolaires et universitaires se caractérisent surtout, du côté de l'actif, par une encaisse et des immobilisations plus élevées que la moyenne, alors que du côté du passif, la dette à long terme est plus faible, et l'avoir des actionnaires, à l'inverse, relativement élevé. Au contraire des autres librairies, toutefois, cet avoir se compose essentiellement de capital-actions, les bénéfices non répartis étant légèrement négatifs. Cette particularité s'explique, évidemment, par le caractère coopératif de la plupart des librairies qui composent ce segment.

Comme nous l'avons fait avec les autres secteurs de la filière, pour évaluer plus précisément la solidité financière des entreprises, nous présentons, au Tableau 7.5, un ensemble de ratios de liquidité, de gestion, d'endettement, et d'exploitation et de rentabilité[7]. De façon à mettre ces données en perspective, nous présentons également les ratios d'un ensemble de « petites » librairies américaines, tels que mesurés par la firme Robert Morris Associates (1999)[8].

La liquidité des entreprises (soit leur capacité à honorer leurs engagements à court terme), mesurée par le ratio du fonds de roulement et celui de l'indice de liquidité, sont un peu en deçà des normes généralement considérées comme souhaitables (soit respectivement 2 et 1). À 1,6 et 0,5, toutefois, la valeur de ces ratios est presque identique à celle des librairies américaines. Les librairies en réseau bénéficient d'un peu moins de liquidité que la moyenne, et les librairies scolaires et universitaires, d'un peu plus.

La liquidité des comptes à recevoir est en moyenne de 20 jours, ce qui est beaucoup plus long que celle des librairies américaines (à peine trois jours). Cette différence s'explique par l'ampleur des ventes institutionnelles des librairies agréées : ces comptes sont payables, en moyenne, avec un délai de 45 jours. En revanche, la liquidité des comptes à recevoir des librairies scolaires et universitaires est beaucoup plus courte que la moyenne, leurs ventes institutionnelles étant nettement plus faibles.

La liquidité des comptes à payer de l'ensemble des librairies est très bonne, à 80 jours (contre 41 jours pour les librairies américaines). Le ratio est encore meilleur pour les librairies en réseau, à 104 jours, ce qui démontre sans doute un meilleur pouvoir de négociation avec les fournisseurs. Toutefois, il est nettement moins bon pour les librairies scolaires et universitaires (27

7. On trouvera, en Annexe 3, une présentation des termes et ratios financiers utilisés.

8. Les ventes moyennes de ces « petites » librairies américaines atteignaient toutefois 10,1 millions de dollars américains, contre une moyenne de 2,4 millions de dollars canadiens pour les librairies québécoises.

Tableau 7.5 Principaux ratios financiers des librairies agréées en fonction de leur forme de regroupement, 1998-1999 (médianes)

	Ensemble des librairies agréées	indépendantes[1]	en réseau[2]	scolaires et universitaires	Petites librairies américaines
Nombre d'entreprises	218	160	39	19	85
Ratios de liquidité					
Fonds de roulement	1,6	1,6	1,2	2,1	1,6
Indice de liquidité	0,5	0,5	0,3	0,6	0,3
Ratios de gestion					
Rotation comptes à recevoir	18,2	17,2	14,8	56,1	143,6
Liquidité comptes à recevoir (en jours)	20	21	25	7	3
Rotation des stocks	2,9	2,8	2,8	9,4	3
Liquidité des stocks (en jours)	127	131	130	39	122
Rotation comptes à payer	4,6	4,4	3,8	13,7	8,9
Liquidité comptes à payer (en jours)	80	82	104	27	41
Ventes sur fonds roulement	5,6	5,5	9,0	9,1	9,4
Couverture des stocks	1,3	1,4	2,5	0,8	n.d.
Rotation des immobilisations	22,8	24,8	15,5	22,3	2,5
Rotation de l'actif	2,4	2,3	2,0	4,9	2,5
Ratios d'endettement					
Immobilisations sur avoir	0,2	0,2	0,7	0,3	0,6
Passif à l'avoir	1,0	1,1	2,1	0,5	1,9
Passif à court terme à l'avoir	0,7	0,7	0,6	0,7	1,3
Ratios d'exploitation et de rentabilité (valeurs moyennes)					
Marge d'exploitation brute	29,2%	32,4%	30,4%	21,2%	41,1%
Marge bénéficiaire nette	1,3%	2,2%	1,0%	0,0%	2,3%
Taux de rendement de l'actif	2,9%	4,8%	1,7%	0,0%	5,1%
Taux de rendement de l'avoir	13,5%	12,6%	66,9%	-0,1%	15,3%

1. Ayant moins de quatre succursales.
2. Ayant quatre succursales ou plus.

Source: Rapports annuels des entreprises, compilation SODEC et Robert Morris Associates (1999) pour les librairies américaines.

jours). Il en va de même pour la liquidité des stocks, qui roulent beaucoup plus vite dans les librairies scolaires et universitaires que dans les autres. Ces résultats reflètent les conditions commerciales associées aux livres vendus par ces librairies.

Notons enfin que les immobilisations roulent nettement plus au Québec qu'aux États-Unis, ce qui démontre surtout que ces immobilisations occupent une part nettement moindre dans l'actif des librairies québécoises. Par conséquent, ces ratios semblent montrer, comme nous l'avions affirmé au chapitre précédent, que les pratiques commerciales en vigueur au Québec sont plus favorables aux librairies que ce n'est le cas aux États-Unis.

Quels que soient les ratios utilisés, les librairies québécoises semblent maîtriser leur endettement. Du moins plus que leur équivalentes américaines, exception faite des librairies en réseau, qui affichent un lourd endettement. Encore une fois, ce phénomène résulte des difficultés financières vécues par certains de ces réseaux au cours des dernières années.

En dépit de pratiques commerciales plus favorables dans l'ensemble, on notera que les marges bénéficiaires (la marge brute autant que la nette), de même que le taux de rendement de l'actif sont nettement inférieurs pour les librairies québécoises que pour les américaines. Seul le taux de rendement de l'avoir soutient la comparaison, mais ce n'est que le signe d'un plus petit avoir. Dans l'ensemble, les librairies indépendantes sont en meilleure posture que les autres. La rentabilité plus faible des librairies québécoises s'explique bien sûr par la présence de coûts unitaires plus élevés, résultat direct de la plus petite taille des librairies et du marché qu'elles desservent. Cependant, elle s'explique aussi probablement par le mode de commercialisation utilisé au Québec (les envois d'office), lequel favorise une plus grande diversité des livres disponibles, mais au coût d'une relative lourdeur des opérations.

LOURDEUR DES COÛTS D'OPÉRATION

À l'aide du modèle de flux de trésorerie de la SODEC, il est possible d'évaluer les principaux coûts et revenus unitaires liés à la vente, par les librairies, des nouveautés d'éditeurs québécois de littérature générale (c'est-à-dire hors secteur scolaire). La première colonne du Tableau 7.6 présente ces données en fonction des unités appropriées à chaque opération (coût d'achat divisé par unités achetées, coût des retours divisé par unités retournées, etc.). À la deuxième colonne, les données sont rapportées au nombre d'unités vendues. Ce dernier indicateur représente le coût réel final des opérations, en tenant compte des invendus retournés aux distributeurs.

Le coût d'achat des livres au distributeur est évidemment le plus gros poste, à 12,47 $ en moyenne. Le coût de traitement des livres reçus (réception, saisie des données sur le système informatique, disposition des livres sur les rayons) est de 0,60 $ par exemplaire reçu. En ce qui concerne les collectivités, le coût de promotion (ce qui comprend, dans certains cas, les coûts reliés à une salle de montre) peut être évalué à 0,16 $ par exemplaire vendu aux collectivités, et les frais d'envoi à 0,25 $. Le coût de traitement des retours (analyse des titres à retourner, manipulation des livres et saisie des données) est de 0,76 $ et l'emballage et l'expédition de 0,23 $ par exemplaire retourné.

Lorsqu'on rapporte ces coûts aux quantités totales vendues, le coût d'achat unitaire demeure évidemment identique, les livres retournés étant crédités aux librairies. Le coût unitaire de traitement des livres reçus s'élève substantiellement (le nombre de livres manipulés étant supérieur au nombre de livres vendus), tandis que les coûts unitaires de promotion et d'envoi pour les collectivités s'abaissent (les ventes aux collectivités ne constituant qu'une

Tableau 7.6 Coûts et revenus unitaires des librairies agréées, livres d'éditeurs québécois, hors scolaire, 1998-1999

	Par unité appropriée à l'opération	Par unité vendue
Coûts unitaires		
Coût d'achat des livres aux distributeurs	12,47 $	12,47 $
Coût de traitement des livres reçus	0,60 $	0,89 $
Collectivités		
Promotion	0,16 $	0,05 $
Frais des envois	0,25 $	0,07 $
Coût des retours		
Traitement	0,76 $	0,37 $
Frais d'envoi aux distributeurs	0,23 $	0,12 $
Total	—	**14,08 $**
Revenus unitaires		
Ventes au détail	21,37 $	21,37 $
Ventes aux collectivités	14,34 $	14,34 $
Total	**20,37 $**	**20,37 $**

Note : Moyennes pondérées par les ventes de chaque librairie.

Source : Modèle de flux de trésorerie, SODEC.

portion des ventes totales), de même que les coûts de traitement et d'envoi des retours (chaque livre reçu n'étant évidemment pas retourné).

Au total, pour les unités vendues, la marge brute est donc de 6,29 $ (soit le revenu unitaire total de 20,31 $ moins le coût unitaire total de 14,08 $), ce qui représente 30,9 % des revenus[9].

Cette insistance sur les nouveautés n'est pas gratuite, comme nous l'avions souligné au chapitre 4. L'étude de la SODEC sur les flux de trésorerie permet d'évaluer que, toujours pour les livres des éditeurs québécois, les nouveautés représentent 69 % des ventes totales de livres des librairies en 1998-1999. Et le taux de retour sur les envois d'office atteignait 53,1 %. Quant à l'ensemble des nouveautés et rééditions reçues par les librairies, le taux de retour (tel que mesuré par l'enquête sur les distributeurs) était de 33,1 %, tandis que le taux de retour global, c'est-à-dire lorsqu'on tient compte de l'ensemble des ventes (ventes de fonds comprises), était de 27,1 %.

Pour les librairies, le choix de retourner ou non des livres est en grande partie déterminé par l'évolution des flux de trésorerie mensuels, lesquels, en moyenne, deviennent négatifs dès le quatrième mois suivant le lancement d'un titre (rappelons que le délai moyen de paiement aux distributeurs est d'environ 75 jours). Même si le droit de retour est de six mois, et parfois même d'un an, le libraire en situation financière délicate est forcé de retourner les livres rapidement pour rééquilibrer sa trésorerie. Mais s'il retourne trop de livres ou le fait trop rapidement, il risque de handicaper sa trésorerie future, en « euthanasiant » prématurément des titres qui trouveraient peut-être preneur s'ils se trouvaient encore sur les rayons et pourraient même générer plusieurs réassorts éventuels. Là réside le difficile jeu d'équilibrage du libraire.

L'ampleur du taux de retour a évidemment un impact considérable sur la rentabilité. Rappelons qu'une baisse du taux de retour de 1 %, lorsque cette baisse résulte d'une hausse des ventes nettes (à quantité mouvementée inchangée), se traduit par une hausse de 0,16 % de la marge brute des libraires soit, toute chose étant égale par ailleurs, une hausse d'environ 0,08 % du taux de

9. Le grand écart entre le revenu unitaire des ventes au détail et celui des ventes aux collectivités ne reflète pas la présence de remises substantielles qu'offriraient les librairies aux collectivités, lesquelles sont interdites (en réalité, plusieurs libraires affirment que des remises sont parfois offertes, en jouant par exemple sur la quantité expédiée). L'écart résulte principalement du fait que les collectivités achètent proportionnellement davantage de livres jeunesse (dont les prix sont beaucoup plus bas que la moyenne) que les particuliers.

profit net. Autrement dit, pour reprendre les données globales, une baisse du taux de retour de cinq points de pourcentage (de 27,1 % à 22,1 %) pourrait se traduire (encore une fois, toute chose étant égale par ailleurs) par une hausse du taux de profit moyen de 1,3 % à 1,7 %. Ce qui est loin d'être négligeable.

En revanche, il y a peu de marge de manœuvre du côté des conditions commerciales, qu'il s'agisse des délais de paiement ou des taux de remise. La loi 51 encadre et soutient déjà largement les pratiques en usage et, pour autant que l'on puisse en juger à l'aune des comparaisons avec la France et les États-Unis, les conditions commerciales au Québec sont loin d'être défavorables aux librairies. De plus, comme nous l'avons montré au chapitre 4, un allongement des délais de paiement sur les nouveautés, si on les portait de 75 jours à 90 jours, ne se traduirait que par une hausse du taux de profit net d'environ 0,03 %. Quant aux remises, qui sont à 39,5 % en moyenne selon l'enquête des distributeurs, on ne peut guère imaginer qu'elles puissent s'élever davantage[10], à moins de proposer une quelconque forme de discrimination, en donnant par exemple des remises supérieures à 40 % aux « bonnes » librairies (c'est-à-dire à celles qui, pour un éditeur donné, travaillent mieux son fonds que les autres) et des remises inférieures aux autres. Évidemment, à l'heure actuelle, la loi 51 n'autorise pas ce type de discrimination.

Mais quoi qu'il en soit de ces différentes hypothèses, il faut bien comprendre que, au contraire d'une baisse du taux de retour — dont les effets sont bénéfiques pour tous les acteurs —, une modification des délais de paiement des librairies ou des taux de remise octroyées constitue, pour l'ensemble de la filière, un jeu à somme nulle. Tout changement positif pour les librairies aurait des répercussions négatives immédiates sur les autres secteurs ; or aucun de ceux-ci, rappelons-le, ne dégage de profits astronomiques.

La présence de coûts unitaires élevés a également comme impact indirect de créer de puissants incitatifs à la concentration. De plus grandes librairies, au moins théoriquement, devraient permettre de générer des économies d'échelle et de gestion (dans la rentabilisation des systèmes informatiques, le traitement des commandes, les ventes aux institutions, etc.) et de renforcer leur pouvoir de négociation face aux distributeurs, secteur dont la concentration est elle-même assez élevée, comme nous l'avons vu.

Le Tableau 7.7 présente les taux de concentration au sein du segment des librairies agréées en 1998-1999. Les trois principales librairies représen-

---

10. En 1992, selon Bipe Conseil (1993), la remise moyenne des librairies françaises de « premier niveau » était de 36,1 %.

Tableau 7.7 Niveaux de concentration dans le segment des librairies agréées[1] au Québec, 1998-1999 (parts des ventes)

	Ventes totales de livres	Ventes aux particuliers	Ventes aux institutions
3 principales librairies	25,8%	27,1%	22,3%
5 principales librairies	33,0%	33,5%	29,3%
10 principales librairies	43,0%	44,5%	33,7%

1. Concentration évaluée sur la base des états consolidés des regroupements, et non par succursale. Les résultats tiennent compte de la fusion de Renaud-Bray, Champigny et Garneau, en considérant ces trois entreprises comme une seule entité.

Source: Rapports d'agrément et états financiers des entreprises.

taient tout près de 26% des ventes totales de livres de l'ensemble des librairies agréées; les cinq principales représentaient 33% de ces ventes et les dix principales, 43%[11]. Les ventes aux particuliers étaient un peu plus concentrées que l'ensemble des ventes, tandis que les ventes aux institutions étaient un peu plus diversifiées. On peut qualifier ce niveau de concentration de moyen, du même ordre que pour les éditeurs agréés, mais moindre que pour les distributeurs.

Quoique nous ne disposions pas de données précises à ce sujet, cette concentration est sans doute en hausse depuis quelques années, considérant la fusion récente de Renaud-Bray, Champigny et Garneau[12] et le développement rapide de la chaîne Archambault. Et il n'est pas interdit de penser qu'elle puisse s'accroître à l'avenir, ce qui est plutôt inquiétant lorsqu'on examine l'état de la situation aux États-Unis, au Canada anglais et au Royaume-Uni, où la concentration est nettement plus élevée. De très grandes librairies, bénéficiant d'un solide pouvoir d'achat, de remises plus élevées et d'assez de ressources financières pour être en mesure de déclencher et soutenir des guerres de prix, peuvent s'avérer une concurrence mortelle pour les plus petites librairies. Le cas du Royaume-Uni est éclairant à cet égard. Face au

11. Évidemment, dans ce cas, puisque c'est la propriété qui importe, les librairies à succursales multiples ont été considérées comme une seule librairie.

12. Les données compilées dans le présent chapitre portent sur l'année financière 1998-1999, c'est-à-dire avant la fusion. Ces trois entreprises sont donc considérées ici comme trois entités distinctes. Cependant, au Tableau 7.7, nous tenons compte de cette fusion en les considérant comme une seule entité.

développement fulgurant des grandes chaînes de librairies (qui disposent de remises de 53 à 55 %) et des commerces à grande surface non spécialisés, la part de marché des petites librairies indépendantes (lesquelles ont des remises de 37 % en moyenne) serait passée de 32 % en 1992 à 10 % en 1998 (SODEC, 2000).

Enfin, on peut supposer que d'autres facteurs que les coûts unitaires, les taux de retour et les pratiques commerciales sont susceptibles d'affecter la rentabilité. Pour vérifier cette question, nous avons évalué les coefficients de corrélation de la marge bénéficiaire en utilisant un ensemble de variables structurelles (taille de l'entreprise, part des ventes de livres, des subventions et des stocks dans le chiffre d'affaires) de même qu'avec les principaux ratios financiers. Les résultats, tout comme ce fut le cas avec les éditeurs, sont toutefois peu concluants, comme on peut le constater au Tableau 7.8.

La seule variable qui montre une corrélation significative avec le taux de profit est l'indice de liquidité. Ce qui souligne bien l'importance, pour un libraire, d'une gestion serrée de sa trésorerie. Toutefois, cela ne nous éclaire pas beaucoup sur ce qui distingue, fondamentalement, le libraire efficace de celui qui ne l'est pas. En définitive, il semble bien que l'efficacité et la rentabilité répondent, dans une large mesure, à un ensemble d'éléments que l'on peut difficilement quantifier, qu'il s'agisse de la localisation du point de

Tableau 7.8 Déterminants du taux de profit des librairies agréées : corrélation entre la marge bénéficiaire nette et quelques autres variables

Variable corrélée avec la marge bénéficiaire	Nombre d'observations	Coefficient de corrélation	Statistique de Student
Revenu total	138	-0,038	-0.445
Ventes de livres/chiffre d'affaires	138	0,035	0,404
Subventions/chiffre d'affaires	138	0,052	0,604
Stocks/chiffre d'affaires	138	0,084	0,980
Indice de liquidité	136	0,243	2,902*
Rotation des comptes à recevoir	134	-0,070	-0,801
Rotation des stocks	134	-0,114	-1,319
Rotation des comptes à payer	133	-0,051	-0,586
Couverture des stocks	135	0,106	-1,223
Passif à avoir	136	0,114	1,326
Passif de court terme à avoir	136	-0,076	-0,885

* Significatif pour un seuil de confiance de 95 %.
Source : SODEC.

vente, de la personnalité du libraire, de l'image de marque du commerce et, bien sûr, du dynamisme économique et culturel de la région où est située la librairie en question.

LE CAS PARTICULIER DES LIBRAIRIES INDÉPENDANTES

Comme nous venons de le voir, les librairies indépendantes affichent une rentabilité supérieure à celle des autres librairies. Depuis plusieurs années, le discours dominant souligne pourtant la fragilité, et même la situation désastreuse de la librairie indépendante au Québec. Discours notamment véhiculé par l'ALQ, et qui fut aussi l'une des principales raisons qui présidèrent à la création de deux groupes de travail successifs, le Groupe de travail sur la rentabilité et la consolidation des librairies (SODEC, 1999) et le Comité sur les pratiques commerciales dans le domaine du livre (SODEC, 2000).

Pour préciser la situation réelle de la librairie indépendante au Québec et son évolution récente, nous avons construit un échantillon de 65 librairies indépendantes pour lesquelles nous disposions d'informations financières complètes de 1996-1997 à 1998-1999. On retrouvera les résultats de cette compilation dans les tableaux suivants[13].

La marge bénéficiaire nette avant impôts de ces 65 librairies indépendantes, qui était de 0,8 % en 1996-1997, passe à 2,0 % en 1997-1998 et à 2,5 % en 1998-1999 (Tableau 7.9). Ainsi, alors que 43 librairies sur 65 affichaient un profit en 1996-1997, on en retrouvait 53 en 1998-1999. On assiste donc, après ce qui semble avoir été un creux atteint en 1995 et en 1996, à un très net redressement de la rentabilité de ces librairies[14].

Encore faut-il préciser les raisons de ce redressement. On notera d'abord que les revenus totaux de ces 65 librairies indépendantes passent, entre 1996-1997 et 1998-1999, de 74,9 millions de dollars à 80,3 millions, soit une croissance annuelle moyenne de 3,6 %. Cette croissance des revenus, toutefois, ne résulte pas d'un soudain regain des ventes de livres. Au contraire, la part des livres dans les revenus totaux baisse de 68,2 % en 1996-1997 à 59,8 %

13. Cet échantillon n'est pas probabiliste, le choix des entreprises ne reposant pas sur le hasard, mais sur la disponibilité des données. Soulignons tout de même que pour une population de 160 librairies indépendantes, la taille de l'échantillon (probabiliste) requis pour un seuil de confiance de 95 %, neuf fois sur dix, est de 60, soit 37,5 % du total.

14. Rappelons que selon l'enquête menée auprès des librairies québécoises (SODEC, 1997), le taux de profit moyen de l'ensemble des librairies était estimé à 1,6 % en 1993, 1,5 % en 1994 et 0,8 % en 1995.

Tableau 7.9 Évolution de l'état des revenus et des dépenses, librairies indépendantes agréées, 1996-1997 à 1998-1999 (en milliers de dollars et en % des revenus totaux)

	1996-1997	**1997-1998**	**1998-1999**
Nombre d'entreprises	65	65	65
Revenus totaux	74 904,7	77 382,3	80 348,7
Ventes de livres	68,2 %	60,4 %	59,8 %
Particuliers	46,8 %	42,2 %	41,3 %
Institutions	21,4 %	18,2 %	18,5 %
Subventions	0,1 %	0,2 %	0,2 %
Autres revenus	31,6 %	39,4 %	40,0 %
Dépenses totales	74 312,4	75 859,7	78 343,7
Coût des marchandises vendues	69,2 %	68,3 %	69,0 %
Stocks, début	25,7 %	24,6 %	23,6 %
Achats	67,9 %	68,6 %	69,7 %
Stocks, fin	24,5 %	24,9 %	24,3 %
Frais de vente	10,1 %	9,6 %	8,4 %
Publicité	0,9 %	0,9 %	0,7 %
Frais d'administration	18,7 %	19,0 %	19,1 %
Frais financiers	1,2 %	1,1 %	1,0 %
Marge d'exploitation brute	30,8 %	31,7 %	31,0 %
Marge bénéficiaire nette	0,8 %	2,0 %	2,5 %
Nbr. entreprises avec profit	43	41	53
Nbr. entreprises avec perte	22	24	12

Source : Rapports annuels des entreprises, compilation SODEC.

en 1998-1999 ; en termes absolus, les ventes de livres chutent même de 3 % par année, en moyenne. Chute que l'on repère d'ailleurs autant du côté des ventes aux particuliers que des ventes aux institutions. À l'inverse, la part des « autres revenus » passe de 31,6 % du total à 39,4 %. En valeur absolue, ces autres revenus progressent d'un très solide 16,5 % par année. Ce qui confirme la tendance déjà remarquée d'un mouvement de diversification vers les produits autres que le livre. De toute évidence, les librairies indépendantes n'ont réussi à maintenir leurs revenus que grâce à ce mouvement de diversification.

La rentabilité s'étant améliorée, il va sans dire que les dépenses augmentent moins vite que les revenus, étant passées de 74,3 à 78,3 millions de dollars, soit une croissance de 2,6 % par an. Toutefois, en proportion des

Tableau 7.10 Évolution du bilan financier, librairies indépendantes agréées, 1996-1997 à 1998-1999 (en milliers de dollars et en % de l'actif total)

	1996-1997	**1997-1998**	**1998-1999**
Nombre d'entreprises	65	65	65
Actif total	29 325,5	31 368,4	33 536,0
Actif à court terme	76,3 %	77,9 %	78,5 %
encaisse	6,2 %	5,0 %	5,9 %
comptes clients	13,5 %	15,5 %	17,6 %
stocks	54,4 %	53,9 %	50,5 %
autres	2,3 %	3,4 %	4,4 %
frais payés d'avance	0,9 %	0,8 %	0,9 %
autres	1,4 %	2,7 %	3,5 %
Actif à long terme	23,7 %	22,1 %	21,5 %
immobilisations	15,4 %	14,4 %	13,7 %
autres	8,2 %	7,7 %	7,8 %
Passif à court terme	50,0 %	51,3 %	51,3 %
emprunts bancaires	13,3 %	12,4 %	10,6 %
comptes fournisseurs	32,7 %	35,4 %	35,5 %
avances	0,6 %	0,8 %	2,1 %
subventions	0,0 %	0,0 %	0,0 %
portion dette long terme	2,4 %	2,0 %	2,0 %
autres	1,1 %	0,6 %	1,2 %
Passif à long terme	12,2 %	11,3 %	11,8 %
dette à long terme	10,2 %	8,6 %	10,2 %
autres	2,0 %	2,7 %	1,7 %
Passif total	62,2 %	62,6 %	63,1 %
Avoir des actionnaires	37,8 %	37,4 %	36,9 %
Capital-actions	7,2 %	7,1 %	6,4 %
Bénéfices non répartis	30,6 %	30,3 %	30,5 %

Source : Rapports annuels des entreprises, compilation SODEC.

revenus, le coût des marchandises vendues demeure à peu près fixe, à 69 %. La hausse de la rentabilité ne provient donc pas d'un moindre coût des marchandises vendues (qui aurait été le résultat d'une meilleure gestion des stocks ou d'une baisse des retours, par exemple), mais de la baisse des frais de vente, qui passent de 10,1 % des revenus en 1996-1997 à 8,4 % en 1998-1999. Cette baisse est non seulement visible de façon relative, mais aussi dans l'absolu : les frais de vente passent de 7,6 millions de dollars en 1996-1997 à 6,7 millions en 1998-1999. Ces frais comportent bien sûr, en bonne partie, des dépenses de main-d'œuvre.

L'examen du bilan financier (Tableau 7.10) permet de préciser d'autres aspects de cette évolution. Les éléments dignes de mention concernent la hausse relative, dans l'actif, des comptes clients et des autres actifs, ainsi que la baisse des stocks et des immobilisations. Du côté du passif, les emprunts bancaires sont en baisse, résultat de l'amélioration de la rentabilité, et les comptes fournisseurs en hausse.

La hausse de la part des comptes clients et des comptes fournisseurs dans le bilan s'exprime clairement, au Tableau 7.11, par l'allongement de la liquidité des comptes à recevoir, qui passe de 15 à 20 jours entre 1996-1997 et 1998-

Tableau 7.11 Principaux ratios financiers, librairies indépendantes agréées, 1996-1997 à 1998-1999 (médianes)

	1996-1997	1997-1998	1998-1999
Nombre d'entreprises	65	65	65
Ratios de liquidité			
Fonds de roulement	1,6	1,5	1,4
Indice de liquidité	0,4	0,4	0,4
Ratios de gestion			
Rotation comptes à recevoir	24,9	20,9	18,0
Liquidité comptes à recevoir (en jours)	15	17	20
Rotation des stocks	2,7	2,7	2,6
Liquidité des stocks (en jours)	137	134	139
Rotation comptes à payer	5,5	4,5	4,5
Liquidité comptes à payer (en jours)	67	81	82
Ventes sur fonds roulement	5,5	5,4	6,0
Couverture des stocks	1,5	1,5	1,6
Rotation des immobilisations	22,1	27,1	29,6
Rotation de l'actif	2,4	2,4	2,3
Ratios d'endettement			
Immobilisations sur l'avoir	0,2	0,2	0,2
Passif à l'avoir	1,3	1,2	1,4
Passif à court terme à l'avoir	1,1	1,0	1,2
Ratios d'exploitation et de rentabilité (valeurs moyennes)			
Marge d'exploitation brute	30,8 %	31,7 %	31,0 %
Marge bénéficiaire nette	0,8 %	2,0 %	2,5 %
Taux de rendement de l'actif	2,0 %	4,9 %	6,0 %
Taux de rendement de l'avoir	5,3 %	13,0 %	16,2 %

Source : Rapports annuels des entreprises, compilation SODEC, et Robert Morris Associates (1999) pour les librairies américaines.

1999, et de celle des comptes à payer, qui s'élève de 67 à 82 jours. On remarquera toutefois qu'il n'y a guère de changements du côté des ratios de liquidité ni, dans l'ensemble, des ratios d'endettement. En revanche, les taux de rendement de l'actif et de l'avoir, dans le sillage de la hausse de la marge bénéficiaire, progressent rapidement, respectivement de 2 % à 6 % et de 5 % à 16 %, ce qui leur permet d'atteindre des valeurs beaucoup plus satisfaisantes du point de vue des actionnaires.

Deux constats limitent donc grandement l'impact positif, à long terme, de la hausse de la rentabilité des librairies indépendantes depuis 1996. D'abord, les revenus de ces entreprises n'ont pu se maintenir (et augmenter) que grâce à une progression très rapide des ventes de produits qui ne relèvent pas de leur spécialisation. Ainsi, on peut estimer que la part des librairies indépendantes dans l'ensemble des ventes de livres au Québec glisse de 21,9 % en 1996, à 21,6 % en 1998.

Ensuite, le redressement de la rentabilité résulte d'une compression des frais de vente. On pourrait avec justesse conclure que cela représente une hausse de productivité, mais le constat n'est pas sans ambiguïté. En effet, avec cet effort de rationalisation, lequel s'est fort probablement traduit par des réductions de main-d'œuvre ou de salaires versés à cette main-d'œuvre, les libraires indépendants tendent à miner ce qui constitue leur principal avantage comparatif face aux autres points de vente du livre (y compris les grandes librairies si l'on considère ces dernières comme étant plus « impersonnelles » que les librairies indépendantes) : la qualité de leur service à la clientèle[15].

LIBRAIRIE GÉNÉRALE OU SPÉCIALISÉE ?

Le caractère généraliste ou spécialisé des librairies est un autre élément structurel important du secteur. Les librairies générales, ou librairies « d'assortiment général », comme on les qualifie parfois en France, ont pour principal objectif de vendre de tout à tout le monde. Ce libraire doit bien sûr s'adapter à l'évolution de la demande, mais il fonde toujours son avantage concurrentiel sur une offre maximale, qu'elle soit immédiate (les livres disponibles en

---

15. On ne peut établir, à partir des états financiers, l'emploi et les salaires versés par les librairies. Dans son enquête sur les librairies, la SODEC (1997) établissait toutefois qu'en 1995, les librairies répondantes (98) avaient en moyenne huit employés, dont cinq travaillaient à temps plein, et que la masse salariale représentait, en moyenne, 12,6 % du chiffre d'affaires. Valeur sensiblement plus faible, par ailleurs, que la masse salariale des librairies françaises de premier niveau en 1992, qui était de 16,8 % (Bipe-Conseil, 1993).

magasin) ou potentielle (par le conseil, la recherche bibliographique et la commande de titres). D'où l'importance, au-delà de l'ampleur de son assortiment, de soigner l'agencement et l'aménagement de son espace commercial, notamment la mise à disposition des livres (rayonnages, tables et présentoirs), la manière dont sont répartis les différents genres d'ouvrages dans cet espace, le classement proposé, les animations, la politique de mise en valeur de certains ouvrages, etc. (Rouet, 2000). En milieu faiblement peuplé, cette stratégie généraliste peut même être la seule viable pour un libraire. En milieu urbain, en revanche, où la concurrence est forte, elle peut n'être viable qu'à une certaine échelle.

À l'inverse, certains libraires ont pu se lancer en affaires parce qu'ils estimaient posséder une connaissance spécialisée dans un domaine donné, ou ne possédaient pas le poids nécessaire pour se développer de façon satisfaisante en tant que véritable généraliste du livre. La spécialisation devient alors une stratégie intéressante. Dans ce cas, l'avantage concurrentiel repose sur une offre qui peut être étroite, mais qui exige une connaissance approfondie du domaine de spécialisation et la fidélisation de la clientèle. La personnalité du libraire et l'image de marque de son commerce prennent alors une grande importance, sa clientèle étant souvent constituée de spécialistes et d'amateurs fidélisés par leur intérêt, voire leur passion, pour un sujet donné (Rouet, 2000). Dans le commerce du livre, les domaines de spécialisation peuvent être fort divers, des livres religieux aux manuels scolaires, en passant par la littérature, les livres professionnels et techniques, les bandes dessinées, les guides de voyage, les livres jeunesse, la santé et la médecine, le droit, etc.

En 1998-1999, les librairies agréées spécialisées au Québec étaient au nombre de 34, soit 15,6 % du nombre total de librairies agréées, contre 184 librairies générales (Tableau 7.12). Leur assortiment était, en moyenne, plus limité (1 421 titres québécois et 4 735 titres étrangers) que celui des librairies générales (2 583 titres québécois et 7 589 titres étrangers). La taille des librairies spécialisées, telle que mesurée par le chiffre d'affaires moyen, était également plus réduite, à 1,8 million de dollars en moyenne, contre 2,6 millions pour les librairies générales.

L'examen des postes de revenus et de dépenses permet de souligner les principaux éléments qui distinguent ces deux types de librairies. D'abord, la part des ventes de livres dans l'ensemble des revenus est beaucoup plus grande pour les librairies spécialisées que pour les générales (63 % contre 46 %). Il en va de même pour la part des ventes aux institutions (22,5 % contre 12,2 %), ce

Tableau 7.12 État des revenus et des dépenses des librairies agréées en fonction de leur spécialisation, 1998-1999 (en milliers de dollars et en % des revenus totaux)

	Ensemble des librairies agréées	**générales**	**spécialisées**
Nombre d'entreprises	218	184	34
Nombre de titres québécois	2 448	2 583	1 421
Nombre de titres étrangers	7 214	7 589	4 735
Revenus totaux	**532 180,6**	**472 089,5**	**60 091,1**
Ventes de livres	48,2 %	46,3 %	63,2 %
particuliers	34,9 %	34,2 %	40,7 %
institutions	13,3 %	12,2 %	22,5 %
Subventions	0,03 %	0,01 %	0,20 %
Autres revenus	51,9 %	53,9 %	36,6 %
Dépenses totales	**98,7 %**	**98,7 %**	**99,1 %**
Coût des marchandises vendues	70,8 %	70,5 %	73,0 %
Stocks, début	19,6 %	18,9 %	24,8 %
Achats	69,7 %	69,4 %	71,4 %
Stocks, fin	18,4 %	17,8 %	23,2 %
Frais de vente	10,4 %	10,0 %	13,9 %
Publicité	1,0 %	1,1 %	0,3 %
Frais d'administration	15,9 %	16,5 %	11,3 %
Frais financiers	1,6 %	1,6 %	0,9 %
Marge bénéficiaire nette	1,3 %	1,3 %	0,9 %

Source : Rapports d'agrément et rapports annuels des entreprises, compilation SODEC.

qui laisse penser que la spécialisation est un bon moyen d'accéder à ce marché.

Du côté des dépenses, le coût des marchandises vendues est un peu plus élevé pour les librairies spécialisées (73,0 % contre 70,5 %), de même que les frais de vente. En revanche, les frais d'administration sont moins élevés, de même que les frais financiers. Cependant, dans l'ensemble, la marge bénéficiaire nette, à 0,9 %, est plus basse que celle des généralistes, qui est à 1,3 %.

Le Tableau 7.13 présente le bilan comparé de ces deux types de librairies. La part des comptes clients dans l'actif est plus élevée pour les librairies spécialisées que pour les généralistes, de même que la part des immobilisations, alors que la part des stocks est plus faible.

Du côté du passif, la part des comptes fournisseurs dans l'ensemble du passif et de l'avoir est moins élevée chez les librairies spécialisées que générales

(29,7 % contre 34,9 %), tout comme la part de la dette à long terme (7 % contre 26 %). À l'inverse, l'avoir des actionnaires des librairies spécialisées (principalement composé de bénéfices non répartis) est beaucoup plus élevé que celui des généralistes (44,5 % contre 18,5 %). Cela nous indique soit qu'en moyenne les librairies spécialisées sont plus anciennes que les librairies générales, soit que leur récent historique de rentabilité est nettement meilleur.

Dans un cas comme dans l'autre, bien que la rentabilité des librairies spécialisées soit plus faible que celle des généralistes, leur bilan financier est

Tableau 7.13 Bilan financier des librairies agréées en fonction de leur forme de spécialisation, 1998-1999 (en milliers de dollars et en % de l'actif total)

	Ensemble des librairies agréées	**générales**	**spécialisées**
Nombre d'entreprises	218	184	34
Actif total	233 007,0	206 634,7	26 372,3
Actif à court terme	65,9 %	65,5 %	68,8 %
encaisse	4,3 %	4,3 %	4,0 %
comptes clients	14,8 %	14,2 %	19,2 %
stocks	44,0 %	44,3 %	41,3 %
autres	2,9 %	2,7 %	4,2 %
frais payés d'avance	0,8 %	0,7 %	2,0 %
autres	2,0 %	2,0 %	2,2 %
Actif à long terme	34,1 %	34,5 %	31,2 %
immobilisations	16,0 %	15,5 %	20,3 %
autres	18,1 %	19,0 %	10,9 %
Passif à court terme	50,0 %	50,3 %	47,8 %
emprunts bancaires	7,6 %	7,8 %	5,2 %
comptes fournisseurs	34,3 %	34,9 %	29,7 %
avances	1,0 %	1,1 %	0,3 %
subventions	0,0 %	0,0 %	0,0 %
portion dette long terme	3,2 %	3,4 %	1,8 %
autres	4,0 %	3,1 %	10,7 %
Passif à long terme	28,5 %	31,2 %	7,7 %
dette à long terme	24,2 %	26,4 %	6,8 %
autres	4,3 %	4,8 %	0,9 %
Passif total	78,6 %	81,5 %	55,5 %
Avoir des actionnaires	21,4 %	18,5 %	44,5 %
capital-actions	7,7 %	7,8 %	7,1 %
bénéfices non répartis	13,6 %	10,5 %	37,4 %

Source : Rapports annuels des entreprises, compilation SODEC.

Tableau 7.14 Principaux ratios librairies agréées en fonction de leur forme de spécialisation, 1998-1999 (médianes)

	Ensemble des librairies agréées	générales	spécialisées
Nombre d'entreprises	218	184	34
Ratios de liquidité			
Fonds de roulement	1,6	1,5	1,7
Indice de liquidité	0,5	0,5	0,4
Ratios de gestion			
Rotation comptes à recevoir	18,2	19,0	17,0
Liquidité comptes à recevoir (en jours)	20	19	22
Rotation des stocks	2,9	2,9	2,2
Liquidité des stocks (en jours)	127	125	165
Rotation comptes à payer	4,6	4,6	4,8
Liquidité comptes à payer (en jours)	80	80	76
Ventes sur fonds roulement	5,6	6,0	3,8
Couverture des stocks	1,3	1,4	1,1
Rotation des immobilisations	22,8	22,8	29,9
Rotation de l'actif	2,4	2,4	2,4
Ratios d'endettement			
Immobilisations sur avoir	0,2	0,2	0,2
Passif à l'avoir	1,0	1,1	1,2
Passif à court terme à l'avoir	0,7	0,7	0,9
Ratios d'exploitation et de rentabilité (valeurs moyennes)			
Marge d'exploitation brute	29,2 %	29,5 %	27,0 %
Marge bénéficiaire nette	1,3 %	1,3 %	0,9 %
Taux de rendement de l'actif	2,9 %	3,0 %	2,1 %
Taux de rendement de l'avoir	13,5 %	16,2 %	4,8 %

Source : Rapports annuels des entreprises, compilation SODEC.

plus sain et moins fragile. C'est ce que l'on peut tenter de préciser par l'examen des principaux ratios financiers, au Tableau 7.14.

Les principaux éléments qui distinguent les deux groupes de librairies sont une moindre liquidité des stocks pour les librairies spécialisées (les stocks tournent relativement moins vite, ce qui s'explique par la nécessité de tenir un stock profond), et davantage de ventes générées à partir du fonds de roulement pour les librairies générales. Enfin, en ce qui concerne la rentabilité, toutes les marges sont supérieures pour les librairies générales, surtout le taux de rendement de l'avoir. Dans ce cas, toutefois, la présence d'un avoir des actionnaires élevé pour les librairies spécialisées tend à réduire mécaniquement ce taux de rendement.

Les librairies spécialisées, quoique comptant pour moins de 20 % du nombre total de librairies agréées, représentent donc un groupe de commerces qui est loin d'être négligeable. Pour la plupart, elles sont viables, quoique en moyenne moins rentables que les librairies générales. Leur structure financière est toutefois plus saine et, de ce point de vue, elles semblent moins fragiles. Autrement dit, les espérances de profit sont peut-être moins élevées quand on tient une librairie spécialisée, mais on court moins de risques.

7.3 La librairie au cœur des régions

Depuis les années 1960, un des principaux objectifs de l'intervention gouvernementale dans le domaine du livre au Québec a été de favoriser la création et la consolidation d'un véritable réseau de librairies. Cela dans le but d'offrir un accès au livre qui soit le plus équilibré et le plus diversifié possible pour l'ensemble de la population québécoise.

Si le réseau des librairies s'est nettement étoffé depuis les années 1960, il n'en demeure pas moins qu'il existe encore de profondes inégalités entre régions. Comme pour tout commerce, la densité de la population est un élément important de la viabilité d'une librairie. Néanmoins, le marché « protégé » que constitue, pour les librairies agréées, l'exclusivité des ventes aux institutions publiques, devrait constituer une forme de compensation à la faiblesse relative des ventes de livres aux particuliers dans les régions les moins densément peuplées.

D'abord un aperçu de la répartition des librairies agréées par région administrative et de leur assortiment moyen en livres québécois et étrangers (Tableau 7.15). C'est sans surprise que l'on notera que 67 librairies agréées sur un total de 214 (soit 31 % du total) sont situées dans la région de Montréal[16]. Cette concentration est encore plus élevée en ce qui concerne les librairies membres d'un réseau (34 %) et les librairies scolaires et universitaires (53 % du total). La Montérégie (29 librairies), Québec (25), la Mauricie–Bois-francs (15) et les Laurentides (13) sont les régions où l'on retrouve ensuite le plus de librairies, toutes les autres comprenant de 3 à 10 librairies.

16. Les données de quatre succursales, non agréées mais appartenant à un réseau dont la majorité des succursales le sont (l'agrément est accordé à une succursale, et non à un réseau), étaient incluses dans les analyses précédentes, faute de pouvoir extraire leurs résultats des états

Tableau 7.15 Librairies agréées au Québec : principales données par région, 1998-1999

Région	Nombre de librairies				Nombre de titres		
	Total	indép.	réseau	scol./univ.	Total	québécois	étrangers
Bas-Saint-Laurent	8	8	0	0	7 462	1 660	5 803
Saguenay–Lac-Saint-Jean	10	9	1	0	8 978	2 296	6 682
Québec	25	16	6	3	11 094	2 928	8 167
Mauricie–Bois-Francs	15	12	2	1	9 940	2 711	7 229
Estrie	7	1	6	0	12 150	3 414	8 736
Montréal	67	45	12	10	11 879	2 540	9 339
Outaouais	10	7	1	2	12 856	3 603	9 253
Abitibi-Témiscamingue	6	6	0	0	5 938	1 644	4 294
Côte-Nord	3	3	0	0	7 878	2 279	5 599
Gaspésie–Îles-de-la-Madeleine	4	4	0	0	6 639	1 326	5 313
Chaudière-Appalaches	8	8	0	0	7 275	1 643	5 632
Laval	3	1	2	0	7 253	2 038	5 215
Lanaudière	6	6	0	0	9 227	2 344	6 883
Laurentides	13	10	1	2	7 064	2 266	4 798
Montérégie	29	24	4	1	9 661	2 720	6 941
Total	**214**	**160**	**35**	**19**	**9 663**	**2 448**	**7 214**

Source : Rapports d'agrément des entreprises, compilation SODEC.

L'écart dans les assortiments moyens par région est également important, variant d'un minimum de 6 639 titres en moyenne en Gaspésie et aux Îles-de-la-Madeleine à un maximum de 12 856 en Outaouais. Pour les titres québécois, le minimum est de 1 326 titres (Gaspésie–Îles-de-la-Madeleine), et le maximum de 3 603 titres (encore en Outaouais). Dans l'ensemble, les régions les plus densément peuplées (Montréal, Québec, Estrie, Outaouais) présentent la plus grande diversité de titres, exception faite de Laval et de la Montérégie (toutes deux sous la moyenne), dont les populations sont probablement en grande partie desservies, dans les faits, par les librairies de Montréal, lieu de travail d'un grand nombre de leurs habitants.

Le territoire est donc bien couvert dans son ensemble et, pour chaque région, on retrouve un minimum de points de vente et de diversité. Les inégalités demeurent, pourtant, résultant en grande partie de la densité et de la richesse relative des populations de chaque région. Cela est évident lorsqu'on

consolidés de l'entreprise. Les données de cette section ne reposant que sur les informations des rapports d'agrément, ces succursales ont été exclues de l'analyse dans cette section, ce qui explique le total de 214 librairies.

examine la répartition des ventes de livres par région et tout particulièrement les ventes de livres aux particuliers (Tableau 7.16).

C'est sans surprise que l'on notera que les librairies de la région de Montréal représentent près de 50 % des ventes de livres aux particuliers de l'ensemble des librairies agréées, même si on n'y retrouve que 31 % du nombre de librairies. Suivent, loin derrière, Québec (11,6 %), la Montérégie (9,3 %) et l'Outaouais (6,8 %). Les autres régions représentent moins de 5 % du total chacune, le minimum étant de 0,2 % (Gaspésie–Îles-de-la-Madeleine), ce qui représente, en valeur absolue, un faible 431 000 $.

Même si les ventes aux institutions par les librairies montréalaises représentent 38 % du total de ces ventes, on notera le réel effet de compensation

Tableau 7.16 Ventes de livres par région, librairies agréées, 1998-1999

Région	En milliers de dollars			En % du total		
	Total	particuliers	institutions	Total	particuliers	institutions
Bas-Saint-Laurent	4 969,6	3 524,5	1 445,1	2,0 %	2,0 %	2,0 %
Saguenay–Lac-Saint-Jean	6 499,6	3 674,9	2 824,8	2,6 %	2,1 %	3,9 %
Québec	30 423,5	20 809,4	9 614,0	12,1 %	11,6 %	13,4 %
Mauricie–Bois-Francs	12 664,5	8 245,6	4 418,9	5,1 %	4,6 %	6,2 %
Estrie	12 263,5	6 974,6	5 288,8	4,9 %	3,9 %	7,4 %
Montréal	115 986,6	88 782,0	27 204,6	46,3 %	49,6 %	38,0 %
Outaouais	17 730,2	12 224,7	5 505,5	7,1 %	6,8 %	7,7 %
Abitibi-Témiscamingue	2 549,6	1 423,1	1 126,5	1,0 %	0,8 %	1,6 %
Côte-Nord	1 041,1	539,2	501,9	0,4 %	0,3 %	0,7 %
Gaspésie–Îles-de-la-Madeleine	1 219,6	430,7	788,9	0,5 %	0,2 %	1,1 %
Chaudière-Appalaches	3 922,3	2 191,6	1 730,7	1,6 %	1,2 %	2,4 %
Laval	6 958,8	5 591,6	1 367,2	2,8 %	3,1 %	1,9 %
Lanaudière	5 227,0	3 126,4	2 100,6	2,1 %	1,7 %	2,9 %
Laurentides	7 075,9	4 907,1	2 168,8	2,8 %	2,7 %	3,0 %
Montérégie	22 085,6	16 590,6	5 495,1	8,8 %	9,3 %	7,7 %
Total	**250 617,2**	**179 035,8**	**71 581,4**	**100,0 %**	**100,0 %**	**100,0 %**

Source : Rapports d'agrément des entreprises, compilation SODEC.

que procurent les ventes aux institutions pour les régions moins densément peuplées. En effet, à l'exception de Montréal, de la Montérégie, de Laval et du Bas-Saint-Laurent, pour toutes les autres régions, leur part des ventes institutionnelles totales est supérieure à leur part des ventes aux particuliers. Pour la Gaspésie–Îles-de-la-Madeleine, ces ventes institutionnelles sont même supérieures, en valeur absolue, aux ventes aux particuliers (789 000 $ contre 431 000 $).

Évidemment, il faut neutraliser l'effet « mécanique » induit par le seul facteur du nombre d'habitants par région. Or même les indicateurs par habitant montrent un profond clivage entre ce qu'on pourrait appeler les nantis et les moins bien nantis (Tableau 7.17). Pour l'ensemble du Québec, on retrouve une librairie agréée par 34 268 habitants. Les meilleurs résultats (moins de 29 000 habitants par librairie) se retrouvent dans les régions de Québec, Bas-Saint-Laurent, Abitibi-Témiscamingue, Gaspésie–Îles-de-la-Madeleine, Montréal et Saguenay–Lac-Saint-Jean. Les moins bons résultats (entre 114 000 et 45 000 habitants par librairie) se retrouvent dans les régions de Laval, Lanaudière, Chaudière-Appalaches et Montérégie.

Encore faut-il tenir compte de la taille des librairies en question. Or force est d'admettre que le portrait est encore plus tranché lorsqu'on examine les ventes par habitant. En moyenne, pour l'ensemble du Québec, les ventes totales sont de 34 $ par habitant. Pour quatre régions, elles se situent entre

Tableau 7.17 Librairies agréées en région, données par habitant, 1998-1999

Région	Nombre de librairies	Population par librairie	Ventes de livres, par habitant Totales	aux particuliers	aux institutions
Bas-Saint-Laurent	8	26 007	24 $	17 $	7 $
Saguenay–Lac-Saint-Jean	10	28 964	22 $	13 $	10 $
Québec	25	25 844	47 $	32 $	15 $
Mauricie–Bois-Francs	15	32 415	26 $	17 $	9 $
Estrie	7	41 136	43 $	24 $	18 $
Montréal	67	26 966	64 $	49 $	15 $
Outaouais	10	31 754	56 $	38 $	17 $
Abitibi-Témiscamingue	6	26 103	16 $	9 $	7 $
Côte-Nord	3	35 036	10 $	5 $	5 $
Gaspésie–Îles-de-la-Madeleine	4	26 336	12 $	4 $	7 $
Chaudière-Appalaches	8	48 708	10 $	6 $	4 $
Laval	3	114 140	20 $	16 $	4 $
Lanaudière	6	65 381	13 $	8 $	5 $
Laurentides	13	35 104	16 $	11 $	5 $
Montérégie	29	44 939	17 $	13 $	4 $
Total	**214**	**34 268**	**34 $**	**24 $**	**10 $**

Source : Rapports d'agrément des entreprises, compilation SODEC, et Institut de la statistique du Québec pour la population.

64 $ et 43 $ par habitant (Montréal, Outaouais, Québec et Estrie). Pour toutes les autres, elles sont beaucoup plus basses, variant entre 10 $ et 26 $ par habitant. Plus surprenant, peut-être, les écarts sont également très nets du côté des ventes aux institutions. Les ventes aux quatre régions les mieux nanties (les mêmes que pour les ventes totales) s'échelonnent entre 15 $ et 18 $ par habitant, alors que pour les autres, elles ne sont que de 4 $ à 10 $ par habitant.

Par conséquent, on peut dire qu'en matière de répartition régionale, le territoire est relativement bien couvert (si l'on considère le nombre de librairies par région), et qu'il existe une certaine diversité, telle que mesurée par le nombre moyen de titres par librairie. Cependant, la très forte concentration du marché dans les grandes régions urbaines est encore d'actualité, ce qui constitue d'ailleurs l'une des principales faiblesses du marché québécois du livre, repérée dès le *Rapport Bouchard* au début des années 1960. À cet égard, la demande de livres en provenance d'organismes publics — marché protégé par la loi 51, pour les librairies agréées — constitue bel et bien une certaine forme de compensation à la faiblesse des ventes aux particuliers pour les librairies situées en régions faiblement peuplées ou éloignées des grands centres. Toutefois, on peut repérer un clivage certain entre les principales régions urbaines et les autres, car les ventes par habitant montrent des écarts notables, qu'il s'agisse des ventes aux particuliers ou aux institutions. La faible densité et l'éloignement des grands centres constituent, certes, des éléments de premier ordre pour expliquer cette situation. Cependant, il ne faut pas négliger non plus le facteur richesse, celle des habitants et celle de leurs institutions, et l'intensité de la demande, plus précisément l'intérêt moindre pour le livre que l'on remarque en dehors des grandes zones urbaines.

Soulignons toutefois que ce portrait régional ne tient compte que des librairies agréées comme vecteurs du commerce du livre. Par le biais des librairies non agréées et des autres commerces non spécialisés, de même que par les ventes postales, les clubs de livre et même Internet, l'accessibilité au livre en région dépasse la seule offre des librairies agréées. Pourtant, même si l'on arrivait à faire la recension et la compilation de toutes ces ventes, il serait étonnant que le portrait d'ensemble soit très différent de celui que nous venons de tracer, puisque les facteurs lourds soutenant la demande sont évidemment les mêmes, quel que soit le type de commerce concerné.

Conclusion

Un solide réseau de librairies, offrant un vaste assortiment de titres et présent dans l'ensemble du territoire, est assurément une condition essentielle à la bonne santé du commerce du livre et à celle de toute la filière, jusqu'aux éditeurs et à ceux qu'ils représentent, les écrivains. Il est donc rassurant de constater la progression remarquable, depuis 1983, des librairies agréées au Québec, tant du point de vue du nombre de librairies que de l'évolution de leurs revenus. Cette progression a été le reflet, dans les années 1980, des stimuli créés par la loi 51 et par la forte croissance de la demande de livres. Dans les années 1990, la progression des librairies agréées, dans le contexte d'un marché stagnant, s'est faite principalement au détriment des librairies non agréées. Toutefois, la situation économique et financière des librairies agréées demeure fragile, et l'avenir, incertain. À cet égard, on peut relever trois principaux problèmes.

Le premier problème est celui du manque de dynamisme de la demande. On le sait, les ventes de livres stagnent au cours des années 1990, tant du côté des ventes aux particuliers que de celui des ventes aux institutions. Facteur aggravé, du point de vue des librairies, par la concurrence accrue de la part des grandes surfaces non spécialisées, qui sont à la source d'un déplacement de marché en ce qui regarde le segment étroit, mais très lucratif, des best-sellers, dont elles ont fait leur point fort. Nulle surprise, dans ce contexte, que l'on ait assisté à un mouvement de diversification des librairies en faveur d'autres produits que le livre. Stratégie rationnelle et profitable à court terme, puisqu'elle a permis de rehausser la rentabilité d'ensemble des librairies, mais qui a des limites à long terme, sauf à vouloir se développer en commerce général de produits culturels plus ou moins complémentaires. Cela semble être la stratégie développée par certains réseaux, mais elle ne peut guère être envisagée à grande échelle par l'ensemble des librairies. La redynamisation du marché passe donc aussi, au-delà d'un certain nombre de facteurs sur lesquels les librairies n'ont guère de contrôle (revenus des ménages et prix des livres, principalement), par leur propre transformation. À cet égard, c'est sur leur avantage concurrentiel fondamental que les librairies, et plus encore les librairies indépendantes, devront miser : présence d'un fonds vaste et diversifié, qualité du service à la clientèle. Ce qui nécessite tout à la fois d'avoir la volonté et les moyens de maintenir ce fonds, de s'assurer que les employés sont bien formés, d'investir dans la modernisation et l'informatisation. Bref, de faire plus, et de le faire de plus en plus efficacement.

Évidemment, cela met en lumière le deuxième problème, celui de la rentabilité. Quoique rehaussée depuis quelques années, elle demeure assez faible, en plus d'être perpétuellement menacée par des coûts unitaires élevés et croissants et d'être très sensible à l'efficacité du système des offices et à la variation des taux de retour[17]. D'où l'importance de bien s'adapter à la demande et de gérer au plus près, de façon efficace et rationnelle. Il existe toutefois fort peu de marge de manœuvre du côté de l'autofinancement, considérant la relative rigidité des pratiques commerciales en cours. Facteur aggravé par des capacités d'endettement qui sont limitées par l'état des bilans des libraires et la tiédeur des banquiers à l'égard de ce type d'entreprise. Pour les investissements les plus lourds, à tout le moins (modernisation et informatisation, ou plus généralement, intégration des nouvelles technologies), l'aide de l'État s'avère sans doute nécessaire, comme le suggère le rapport du Comité Larose (SODEC, 2000).

Finalement, le dernier grand problème à signaler est celui de la répartition régionale. De ce point de vue, le bilan est mitigé. Les éditeurs et les distributeurs, tout comme les grands événements publics liés au livre, sont fortement concentrés dans les grandes régions urbaines. Pour les régions moins densément peuplées ou éloignées des grands centres, les librairies, et bien sûr les bibliothèques, sont souvent les seuls points de contact directs de la population avec le livre. De ce point de vue, le réseau des librairies agréées, depuis une vingtaine d'années, s'est étendu à l'ensemble du territoire et les ventes aux institutions offrent une certaine compensation aux librairies des régions où les ventes aux particuliers sont plus faibles. Cependant, on constate toujours des inégalités, voire un clivage entre les grandes régions urbaines et les autres. Dans tous ses aspects commerciaux, le livre demeure donc largement une affaire urbaine. La concentration de la population et de la richesse, de la population comme des institutions, constituent autant de facteurs qui se conjuguent pour favoriser les librairies situées dans les grands centres. En ce sens, la situation des librairies agréées en région n'est que le reflet de la situation socio-économique et culturelle générale des régions elles-mêmes. Vaste problème qui dépasse largement la seule problématique du livre.

17. Ce sont bien sûr les libraires qui déterminent ce taux de retour, puisque ce sont eux qui choisissent les titres à retourner. Mais cette décision se fonde, en dernier ressort, sur la plus ou moins bonne adéquation entre l'offre et la demande, du moins telle que peut la juger le libraire par l'ampleur de ses invendus.

CHAPITRE 8

Défis et perspectives d'avenir pour l'industrie du livre

Tout à l'examen des difficultés et des problèmes de l'industrie du livre, il serait facile de sombrer dans le pessimisme. Mais ce serait oublier qu'en quarante ans à peine, on est passé, au Québec, d'une industrie fragile et désarticulée à une industrie solide, complexe et dynamique. Il faut bien rappeler, en effet, la vitalité et la diversité de la production, l'efficacité avec laquelle la structure de diffusion, de distribution et de commerce de détail achemine une énorme masse de produits sur l'ensemble du territoire québécois. Et avec une part de marché de 43 % — 35 % en littérature générale et 60 % dans le livre scolaire — les acteurs locaux exercent un contrôle sur leur marché qui ferait l'envie de la plupart des autres secteurs culturels.

Mais on peut et on doit faire mieux. Car il y a des problèmes. En effet, nous avons montré qu'un certain nombre de tendances aux effets déstructurants pourraient fort bien modifier la situation et entraîner de sévères reculs. Et le monde change, bousculé par les innovations technologiques, la transformation des habitudes de consommation et l'influence de la mondialisation. Ainsi, il nous semble que trois grands défis attendent l'industrie du livre au Québec : un défi de fonctionnement interne, un défi d'organisation de la structure industrielle, et un défi de positionnement dans l'univers de la culture, du divertissement et des loisirs.

Le défi de *fonctionnement interne* doit être compris comme un ensemble de tendances lourdes du système qui handicapent l'efficacité et la rentabilité de tous les acteurs de la filière. Ces tendances, nous les avons repérées tout au long de cette étude : la hausse tendancielle du nombre de titres édités ; la hausse des prix relatifs du livre ; la hausse des taux de retours ; la hausse des exigences en matière de raffinement des mises en place ; la parcellisation des commandes et des expéditions. Dans le contexte économique difficile des années 1990, ces tendances se sont traduites par une baisse des ventes par titre et une hausse des coûts unitaires, une moindre efficacité de la filière à diffuser et à distribuer les livres, et une chute de rentabilité pour tous les secteurs.

Il n'est peut-être pas envisageable ni même souhaitable de réduire le niveau de production. En effet, d'un strict point de vue culturel, il est difficile d'affirmer qu'il y a trop de livres. De plus, ce foisonnement de la production reflète simplement la logique de fonctionnement et la vitalité du secteur de l'édition, ainsi que sa capacité à innover et à se renouveler. Tout au plus peut-on souhaiter — et d'un point de vue gouvernemental, faudrait-il encourager et inciter — un rehaussement du professionnalisme qui prévaut dans cette production.

En revanche, certaines pratiques doivent sans aucun doute être améliorées, ce qui exige la collaboration et la coopération de tous les secteurs de la filière. La formation des employés est un élément qui demeure souvent déficient, et pourtant essentiel. Il faut également développer l'informatisation des entreprises, et plus encore le partage intersectoriel des informations de base et la synchronisation des activités. Bref, favoriser les échanges de données informatisées entre secteurs. Le plus immédiat potentiel de développement des nouvelles technologies, en effet, réside dans le *business-to-business*, ces nouvelles technologies pouvant précisément permettre de renforcer l'intégration de la filière en la rendant plus efficace de façon globale. Toutefois, là encore, la lourdeur des investissements à entreprendre nécessite fort probablement un appui de l'État.

Le deuxième grand défi relève de l'*organisation générale de la structure industrielle*. L'histoire du livre montre clairement la façon dont cette structure s'est constamment modifiée, restructurée, élargie et complexifiée. Nul doute que les innovations technologiques en matière de diffusion et de consommation du livre — du commerce électronique au livre numérique, en passant par l'impression sur demande et l'édition numérique — risquent fort d'imposer de nouvelles recompositions, d'affecter certains acteurs plus que d'autres. Le repli défensif n'est certes pas souhaitable en ce domaine. Car loin de constituer uniquement des menaces aux positions établies, ces nouvelles technologies offrent également de nouvelles perspectives, entre autres par le développement et l'élargissement du marché pour les livres épuisés et à faible demande autant que pour les livres à contenu scientifique, technique ou pédagogique, ou de référence. Ces perspectives pourront profiter aux acteurs concernés. Car si la demande générée par ces nouvelles technologies demeure assez limitée, leur complémentarité pourrait compter beaucoup dans certains segments de marché.

La concentration des entreprises, qu'elle soit horizontale ou verticale, demeure toutefois une menace sérieuse. Menace à la survie des petites entreprises et, plus généralement, à la diversité et à la diffusion élargie de l'ensemble de la production québécoise. Une trop forte concentration pourrait se traduire par le développement d'un marché à « deux vitesses », avec d'un côté des titres grand-public bénéficiant d'une forte mise en place — et soutenus par toute la puissance commerciale des grandes entreprises et de leurs nombreuses ramifications — et de l'autre, une multitude de titres à faible tirage et à diffusion restreinte. À cet égard, la vigilance doit être de mise.

Le dernier défi est celui du *positionnement du livre dans l'univers de la culture, du divertissement et des loisirs*. Le livre, nous l'avons montré, est soumis à une forte concurrence de la part de ces autres produits. Dans un univers de plus en plus numérisé et dominé par l'image et la brièveté, il devra faire sa place, prouver qu'il a encore un rôle à jouer dans cet univers. Prouver qu'il peut être, et peut-être même un peu plus que les autres, porteur de symbolique et de culture, vecteur privilégié de la diffusion de la culture. Là encore, la coopération de tous les acteurs de l'industrie est nécessaire, mais les enjeux sont beaucoup plus larges. Il s'agit d'un choix de société. C'est non seulement l'industrie du livre qui doit relever ce défi, mais aussi l'ensemble du monde de l'éducation, des bibliothèques et des médias.

Bibliographie

ANEL (1999), *Les Québécois et le livre. Rapport descriptif*, Montréal, Association nationale des éditeurs de livres.

ANEL (1999a), *Les Québécois et le livre. Rapport stratégique*, Montréal, Association nationale des éditeurs de livres.

ANEL (1998), *Brève histoire du livre au Québec*, Montréal, Association nationale des éditeurs de livres.

ANGELIER, J.-P. (1991), *Économie industrielle. Éléments de méthode*, Grenoble, Presses Universitaires de Grenoble.

ARCHAMBAULT, E. et J. LALLEMENT (1989), « La loi du prix unique du livre et la distribution de livres en France », dans F. ROUET, (dir.), *Économie et culture, Volume 3 : Industries culturelles*, Actes de la 4e conférence internationale sur l'Économie de la Culture, Avignon, 12-14 mai 1986, Paris, La Documentation française, p. 297-311.

ARTHUR, B. (1996), « Increasing Returns and the New World of Business », *Harvard Business Review*, juillet-août.

ARTHUR, B. (1994), *Increasing Returns and Path Dependance in the Economy*, University of Michigan Press.

ARTHUR, B. (1989), « Competing Technologies, Increasing returns, and Lock-in by Historical Events », *Economic Journal*, 99, mars, p. 116-131.

ARTHUR Donner Consultants Inc./Lazar and Associates (2000), *Les défis concurrentiels des éditeurs de livres au Canada*, préparé pour le ministère du Patrimoine canadien, Direction générale des industries culturelles.

BARBOTIN, L. (1999), « Le B.A.BA du livre numérique », *ZDNet France*, 13 octobre, (http://www.zdnet.fr/prod/syst/a0011138.html).

BATES, B.J. (1988), « Information as an Economic Good : Sources of Individual and Social Value », dans V. MOSCO, et J. WASKO (dir.), *The Political Economy of Information*, University of Wisconsin, Madison, Wisconsin, p. 76-94.

BECKER, G. S. et G. J. STIGLER, (1977), « De gustibus non est disputandum », *American Economic Review*, vol. 67, n° 2, mars, p. 76-90.

BENHAMOU, F. (1989), « La consommation marchande de livres en France : un essai d'interprétation économique », dans F. ROUET, (dir.), *Économie et culture, Volume 3 : Industries culturelles*, Actes de la 4e conférence internationale sur l'Économie de la Culture, Avignon, 12-14 mai 1986, Paris, La Documentation Française, p. 111-124.

BIPE-CONSEIL (1993), « Situation économique des librairies françaises de premier niveau », *Cahiers de l'économie du livre*, n° 9, mars, p. 5-45.

BOUVAIST, J.-M. (1993), « L'obsession de la taille critique », *Cahiers de l'économie du livre*, n° 9, mars, p. 46-65.

BURKE, A. E. (1996), « The Dynamics of Product Differentiation in the British Record Industry », *Journal of Cultural Economics*, vol. 20, p. 145-164.

CAHART, P. (1988), *Le livre français a-t-il un avenir ?*, Rapport au ministre de la Culture et de la Communication, Paris, La Documentation française.

CHAUMARD, F. (1998), *Le commerce du livre en France entre économie et culture*, Paris, L'Harmattan.

CLERIDES, S. K. (1999), *Product Selection as Price Discrimination in the Market for Books*, Discussion Paper 99-08, Department of Economics, University of Cyprus.

CLERIDES, S. K. (1999a), *Book Value : Price and Quality Discrimination in the U.S. Book Market*, Working Paper, Department of Economics, University Of Cyprus.

DE BANDT, J. (1991), « L'économie industrielle face à la réalité des transformations industrielles », dans R. ARENA, L. BENZONI, J. DE BANDT et P. M. ROMANI, *Traité d'économie industrielle*, Économica, Paris, 2e édition, p. 239-250.

DE BANDT, J. (1990), « Économie industrielle : un programme de recherche ouvert », *Revue d'économie industrielle*, n° 52, 2e trimestre, p. 1-22.

DUPUIS, I. (1997), *Les librairies du Québec. Profil Économique*, Montréal, SODEC.

EURÉQUIP (1989), « Le transport du livre », *Cahiers de l'économie du livre*, n° 1, mai, p. 43-79.

ÉTUDE ÉCONOMIQUE CONSEIL (1993), *Évaluation de la Loi sur le développement des entreprises québécoises dans le domaine du livre. Étude économique*, Rapport final présenté au ministère des Affaires culturelles, Gouvernement du Québec.

FLICHY, P. (1980), *Les industries de l'imaginaire. Pour une analyse économique des médias*, Grenoble/Paris, Presses Universitaires de Grenoble/Institut National de l'Audiovisuel.

FORTIN, P. (1998), *Tendances récentes dans l'industrie du livre aux États-Unis, en France et au Québec*, Rapport soumis au Groupe de travail sur la consolidation et la rentabilité des librairies, École des sciences de la gestion, Université du Québec à Montréal.

FOX JONES & ASSOCIATES et ADEC CONSULTING INC. (1992), *Evaluation of the Book Publishing Industry Development Program, Financial and Market Impact Study, Final Report*, Program Evaluation Division, ministère des Communications, Gouvernement du Canada.

FUGÈRE, D. (2000), « Étude de cas : les Éditions oohoo.com. Les *sans-papier* de l'édition », *Mutimédium*,
(http://www.mmedium.com/commerce/etudesdecas/indexoohoo.com)

GENDREAU, S. (1990), « L'industrie du livre », dans G. TREMBLAY, (dir.), *Les industries de la culture et de la communication au Québec et au Canada*, Sillery/Sainte-Foy, Presses de l'Université du Québec/Télé-Université, p. 69-107.

GILL, A.-M. (2000), *Note synthèse sur la lecture et l'achat de livres au Québec*, (avec la collaboration de M. Lacharité), Montréal, SODEC.

GILL, A.-M. (2000a), *Notes de travail sur le droit de prêt public*, adressées au Comité de travail sur les pratiques commerciales dans le domaine du livre, Montréal, SODEC.

GILL, A.-M. (2000b), *Notes de travail sur la pratique de location de livres dans les bibliothèques publiques au Québec*, adressées au Comité de travail sur les pratiques commerciales dans le domaine du livre, Montréal, SODEC.

HARDY, G. (1998), *Les maisons d'édition agréées de 1983 à 1995*, Québec, Direction de la recherche et de la statistique, ministère de la Culture et des Communications.

HERSCOVICI, A. (1994), *Économie de la culture et de la communication*, Paris, L'Harmattan.

HUET, A., J. ION, A. LEFÈBVRE, B. MIÈGE et R. PERON (1984), *Capitalisme et industries culturelles*, Grenoble, Presses Universitaires de Grenoble, 2e édition.

INSTITUT DE LA STATISTIQUE DU QUÉBEC (2000), *Statistiques sur l'industrie du film, édition 2000*, Sainte-Foy, Les Publications du Québec.

LACROIX, J.-G. et G. TREMBLAY (1997), « The "Information Society" and Cultural Industries Theory », *Current Sociology*, vol. 45, n° 4.

LALLEMENT, J. (1993), « Essai de définition économique du livre », *Cahiers de l'économie du livre*, n° 9, mars, Observatoire de l'économie du livre, p. 103-116.

LAMONDE, Y. (1999), *L'imprimé au Québec aux XVIIIe et XIXe siècles*, (http://prod.library.utoronto.ca/hbic/lamondfr.htm).

LEIBENSTEIN, H. (1976), *Beyond Economic Man, a New Foundation for Microeconomics*, Cambridge, Harvard University Press.

LEIBENSTEIN, H. (1950), « Bandwagon, Snob and Veblen Effects in the Theory of Consumers Demand », *Quarterly Journal of Economics*, vol. 64, mai, p. 183-207.

MARTIN, C. (1996), « Production, Content, and Uses of Bestselling Books in Quebec », *Canadian Journal of Communications*, vol. 21, n° 4.

MARTIN, G. (1998), *Statistiques économiques des industries de l'édition et de la diffusion exclusive de livres au Québec. Études d'impact économique pour le Québec*, Québec, Bureau de la statistique du Québec.

MARUANI, L., E. LE NARGARD et D. MANCEAU (1993), « Une analyse micro-économique des systèmes de prix fixe pour le livre. Mise en perspective théorique », *Cahiers de l'économie du livre*, n° 9, mars, Observatoire de l'économie du livre, p. 136-149.

MAYFIELD, K. (2001), « E-Book Forecast : Cloudy », *Wired News*, 11 janvier, (http://www.wired.com/news/culture/0,1284,40984,00.html).

MCCORMACK, T. (1998), « Book Publishing Accounting : Some Basic Concepts », *Publishers Weekly*, 7 septembre.

MCCORMACK, T. (1998a), « Profitability in Book Publishing : Financial Terms, Tools, and Tactics », *Publishers Weekly*, 16 novembre.

MÉNARD, M. (1998), *L'industrie du disque au Québec. Portrait économique*, Étude réalisée pour le Groupe de travail sur la chanson (avec la collaboration de U. Saint-Jean et C. Thibault), Montréal, SODEC.

MÉNARD, M. et F. LE BOUAR (1999), *Les télévisions spécialisées au Québec : évolution du marché dans la perspective d'une libre concurrence*, étude réalisée pour le ministère de la Culture et des Communications du Québec, Cahiers-médias n° 8, Sainte-Foy, Centre d'études sur les médias.

MICHON, J. (1999), *Histoire de l'imprimé au XXe siècle : le livre*, (http://prod.library.utoronto.ca/hbic/michonfr.htm).

MICHON, J. (dir.) (1999), *Histoire de l'édition littéraire au Québec au XXe siècle, Volume 1 : La naissance de l'éditeur, 1900-1939*, Montréal, Fides.

MIÈGE, B. (2000), *Les industries du contenu face à l'ordre informationnel*, Grenoble, Presses Universitaires de Grenoble.

Miège, B., P. Pajon et J.-M. Salaün (1986), *L'industrialisation de l'audiovisuel : des programmes pour les nouveaux médias*, Paris, Aubier.

Ministère de la Culture et de la Communication (1999), *Rapport de la Commission de réflexion sur le livre numérique*, (Rapport Cordier), Paris.

Ministère de la Culture et des Communications du Québec (1999), *Données sur les pratiques culturelles des Québécois*, Action stratégique, recherche et statistique.

Ministère de la Culture et des Communications du Québec (1998), *Le temps de lire, un art de vivre. État de la situation de la lecture et du livre au Québec.*

Ministère de la Culture et des Communications du Québec (1998a), *Le temps de lire, un art de vivre. Projet de politique de la lecture et du livre.*

Pigou, A.C. (1920), *The Economics of Welfare*, Londres, Macmillan.

Poddar, S. et M. English (1995), *Le financement privé de l'édition canadienne : mesures en vigueur et options pour l'avenir*, document préparé pour le ministère du Patrimoine canadien, Tax Policy Services Group, Toronto, Ernst & Young.

Porter, M. (1986), *L'avantage concurrentiel : comment devancer ses concurrents et maintenir son avance*, Paris, InterÉditions.

Porter, M. (1982), *Choix stratégiques et concurrence : techniques d'analyse des secteurs et de la concurrence dans l'industrie*, Paris, Économica.

Pronovost, G. (1997), « Manquons-nous de temps ? Structure et conception du temps », *International Review of Sociology/Revue internationale de sociologie*, vol. 7, n° 3, p. 365-373.

Pronovost, G. (1996), *Sociologie du temps*, De Boeck, Bruxelles.

Renart, H. (1989), « Les canaux de vente du livre », *Cahiers de l'économie du livre*, n° 1, mai, p. 10-35.

Robert Morris Associates (1999), *Annual Statement Studies, 1999-2000*, Philadelphie.

Rouet, F. (2000), *Le livre. Mutations d'une industrie culturelle*, Paris, La Documentation française.

Rouet, F. (1989), « Introduction », *in* F. Rouet (dir.), *Économie et culture, Volume III : Industries culturelles*, 4e Conférence internationale sur l'Économie de la Culture, Avignon, 12-14 mai 1986, p. 11-32.

Roy, F. (2000), *Histoire de la librairie au Québec*, Montréal, Leméac.

SECOR (1998), *L'impact des régimes de prix unique sur le marché du livre*, Rapport présenté au Groupe de travail sur la consolidation et la rentabilité des librairies, Montréal.

SHAPIRO, C. et H. R. VARIAN (1999), *Économie de l'information. Guide stratégique de l'économie des réseaux*, Bruxelles-Paris, De Boeck Université.

SODEC (2000), *Rapport du Comité sur les pratiques commerciales dans le domaine du livre* (Comité Larose), Montréal, SODEC.

SODEC (1999), *Rapport du Groupe de travail sur la consolidation et la rentabilité des librairies* (Comité Lespérance), Montréal.

SOLA POOL, E. de (1984), *Communications Flows: A Census in the United States and Japan*, New York, Elsevier Science.

SOM (2000), *Étude du marché québécois de l'achat de livres par Internet*, présentée au ministère de la Culture et des Communications du Québec.

SZENBERG, M. (1989), « Offre et demande de livres aux États-Unis : une estimation économétrique (1966-1982) », *in* F. ROUET (dir.), *Économie et culture, Volume 3 : Industries culturelles*, Actes de la 4e conférence internationale sur l'Économie de la Culture, Avignon, 12-14 mai 1986, Paris, La Documentation française, p. 105-110.

TREMBLAY, G. (1990), « Les discours théoriques sur les industries culturelles », *in* G. TREMBLAY (dir.), *Les industries de la culture et de la communication*, Sillery/Sainte-Foy, Presses de l'Université du Québec/Télé-Université, p. 33-65.

TREMBLAY, G. et J.-G. LACROIX (1991), *Télévision. Deuxième dynastie* (en collaboration avec M. Ménard et M.-J. Régnier), Sillery, Presses de l'université du Québec.

VACHON, H. (1998), *Les librairies agréées de 1986 à 1996*, document soumis au Groupe de travail sur la consolidation et la rentabilité des librairies, direction Livres, ministère de la Culture et des Communications du Québec.

VARIAN, H. R. (1999), *Market Structure in the Network Age*, présentation à la conférence *Understanding the Digital Economy*, 25-26 mai 1999, Department of Commerce, Washington, D.C.

VARIAN, H. R. (1998), « Market for Information Goods », *Bank of Japan Conference*, 18-19 juin 1998.

VARIAN, H. R. (1997), « Versioning Information Goods », présenté à la conférence *Digital Information and Intellectual Property*, Harvard University, 23-25 janvier.

VARIAN, H. R. (1996), « Differential Pricing and Efficiency », *First Monday*, (http://www.firstmonday.dk).

ZEITCHIK, S.M. (1999), « Brace E World ? », *Publishers Weekly.com*, 20 décembre, (http://www.publishersweekly.com/articles/19991220_83483.asp).

ANNEXE 1

Méthode d'estimation du marché final

Pour estimer la valeur des ventes finales de livres au Québec, nous avons procédé de la façon suivante :

- Appliquer la répartition, en pourcentage, des ventes des éditeurs et des diffuseurs exclusifs francophones selon les principales catégories de clients (Statistique Canada, cat. 87-210/87F0004XPB) à l'ensemble des ventes des entreprises du Québec, de façon à obtenir une estimation de la répartition des ventes par catégorie de clients au Québec (les données sont alors au prix de vente du distributeur, ou au prix de gros) ; au préalable, les ventes des entreprises du Québec ont été ajustées pour tenir compte des changements méthodologiques de Statistique Canada.
- Combler les années manquantes (1995-1996 et 1997-1998) avec l'évolution des ventes brutes d'un échantillon de 92 éditeurs (données internes à la SODEC) couvrant la période 1994-1995 à 1998-1999.
- Obtenir les ventes finales en appliquant, à la répartition des ventes par catégorie de clients au Québec (au prix de gros), les remises moyennes estimées de chaque segment (établies à partir de l'enquête sur les distributeurs et de données internes à la SODEC).
- Pour tenir compte de l'évolution des remises dans le temps, ajuster les valeurs précédentes en les multipliant par le ratio IPC/IPI livre, Canada (indice base 1998 = 1).

- Pour obtenir les ventes finales réelles (hors inflation), déflater les données par l'IPC livre, Canada, après avoir tenu compte de l'introduction de la TPS en 1991.

Rappelons que ces estimations ne représentent pas, à strictement parler, les ventes de livres au Québec, mais leur approximation par les ventes canadiennes des éditeurs et des diffuseurs exclusifs installés au Québec. Pour passer des ventes canadiennes des entreprises québécoises au marché final québécois, il faudrait : 1) retrancher de la première valeur les expéditions de livres au Canada (hors Québec)[1] ; 2) ajouter les importations directes de livres en provenance du Canada (hors Québec) et ne transitant pas via un diffuseur ou un distributeur québécois ; 3) ajouter les importations internationales de livres ne transitant pas par un diffuseur ou distributeur québécois.

En ce qui concerne les exportations au Canada hors Québec, on sait qu'elles représentent, pour les distributeurs francophones, 7,5 % de leurs ventes (tel qu'établi par l'enquête sur les distributeurs). En posant comme hypothèse que les éditeurs francophones sont tous situés au Québec (ce qui correspond à peu de choses près à la réalité), et que les éditeurs québécois anglophones expédient hors Québec 40 % de leur production (plus les 26 % de leurs exportations internationales), on peut estimer (sur la base de ventes finales de 503,5 millions de dollars pour les éditeurs francophones et de 110,8 millions pour les éditeurs anglophones), à environ 98 millions de dollars les exportations des entreprises québécoises au Canada hors Québec.

En ce qui concerne les importations directes en provenance du Canada hors Québec, en fonction des données précédentes et en supposant que le marché du livre anglophone au Québec représente entre 20 % et 25 % des ventes finales, on obtient un marché anglophone qui vaudrait entre 116 et 155 millions de dollars. Si l'on retranche de cette somme la production des entreprises québécoises destinée au marché anglophone au Québec (50,6 millions de dollars), on obtient une valeur des importations variant entre 65 et 104 millions de dollars.

Enfin, les importations internationales directes peuvent être estimées à partir de la valeur des importations de livres recensées par les douanes, desquelles on retranche la valeur des ventes des diffuseurs exclusifs, en tenant compte de leurs marges, et en supposant que ces importations portent une remise de 17,5 % (en posant l'hypothèse que la moitié de ces importations

1. Les exportations internationales sont déjà exclues.

sont des ventes finales et que l'autre moitié porte une remise de 35 %), on obtient la valeur de 20,2 millions en 1998. Toutefois, ces importations directes ont beaucoup varié entre 1994 et 1998, comme on peut le voir au tableau qui suit.

Si l'on tient compte de ces trois estimations, l'écart entre les ventes des entreprises québécoises et les ventes sur le marché québécois varie, en 1998, entre -12,8 et +26,2 millions de dollars. Autrement dit, par rapport à l'estimation de 588 millions de dollars, le marché québécois se situe quelque part entre 575 et 614 millions de dollars. On peut parler, en quelque sorte, d'une marge d'erreur tournant autour de 5 %.

Tableau I Estimation de la valeur des importations internationales directes, 1994-1998 (en milliers de dollars courants)

	Importations totales de livres (douanes)	**Importations des diffuseurs exclusifs**[1]	**Autres importations**	**Autres importations au prix de détail**[2]
	(1)	(2)	(1) – (2)	(3)
1998	168 481	151 857	16 624	20 150
1997	148 817	140 681	8 136	9 862
1996	139 437	128 821	10 616	12 868
1995	153 395	127 161	26 234	31 799
1994	134 388	129 816	4 572	5 542
TCAM[3] :				
1994-1998	5,8 %	4,0 %	38,1 %	38,1 %

1. Ventes des diffuseurs exclusifs (prix de gros, soit le coûtant des détaillants, moins 10 % de marge).
2. En supposant une remise moyenne de 35 % pour la moitié des importations, et de 0 % pour l'autre moitié.
3. Taux de croissance annuel moyen.

Source : Estimation SODEC, d'après Statistique Canada.

ANNEXE 2

Balance commerciale du Québec, livres et imprimés

La recension des exportations est beaucoup moins précise que celle des importations, les exportations n'étant pas soumises à des droits. De plus, les douanes recensaient, en 1998, des exportations internationales de 133 millions de dollars, alors que les éditeurs du Québec déclaraient, au cours de la même année, des exportations de 62 millions. Le solde commercial était même positif avec les États-Unis, affichant un surplus de 64 millions de dollars, ce qui est pour le moins surprenant. Cela s'explique probablement par l'ajout d'exportations d'imprimeurs à celles des éditeurs, c'est-à-dire des commandes d'impression adressées par des éditeurs américains à des imprimeurs québécois, commandes destinées au marché américain. Remarquons qu'il est également possible que des retours de livres étrangers, effectués par les distributeurs locaux, soient enregistrés comme des exportations.

Tableau II Bilan total, solde commercial du Québec par produits, 1994-1998 (en dollars)

	1994	1995	1996	1997	1998
Importations					
490110 Livres et brochures en feuillets	1 534 542	2 329 179	2 142 022	2 470 895	2 087 795
490191 Dictionnaires et encyclopédies	4 629 114	5 955 283	6 272 352	2 545 207	8 587 717
490199 Livres et ouvr. imprimés, nda	126 081 943	143 278 884	127 512 785	138 362 074	153 711 456
490591 Ouvr. cartogr., livres ou broch.	129 518	58 739	80 103	139 164	1 557 256
490300 Albums ou livres pour enfants	1 069 319	687 338	2 541 602	1 218 013	1 200 478
490400 Musique manuscr. ou imprim.	807 908	1 002 256	812 671	950 776	863 447
490510 Globes, imprimés	135 854	83 572	74 981	130 538	473 131
Total	**134 388 198**	**153 395 251**	**139 436 516**	**145 816 667**	**168 481 280**
Exportations					
490110 Livres et brochures en feuillets	10 205 413	5 420 308	7 048 001	8 773 599	10 052 342
490191 Dictionnaires et encyclopédies	2 411 271	427 677	1 261 401	230 745	595 094
490199 Livres et ouvr. imprimés, nda	68 452 967	83 222 188	97 358 886	96 140 824	98 142 937
490591 Ouvr. cartogr., livres ou broch.	413 666	1 519 376	1 540 407	725 671	4 145 705
490300 Albums ou livres pour enfants	9 753 951	9 689 456	7 086 122	16 625 893	20 012 768
490400 Musique manuscr. ou imprim.	2 044	97 652	0	0	0
490510 Globes, imprimés	0	63 952	0	0	13 074
Total	**91 239 312**	**100 440 609**	**114 294 817**	**122 496 732**	**132 961 920**
Solde commercial					
490110 Livres et brochures en feuillets	8 670 871	3 091 129	4 905 979	6 302 704	7 964 547
490191 Dictionnaires et encyclopédies	-2 217 843	-5 527 606	-5 010 951	-2 314 462	-7 992 623
490199 Livres et ouvr. imprimés, nda	-57 628 976	-60 056 696	-30 153 899	-42 221 250	-55 568 519
490591 Ouvr. cartogr., livres ou broch.	284 148	1 460 637	1 460 304	586 507	2 588 449
490300 Albums ou livres pour enfants	8 684 632	9 002 118	4 544 520	15 407 880	18 812 290
490400 Musique manuscr. ou imprim.	-805 864	-904 604	-812 671	-950 776	-863 447
490510 Globes, imprimés	-135 854	-19 620	-74 981	-130 538	-460 057
Total	**-43 148 886**	**-52 954 642**	**-25 141 699**	**-23 319 935**	**-35 519 360**

Source : Statistique Canada.

Tableau III Solde commercial du Québec, pays sélectionnés, 1994-1998 (en dollars)

	1994	1995	1996	1997	1998
Importations					
France	81 876 706	91 504 999	82 023 779	82 183 620	88 513 972
États-Unis	30 702 689	37 973 234	34 648 107	40 748 275	47 448 319
Royaume-Uni	3 007 903	3 208 853	2 971 269	2 661 063	3 011 289
Belgique	6 808 096	6 834 685	6 886 477	3 687 068	4 900 124
Suisse	986 762	796 756	746 440	629 938	773 665
Allemagne	1 695 928	2 019 952	1 571 682	1 520 605	4 042 277
Autres pays	9 310 114	11 056 772	10 588 762	14 386 098	19 791 634
Total	**134 388 198**	**153 395 251**	**139 436 516**	**145 816 667**	**168 481 280**
Exportations					
France	9 525 454	12 465 935	10 143 196	11 477 812	12 684 272
États-Unis	50 608 861	57 447 372	77 450 144	94 071 404	111 347 381
Royaume-Uni	1 955 029	2 396 525	1 440 231	946 371	735 580
Belgique	2 339 220	1 538 754	1 082 275	1 399 254	663 280
Suisse	319 326	594 895	438 771	155 701	232 463
Allemagne	6 115 089	1 900 970	6 391 329	823 358	940 843
Autres pays	20 376 333	24 096 158	17 348 871	13 622 832	6 358 101
Total	**91 239 312**	**100 440 609**	**114 294 817**	**122 496 732**	**132 961 920**
Solde commercial					
France	-72 351 252	-79 039 064	-71 880 583	-70 705 808	-75 829 700
États-Unis	19 906 172	19 474 138	42 802 037	53 323 129	63 899 062
Royaume-Uni	-1 052 874	-812 328	-1 531 038	-1 714 692	-2 275 709
Belgique	-4 468 876	-5 295 931	-5 804 202	-2 287 814	-4 236 844
Suisse	-667 436	-201 861	-307 669	-474 237	-541 202
Allemagne	4 419 161	-118 982	4 819 647	-697 247	-3 101 434
Autres pays	11 066 219	13 039 386	6 760 109	-763 266	-13 433 533
Total	**-43 148 886**	**-52 954 642**	**-25 141 699**	**-23 319 935**	**-35 519 360**

Source : Statistique Canada.

ANNEXE 3

Présentation des termes et ratios financiers utilisés

Nous présentons et commentons brièvement, dans cette annexe, les différents termes et ratios financiers utilisés aux chapitres 5, 6 et 7. Considérant les écarts considérables qui affectent la valeur de certains ratios, d'une entreprise à l'autre, nous avons utilisé les valeurs médianes pour les ratios de liquidité, de gestion et d'endettement. La médiane reflète plus précisément, dans le cas d'une distribution non normale, l'éventail des valeurs. Toutefois, en ce qui concerne les ratios d'exploitation et de rentabilité, comme les valeurs réelles étaient plus pertinentes à l'analyse, nous avons présenté, dans ce cas, les valeurs moyennes pondérées.

1. Ratios de liquidité

Ces ratios mesurent la capacité qu'a une entreprise d'honorer ses engagements à court terme.

Ratio de fonds de roulement $\frac{\text{Actif à court terme}}{\text{Passif à court terme}}$

Évalue l'importance des réserves liquides de l'entreprise. Généralement, plus le ratio est élevé, plus grand est le coussin entre les obligations courantes et la capacité de l'entreprise d'y faire face. Traditionnellement, un rapport égal ou supérieur à 2 était considéré comme satisfaisant. Mais cette règle est trompeuse, parce que la situation varie avec le secteur industriel, la région, le temps et la taille de l'entreprise. De plus, la composition et la qualité des actifs sont des facteurs critiques dans l'analyse d'une entreprise donnée.

Indice de liquidité

$$\frac{\text{Actif à court terme - stocks}}{\text{Passif à court terme}}$$

Indique la possibilité de payer les dettes à même l'actif le plus facilement monnayable (indicateur plus précis de la liquidité, raffinement du précédent). Le calcul suppose que la valeur de réalisation nette des stocks est nulle. La règle traditionnelle affirme que cet indicateur doit égaler 1. Un faible indicateur peut indiquer une difficulté, à moins que l'on ait une courte période de recouvrement.

2. Ratios de gestion

Ces ratios mesurent l'efficacité avec laquelle une entreprise gère ses différents éléments d'actifs.

Rotation des comptes à recevoir

$$\frac{\text{Ventes annuelles}}{\text{Comptes à recevoir}}$$

Mesure le nombre de fois que les comptes à recevoir « tournent » durant une année. Plus grand est ce ratio, plus court est le temps entre la vente et la récupération de l'argent. Ce ratio a la lacune de ne pas prendre en considération les fluctuations saisonnières. Un problème d'interprétation peut également se présenter lorsqu'une grande part des ventes totales est sous forme de comptant.

Liquidité des comptes à recevoir

$$\frac{\text{Comptes à recevoir x 365 jours}}{\text{Ventes annuelles}}$$

La liquidité des comptes, ou leur âge moyen, est un indice important de leur valeur. Plus la période de recouvrement est courte, plus leur liquidité est grande. L'âge moyen sert aussi à évaluer l'efficacité du service de recouvrement. En général, plus le nombre de jours est grand, plus l'est aussi la probabilité de défaut de paiement des comptes à recevoir. La comparaison peut indiquer jusqu'à quel point l'entreprise contrôle le crédit et la collecte. Les termes de paiement offerts par l'entreprise à ses clients peuvent toutefois varier au sein d'une industrie.

Rotation des stocks

$$\frac{\text{Coût des ventes}}{\text{Stocks}}$$

Mesure la vélocité de rotation des stocks (mesuré par rapport au coût des ventes). Nous avons utilisé, faute de données suffisantes, la valeur des stocks en fin de période plutôt que les stocks moyens. Un fort taux de rotation des stocks peut indiquer une plus grande liquidité ou une meilleure capacité de mise en marché. Mais il peut aussi indiquer des ruptures de stocks fréquentes, un stock insuffisant à ce qui est nécessaire pour vendre. Un faible taux de rotation peut indiquer une faible liquidité, du surstockage, ou de l'obsolescence. Cet indicateur a la lacune de ne pas tenir compte des variations saisonnières.

Liquidité des stocks

$$\frac{\text{Stocks x 365 jours}}{\text{Coût des ventes}}$$

Le degré de liquidité des stocks se mesure par leur âge moyen ; comme pour l'indicateur de rotation des stocks, il ne tient pas compte des variations saisonnières.

Rotation des comptes à payer

$$\frac{\text{Coûts des ventes}}{\text{Comptes à payer}}$$

Ce ratio mesure le taux de rotation des comptes à payer durant une année. Plus il est élevé, plus court est le temps entre l'achat et le paiement. Si le taux de rotation d'une entreprise est plus court que la moyenne de l'industrie, celle-ci peut souffrir de manque d'encaisse, de disputes de facturation avec ses fournisseurs, bénéficier de termes étendus ou élargir délibérément son crédit (si une entreprise achète à des termes de 30 jours, il est raisonnable de s'attendre à ce que ce ratio tourne autour de 30 jours). Ce ratio ne tient pas compte des variations saisonnières.

Liquidité des comptes à payer

$$\frac{\text{Comptes à payer x 365 jours}}{\text{Coût des ventes}}$$

La liquidité des comptes à payer, ou leur âge moyen, se mesure en jours. Comme pour l'indicateur de rotation, il ne tient pas compte des variations saisonnières.

Ventes sur fonds de roulement

$$\frac{\text{Ventes annuelles}}{\text{Fonds de roulement}}$$

Le fonds de roulement (actif à court terme moins passif à court terme) mesure la marge de protection pour les créditeurs à court terme. Il reflète la capacité à financer les opérations courantes ; en mettant en relation le niveau des ventes provenant des opérations et le fonds de roulement, on mesure l'efficacité avec laquelle le fonds de roulement est utilisé. Un bas ratio peut indiquer une utilisation inefficace du fonds de roulement, tandis qu'un très haut ratio signifie souvent des échanges excessifs — position vulnérable pour les créditeurs.

Couverture des stocks

$$\frac{\text{Stocks}}{\text{Fonds de roulement}}$$

Ce ratio mesure l'importance relative des stocks dans le fonds de roulement (actif à court terme moins passif à court terme). Toutes choses étant égales par ailleurs, on souhaitera que l'actif le moins liquide (les stocks) représente la proportion la plus faible possible du fonds de roulement (parce que la probabilité de ne pas être en mesure d'honorer ses engagements à court terme s'en trouve réduite).

Rotation des immobilisations

$$\frac{\text{Ventes nettes}}{\text{Immobilisations}}$$

Ce ratio mesure la productivité de l'utilisation des immobilisations par l'entreprise. Des immobilisations grandement dépréciées ou des opérations intensives en main-d'œuvre peuvent causer une distorsion de ce ratio.

Rotation de l'actif

$$\frac{\text{Ventes nettes}}{\text{Actif total}}$$

Ce ratio mesure, de façon générale, la capacité de l'entreprise de générer des ventes en fonction de son actif total. Une faible valeur peut indiquer que la capacité de production est sous-utilisée, mais l'inverse peut aussi trahir l'insuffisance de l'investissement. Il est préférable de l'utiliser en conjonction avec d'autres ratios d'opération pour déterminer l'utilisation effective de l'actif.

3. Ratios d'endettement

Les ratios d'endettement, ou indices de risque financier, sont des indicateurs de la probabilité qu'une entreprise a de respecter ses engagements envers ses créanciers.

Immobilisations sur l'avoir des actionnaires

$$\frac{\text{Immobilisations}}{\text{Avoir des actionnaires}}$$

Indicateur de la sécurité de la mise de fonds (les immobilisations sont un capital réel dont la valeur devrait s'apprécier en période d'inflation et dont le détournement n'est pas facile), mais aussi de son « illiquidité ».

Passif à l'avoir des actionnaires

$$\frac{\text{Passif à court terme + Dette à long terme}}{\text{Avoir des actionnaires}}$$

L'apport des actionnaires joue, pour les créanciers, le rôle d'un réservoir qui servirait au remboursement de la dette en cas de difficultés financières. Plus le ratio du passif à l'avoir est élevé, plus grand est le risque financier et plus variable est le bénéfice net, lequel rémunère le capital investi par les actionnaires.

Passif à court terme à l'avoir des actionnaires

$$\frac{\text{Passif à court terme}}{\text{Avoir des actionnaires}}$$

Le passif à court terme est constitué d'engagements qu'il faudra honorer dès le prochain exercice financier. L'avoir des actionnaires est un capital permanent. Plus le premier est élevé par rapport au second, plus l'entreprise est vulnérable.

4. Ratios d'exploitation et de rentabilité

Ces ratios nous renseignent sur la capacité de croissance d'une entreprise, en comparant un revenu au capital qui l'a produit.

Marge d'exploitation brute

$$\frac{\text{Ventes - Coût des marchandises vendues}}{\text{Ventes}}$$

Donne la proportion du montant des ventes dont dispose l'organisation pour éponger ses frais d'administration et de ventes, et pour assurer son bénéfice net (il est souvent plus difficile de réduire le coût des ventes que les autres dépenses — la marge d'exploitation brute est aussi la véritable marge de manœuvre des gestionnaires).

Marge de bénéfice net $\dfrac{\text{Bénéfice net avant impôt}}{\text{Ventes}}$

Mesure la part du bénéfice net contenu dans chaque dollar de vente.

Taux de rendement de l'actif total $\dfrac{\text{Bénéfice net avant impôt}}{\text{Actif}}$

Mesure l'efficacité avec laquelle l'entreprise utilise le capital mis à sa disposition (mesure la rentabilité sociale du capital, c'est-à-dire du produit total à partager entre les investisseurs et les gouvernements ; si on retranchait l'impôt au numérateur, on mesurerait la rentabilité privée du capital).

Taux de rendement de l'avoir des actionnaires $\dfrac{\text{Bénéfice net avant impôt}}{\text{Avoir des actionnaires}}$

Indique la rentabilité de la mise de fonds des actionnaires. Cet indicateur est influencé par la structure financière.